還生鏢師

1판 1쇄 발행 | 2022년 12월 30일

펴낸이 | 권태완 우천제
펴낸곳 | (주)케이더블유북스
편집자 | 한준만, 박병권, 이다혜
디자인 | 정예현

출판등록 | 2015-5-4 제25100-2015-43호
KFN | 제3-16호

주소 | 서울시 구로구 디지털로31길 38-9, 401호
전화 | 070-8892-7937 **팩스** | 02-866-4627 **E-mail** | fantasy@kwbooks.co.kr

ISBN 979-11-404-1045-3 04810
     979-11-404-1037-8 (set)

환생 포교사

신갈나무

신무협 장편소설

8

완결

차례

1장
전설의 표행(2)

남궁소소가 완전히 사라진 것을 확인한 나는 얼른 침상으로 달려갔다. 이어 일부러 살짝 늘어뜨려 놓았던 이불을 젖힌 후 아래로 손을 쑥 넣었다. 대충 그녀가 있을 만한 곳을 더듬었더니 차디차게 식은 발목이 만져졌다.

급한 마음에 양쪽 발목을 잡고 쭉 잡아당겼다. 한데 침상 밖으로 모습을 드러낸 사람은 연소교가 아니라 근육질의 시커먼 남자였다.

"허억!"

화들짝 놀란 나는 두 발을 집어 던지며 세 걸음이나 후다닥 물러났다.

침상 아래에서 끌려 나온 인간은 어처구니없게도 호리독사였다.

"이건 또 뭐야!"

눈치를 보아하니 공주가 가져다준 즉묵노주를 훔쳐 먹으러 들어왔다가 연소교가 나타나자 먼저 침상 아래로 들어가 숨은 모양이었다.

이 인간이 술을 훔쳐 먹고 돌아다니는 건 어제오늘의 일이 아니었기에 놀랍지도 않았다. 다만, 예상치 못한 순간에 갑자기 튀어나오니 나도 모르게 당황했을 뿐.

"한데 왜 기절을 한 거지?"

가만 보니 호리독사의 상태가 좀 이상했다. 얼굴엔 핏기가 사라졌고 사지도 통나무처럼 **뻣뻣하게** 굳어 있었다.

"설마!"

황급히 목의 경동맥 자리에 손가락을 대보니 맥이 뛰질 않았다. 혹시나 해서 입에다 귀도 가져다 대보았다. 숨을 전혀 쉬지 않았다.

"죽었어!"

소름이 쫙 끼쳤다.

아무래도 내 생각이 틀린 것 같았다. 호리독사가 먼저 숨은 것이 아니라, 연소교가 집무실에 침입했다가 술을 훔쳐 먹고 있던 호리독사에게 들키자 마공으로 그를 죽인 다음 침상 밑에 숨겨놓은 모양이었다.

"찢어 죽일!"

화가 머리끝까지 난 나는 다시 침상 밑으로 손을 넣었다. 이어 아무 데나 닿는 대로 틀어잡아 연소교를 끄집어냈다. 잡은 것이 하필 목 앞쪽의 옷깃이었다.

아직 부상으로 힘들어하는 그녀를 허공에 번쩍 들어 올린 다음 살기를 폭사하며 말했다.

"감히 내 표사를 죽여?"

"귀식대법(龜息大法)이에요."

"뭐?"

"죽은 게 아니라 귀식대법을 펼치고 있는 거라고요. 당신이 날 침상 밑으로 밀어 넣었을 때 그가 먼저 저런 모습을 한 채 누워 있었어요. 나야말로 놀라서 까무러치는 줄 알았어요."

귀식대법은 호흡뿐만 아니라 심장 박동까지 멈춤으로써 기척을 완전히 없애는 공부를 말한다. 그렇게 되면 몸이 굳고 체온이 떨어지면서 한동안은 정말 시체와 다름없는 몸이 된다.

시전자는 귀식대법을 펼칠 당시 머릿속에 새겨둔 시간이 되어야만 비로소 혼자 힘으로 깨어날 수 있다. 그때까지 시전자는 산 것도 죽은 것도 아닌 채로 무의식의 세계를 떠돈다.

당연한 말이지만 귀식대법을 펼치는 동안에는 주변의 동정을 전혀 알 수가 없다.

가만히 생각해 보니 연소교의 말이 맞는 것 같았다. 일단 저런 몸으로 찾아왔으면 나를 암살하러 온 건 아니다. 그렇다면 무언가 부탁을 하러 온 것일 텐데, 부탁하러 와서 내 사람을 죽였을 리는 없지 않나.

호리독사는 술을 훔쳐 먹으러 들어왔다가 밖에서 인기척이 느껴지자 당연히 나라고 생각했을 것이다. 호흡을 멈추는 정도로는 언감생심 나를 속일 수 없음을 알고 황급히 침상 밑으로 들어가 귀식대법을 펼친 것이고.

나는 그제야 연소교를 놓아주었다.

털썩 주저앉는 그녀를 뒤로한 채 시체가 되어 누워 있는 호리독사를 냅다 걷어찼다.

퍽! 퍽! 퍽!

"이 망할 놈의 인간!"

"조금만 생각해 보면 무언가 이상하다는 걸 알아차렸을 텐데, 천하의 풍운비룡답지 않게 실수를 다 하시네요."

"닥쳐!"

"내게 화가 많이 나셨군요. 하지만 귀하의 연인이 위험한 전쟁터로 끌려가는 게 꼭 우리 때문만은 아니에요."

"각혈을 하더니 슬슬 살 만한가 보군. 할 말이 있으면 빨리 하고 가시오. 천룡표국이 무림맹의 맹방은 아니나 마교와 친구가 아닌 것 또한 분명하니까."

"저 목함을 무림맹주께 전달해 줘요."

그러면서 연소교는 보퉁이에 싼 목함을 눈짓으로 가리켰다. 남궁소소가 비린내의 진원지라고 지목한 바로 그 목함이었다.

"무림맹주께서 천룡표국의 이웃집에 사는 줄 아시오?"

"정식으로 표행을 의뢰하겠어요."

"직접 무림맹으로 가져가서 전달하면 되지 않소."

"표물을 맡길 일 있으면 언제든 찾아와 달라고 하지 않았나요? 자신은 표사라서 의뢰만 있다면 흑백은 물론이거니와 정사마도 따지지 않는다고."

작년에 남만에서 그 난리를 치르고 난 후 연소교와 헤어질 때 마지막으로 나누었던 대화가 떠올랐다.

"표물을 맡길 일이 있으면 언제든 찾아와 주시오. 보아서 알겠지만, 나는 의뢰만 있다면 흑백은 물론이거니와 정사마도 따지지 않소."

"도무지 두려움을 모르는군요. 잘 알지 못하는 마인들과 함부로 거래

를 했다가는 큰일 나는 수가 있어요."

"그렇게 말하는 사람이야말로 잘 알지도 못하는 마인들과는 함부로 거래하지 말라고 충고해 주지 않았던가?"

"내가 아직도 모르는 사람인가요?"

"잘 알았다면 뒤통수를 맞지도 않았겠지."

"사천에서의 일은 죄송하게 됐어요. 그래도 좀 도와줘요. 믿고 맡길 만한 사람이 그쪽밖에 없어서 그래요."

말을 하며 연소교가 한순간 얼굴을 찡그리며 어금니를 꼭 깨물었다. 부상을 당한 곳에 고통이 찾아온 모양이었다. 이마에는 어느새 식은땀이 송골송골 맺혀 있었다.

그 모습을 보니 살짝 연민도 느껴졌다.

"목함 속에 든 물건이 대체 무엇인데 그러오?"

"정마대전의 발발을 멈추게 할 물건이요."

"삼뇌의 머리라도 가져온 거요?"

"……!"

"……?"

무심코 던져본 말인데 연소교의 표정이 어딘지 이상했다.

머리끝이 쭈뼛하고 솟구친 나는 황급히 목함이 있는 곳으로 달려갔다.

이중 삼중으로 묶인 보퉁이를 푸는 잠깐의 시간 동안에도 등줄기가 축축하게 젖어 드는 것 같았다. 이윽고 보퉁이를 모두 풀고 사각의 큼지막한 목함 뚜껑까지 열었다. 그러자 백발의 머리카락에 피딱지가 덕지덕지 묻은 노인 하나가 머리통만 남은 채 나를 올려다보고 있었다.

"이런 미친!"

천마성교 마지막 군사인 삼뇌 뇌천자의 수급이 분명했다.

전생과 현생을 통틀어 지금만큼 놀란 적은 맹세코 없었다. 정수리로 내리친 벼락이 온몸을 관통하고 지나간 것 같았다.

쾅!

목함의 뚜껑을 거칠게 닫은 나는 두 눈을 부릅뜨고 연소교를 돌아보았다. 이어 벌렁대는 심장을 가까스로 진정시키며 물었다.

"대체 무슨 짓을 하고 돌아다니는 거요?"

"남만에서 함께 천마성교의 교도들에게 붙잡혔었던 것 기억하시나요? 천마성교 내에 잠입해 있던 우리 쪽 조력자들의 도움으로 무사히 탈출할 수 있었던 것도요."

"누가 들으면 우리도 함께 데리고 탈출한 줄 알겠군. 자기들끼리만 몰래 빠져나갔으면서 말이지. 아무튼 그게 뭐 어쨌다는 거요?"

"그때 우리를 탈출시킨 후 마지막까지 함께했던 사람들 중에 이미 삼뇌군사에게 포섭당한 변절자가 있었어요."

"하면?"

"당신들과 헤어진 지 얼마 되지 않아 천마성교의 교도들에게 사로잡혔고, 마총에서 힘들게 손에 넣은 죽간도 빼앗겼어요. 나머지는 아마도 짐작하시는 대로일 거예요."

삼뇌는 연소교에게 다시 한번 천마성교에 투신할 것을 회유했을 것이다. 말이 좋아 회유지 그녀 자신과 수하들의 목숨을 볼모로 한 협박이었을 게 분명했다.

나는 그제야 사천성에서 연소교가 삼뇌와 함께 나타난 이유를 알아차렸다. 그녀가 천룡표국의 표사들에게 활을 쏠 때 급소를 피한 것도, 설표가 엽초풍을 찾기 위해 동료들과 산 정상을 수색할 때 시늉만 하고 떠난 이유도.

"저 수급은 어떻게 된 거요?"

"삼뇌군사가 간자를 잠입시켜 우리를 잡았던 것처럼 그의 수족이 되어 때가 오기를 기다렸어요. 그리고 열흘 전 경계가 약한 틈을 타 기사를 치르는 데 성공했고요."

"그 늙은 여우를 용케도 속였군."

"천만에요. 그는 단 한 번도 나를 믿지 않았어요. 잠잘 때조차 고수들로 하여금 호법을 서게 했죠. 그러고도 모자라 혈잠고(血蠶蠱)까지 몸속에 주입했어요."

"그건 또 뭐요?"

"매월 보름 해독제를 복용하지 않으면 고충이 발작하면서 목숨을 잃거나 통제 불능의 미치광이가 되어버리는 절독이에요."

고충 혹은 고독이라 불리는 독물은 남만의 묘강에서 누에, 지네, 독사, 두꺼비 등에 기생하여 살아가는 독충을 통칭하는 말이었다. 혈잠고는 그런 고독 중의 하나인 모양이었다. 이름만 들어도 죽음의 냄새가 물씬 풍겨왔다.

말인즉슨, 삼뇌는 연소교에게 고독을 먹여 감히 배신할 생각을 못하도록 한 것이다. 그럼에도 불구하고 연소교는 배신을 해버린 것이고.

"혹시 아직도?"

"이미 해독제를 손에 넣어 고독은 깨끗이 해결했어요. 다만 도주를 하는 과정에서 추적자들과 싸우다가 부상을 조금 당했을 뿐."

"수하들은 어쩌고 혼자 다니는 거요?"

"모두 죽었어요."

"……!"

눈 위의 칼자국 설표, 곱사등이 산노, 말라깽이 우숙, 거대 원숭이 야차곤의 모습이 빠르게 뇌리를 스쳐 갔다. 그 괴물들이 전부 죽었다고? 이렇게 갑자기?

연소교가 힘들게 나를 찾아온 이유를 알 것 같았다. 더불어 그녀가 얼마나 위험한 상황에 처해 있는지도.

"맹주님께 전해주세요. 왕이 죽었으니 맹방의 장문인들을 설득해 이쯤에서 전쟁 준비를 그만 멈춰달라고요."

"아무래도 이건 내가 중간에 끼어들 일이 아닌 것 같소. 지금 당장 자리를 만들어줄 테니 무림맹 총군사님께 소저가 직접 전하도록 하시오."

"총군사가 이웃에 사는 것처럼 말씀하시는군요."

"알고 온 거 아니었소?"

"무얼요?"

"사마옥 총군사께선 지금 천룡표국에 계시오."

"만박노군이 여기 있다고요?"

연소교는 정말로 깜짝 놀랐다. 그런 그녀의 모습이 오히려 나를 더 놀라게 했다.

"천룡표국에 모종의 의뢰를 하기 위해 개봉에서부터 나와 함께 오셨소. 이건 비밀도 아니었는데 어째서 모르고 있는 거요?"

"거사를 치르고 난 후 천마성교의 고수들을 피해 계속 숨어만 다녔어요. 해서 무림맹주께서 동원령을 내렸다는 것 외엔 세상 돌아가는 소식을 전혀 듣지 못했고요."

무림에서 어떤 한 무리의 수장이 손발을 잘리면 이렇게 된다. 잘린 건 손발인데 눈과 귀도 함께 멀어지는 것이다.

"만나보겠소?"

"좋아요."

"단, 조건이 있소. 이곳은 천룡표국이고, 천룡표국 내에서 국주의 허락 없이 정마(正魔)의 수뇌부가 회동을 할 수 없소. 나는 나대로 천룡표국의 표사로서 당연히 보고해야 할 의무가 있고."

"무슨 말씀인지 알아들었어요."

시간은 어느새 자정을 넘겼다.

깊어가는 새벽, 대황촉 하나만을 밝힌 비룡당의 내 집무실에 모인 사람은 이제 일곱 명으로 늘어났다.

나와 연소교를 비롯해 총군사 사마옥, 묵혼귀갑대주 서문룡, 천룡표국주 이종산, 총표두 곽석산, 그리고 아직 귀식대법에서 깨어나지 못한 변사체 호리독사였다.

목함에 든 삼뇌의 수급을 확인한 사람들은 예외 없이 모두가 소스라치게 놀랐다. 특히 사마옥은 충격으로 눈까지 허옇게 뒤집어 떴다.

이종산이 내게 물었다.

"어떻게 된 것이냐?"

조금 전 있었던 일과 연소교에게 들었던 얘기들을 최대한 압축해서 들려주었다. 마지막은 '이에 그녀가 총군사님께 드릴 말씀이 있다고 해서 모셨습니다'라는 말로 정리를 했다.

그러나 얘기를 끝냈을 때쯤 사마옥은 눈을 감은 채 깊은 생각에 잠겨 있었다.

연소교가 그를 향해 조용히 그러나 당당한 목소리로 말했다.

"이미 정보를 입수하셨겠지만 삼뇌군사는 몇 달 전 칠마총 중 한 곳을 더 찾아냈어요. 그곳에서 또 다른 성보와 금은보화들을 손에 넣었고요."

사마옥은 여전히 생각에 잠겨서 어떤 반응도 보이지 않았다.

하지만 나를 비롯한 나머지 사람들은 깜짝 놀랐다. 남만에서 보았던 것과 똑같은 마총이 하나 더 발견되었다는 게 상상하기조차 어려웠다.

새로 발견된 마총의 성보 또한 십중팔구 고대의 죽간일 것이다. 그렇다면 이제 세상에 나온 죽간은 모두 세 개였다. 어떻게 손에 넣었는지 모르지만 무림맹에 하나가 있고, 연소교에게 하나가 있었다가 삼뇌에게 빼앗겼고, 삼뇌가 또 다른 마총에서 마지막으로 하나를 더 찾았고.

한데 미안하지만 무림맹이 가지고 있던 죽간의 진체와 영기는 현재 내가 완전히 흡수를 해버린 상태였다. 그리고 아무도 모르지만, 내게는 처음부터 이 모든 죽간들의 왕이랄 수 있는 또 다른 죽간이 몸속에 새겨져 있었다.

"이후 삼뇌군사가 억만금의 재물과 함께 성보를 두 개나 손에 넣었다는 소문이 마인들 사이에 돌면서 천마성교도들의 숫자가 기하급수적으로 늘어났어요."

순간 사마옥이 눈을 번쩍 떴다.

"전면전이 벌어지면 무림맹도 피해가 클 것이라는 말을 하고 싶은 것이오?"

"아뇨. 승부를 장담하실 수 없다는 말씀을 드리려는 거예요. 그러니 이쯤에서 서로 물러나는 게 어떤가요? 삼뇌군사의 수급 정도면 명분도 있고 무림맹의 맹방들을 설득하기에도 충분할 것 같은데요."

"천마성교의 교도들은 설득할 수 있겠소?"

"천마교주가 없는 지금 삼뇌군사는 교주의 대신이면서 동시에 모든 전략을 짜는 책사였어요. 교주와 책사가 한날한시에 없어졌으니 다들 화가 나더라도 달리 방법이 없을 거예요."

나도 모르게 고개를 끄덕였다.

장기를 둘 때도 왕이 죽으면 판이 끝나 버린다. 천마성교의 기둥이 무너졌으니 교도들도 뿔뿔이 흩어지게 될 거라는 연소교의 말은 매우 그럴듯해 보였다. 만약 그렇게만 된다면 남궁소소도 위험한 전쟁터에 나갈 필요가 없다.

빨리 이 자리를 끝내고 동이 터 오르기 전에 다선초당으로 달려가 소식을 전하고 싶은 마음이 굴뚝 같았다.

한데 무슨 이유에선지 누구보다 기뻐해야 할 사마옥과 이종산의 표정은 오히려 더 어둡고 심각해졌다.

"이렇게까지 하는 이유가 무엇이오?"

"전쟁을 막자는 데에 이유가 필요한가요?"

"백골시마의 제자라고?"

"그렇습니다."

"노사께서 이렇듯 훌륭한 재목을 찾아놓고 가신 줄은 미처 몰랐군. 하지만 아무리 좋은 벽오동 나무라도 숲을 모두 볼 정도로 자라려면 오랜 시간이 세월이 필요한 법이지."

"무슨 말씀이신가요?"

"소저의 바람과 달리 전쟁은 결국 벌어질 것이오. 오히려 더 격렬해지고 더 많은 사람들이 죽어 나갈 것이오."

"왕이 쓰러지면 전쟁도 끝나는 거 아닌가요?"

"그건 모두가 지칠 대로 지친 전쟁의 막바지에서나 가능한 얘기지."

"……?"

"그때에도 적장들을 모조리 죽일지언정 왕은 살려두어야 하는 법이오. 그래야 적국의 남은 병사와 백성들이 가슴에 복수심을 품고 사는 걸 막을 수 있을 테니까."

다른 건 몰라도 전쟁이 끝난 후 패전국의 왕을 죽이지 않고 살려두는 것은 병법과 통치술의 기본이었다. 고금을 막론하고 역사 속 대부분의 전쟁이 실제로도 그렇게 끝났다.

"삼뇌라는 강력한 구심점이 사라지면서 천라지망을 펼쳐 마교도들을 일망타진하겠다는 우리의 계획도 그만 물거품이 되어버렸군."

그거야말로 연소교가 바란 것들 중 하나였다. 사마옥의 말대로라면 최소한 그녀가 의도했던 일의 절반은 해결이 된 셈이었다.

"나로서는 한 명의 전략가만 상대하면 되는 상황에서 통제되지 않는 수많은 괴물들을 상대해야 하는 상황으로 변한 것이고."

"삼뇌군사의 수급을 벤 것은 저인데 그들이 무림맹을 상대로 복수를 할 거라 생각하시는 건 지나친 비약이 아닌가요?"

연소교의 말투가 다소 공격적으로 변했다. 그녀의 입장에서는 마교도들을 척살해야 하는 대상으로만 여기는 사마옥의 말투가 불편하기도 할 것이다.

"열흘 전에 거사를 치렀다고 했소?"

"그렇습니다."

"그런 다음에는 줄곧 항주를 향해 도망쳤고?"

"그렇습니다."

"항주에 풍운비룡 말고도 아는 사람이 있소이까? 가령 목숨이 위험하거나 도움이 필요할 때 찾아가 믿고 의지할 수 있는."

"무슨 말씀을 하시려는 건가요?"

"어느 시점에 이르러 그들도 소저의 목적지가 천룡표국임을 알아차렸을 것이오. 한데 공교롭게도 소저가 도착한 지금 천룡표국엔 무림맹 총군사인 내가 와서 머물고 있소."

"……!"

"그들은 아마도 소저의 배후에 무림맹이 있다고 믿을 것이오. 나와 모종의 거래를 했다고도 생각하겠지. 그게 아니면 지금의 상황을 설명할 수 없으니까."

"……!"

"혹시 삼뇌가 가지고 있던 성보들도 모두 빼돌렸소?"

"……!"

"빼도 박도 못하겠군."

어느 순간부터 제대로 된 대답도 못 하고 눈만 끔벅거리던 연소교의 얼굴이 얼음장처럼 굳어졌다.

나는 나대로 뒤통수를 한 대 세게 얻어맞는 기분이었다. 듣고 보니 과연 그럴듯하지 않은가. 무림맹 총군사는 아무나 하는 게 아님을 다시 한번 깨달았다. 이종산 역시 천룡표국의 국주이자 노강호답게 처음부터 사마옥과 똑같은 생각을 했던 모양이었다.

사마옥의 말이 이어졌다.

"진짜 무서운 존재들은 따로 있소."

"그들은 또 누구죠?"

"마교분파의 시대로부터 이어져 온 칠마교와 그들의 무맥을 이은 거마(巨魔)들이 아직도 심산유곡에 은거하고 있음을 잘 알 것이오. 세 개의 성보가 강호에 나타났다는 소식이 알려지면 그들이 은거를 깨고 나올 수도 있소."

그렇지 않아도 굳어 있던 연소교의 얼굴이 더욱 굳어졌다.

일 년 전 무림맹의 의뢰로 죽간을 호송하던 중 사마옥이 나와 남궁소소에게 해주었던 말이 떠올랐다.

"지금은 맥이 끊어졌지만, 여러 이적들을 행한 것으로 알려진 천마성교의 전대 교주들이 세 권의 비경기서들을 대대로 익혔다고 하네. 수많은 마교절학들의 뿌리 또한 비경기서들이고."

거꾸로 말하면 세 개의 성보들을 모두 익히면 다른 마교의 고수들을 압도하는 천마가 탄생하는 것이다.

삼뇌가 왜 그토록 죽간들을 손에 넣으려 했는지 이제야 확실히 이해가 됐다. 그는 자신의 손으로 새로운 천마를 만들려고 했던 것이다. 천마성교를 부활하는 것 이상의 무언가가 있을 거라 짐작은 했지만 이렇게 확인을 하고 나니 온몸에 소름이 끼쳤다.

'세상에, 천마라니!'

한편, 칠마교의 무맥을 이은 거마들이라 함은 연소교의 사부인 백골시마와 같은 고수들을 말하는 것 같았다.

사마옥의 입에서 나오는 한 마디 한 마디 놀랍지 않은 것이 없었다.

"그렇다면 겁란을 막을 방법은 정녕 없는 건가요?"

"한 가지 방법이 있기는 하지. 하지만 그리 간단한 문제가 아니오. 무엇보다 소저가 그것을 받아들일 수 있을지도 모르겠고."

"그게 무엇인가요?"

"화근을 제거하는 것이오."

"설마 성보를 전부 없애자는 말씀인가요?"

"그렇소."

연소교의 얼굴이 와락 일그러졌다.

내가 찾아준 칠마총의 죽간은 연소교가 속해 있던 음양쌍교의 성보였다. 또한 그녀는 사부였던 백골시마의 유지를 받들어 음양쌍교의 재건을 위해 지금까지 노력해 왔다. 한데 어떻게 자신의 손으로 성보를 없앨 수 있겠나.

"그건 받아들일 수가 없습니다. 무엇보다 지금 성보들을 불태워 없애 버리면 총군사께서 말씀하신 것처럼 무림맹도 공범으로 간주해 전면전이 불가피할 거예요."

"무언가 오해를 했군. 내가 화근을 없애자고 한 것은 사람들이 감히 함부로 침범할 수 없는 곳으로 옮겨서 봉인을 하자는 뜻이었소."

"그게 어디죠?"

"천마대총(天魔大塚)."

모두가 깜짝 놀란 나머지 한동안 숨소리조차 들리지 않았다.

천마대총에 대해서는 나도 조금 들은 바가 있었다. 천마성교 역대 교주들의 유해가 묻혀 있다는 전설상의 장소였다. 인근 십 리에 발을 들여놓기만 해도 죽음에 이른다는 절대 사지이자 마교의 모든 비밀이 숨겨져 있다는 곳.

하지만 아직까지 천마대총을 찾으러 갔다가 죽은 사람이 있다는 얘기는 들어본 적 없었다. 그게 어디에 있는지 아는 이가 없었기 때문이다.

"천마대총의 위치를 아시나요?"

"그건 천마성교의 군사들이 알고 있었소."

"하지만 마지막 군사였던 이가 이미 죽었어요."

"천마성교의 팔대호교사자들도 알고 있었고."

"……!"

역설적이게도 연소교의 사부인 백골시마가 바로 천마성교의 마지막 팔대호교사자 중 한 명이었다.

사마옥은 백골시마가 죽으면서 만약의 경우를 대비해 제자인 연소교에게 천마대총의 위치를 가르쳐 주었을 거라고 생각하는 것 같았다.

그의 예상은 적중했다.

"모르시는 게 없군요."

"중원 전역에 무림맹의 눈과 귀가 있지."

"하지만 천마대총은 성보를 세 개 이상 지니고 있는 자에게만 출입이 허락된다고 들었어요. 만약 그렇지 못한 자가 함부로 발을 들여놓았다가는 제아무리 고수라도 온몸이 산산조각 난다고."

"무림맹도 성보를 하나 내놓겠소."

"무림맹에 있는 건 진본이 아닌 것으로 압니다만."

"모르는 게 없으시군."

"중원 전역에 천마성교의 눈과 귀가 있죠."

"내 짐작이 틀리지 않는다면 죽간은 그저 최초의 기록에 사용된 도구일 뿐, 공능을 발휘하는 건 그곳에 새겨진 암호와도 같은 주문과 경문들일 것이오."

사람들의 시선이 다시 연소교에게로 향했다. 이번에야말로 그녀가 확실한 대답을 주어야 할 차례였다.

불태워 세상에서 완전히 없애 버리는 것과 달리 천마대총에 봉인하는 거라면 타협의 여지가 있지 않을까? 사마옥의 말처럼 죽간이 기록을 위한 도구에 불과하다면 그곳에 적힌 내용을 필사하거나 외워둘 수도 있는 노릇이고.

연소교는 한참을 망설인 끝에 말했다.

"천마대총은 아주 먼 곳에 있어요."

"어딘지를 알아야 계획을 세울 수 있소."

"정확한 위치는 교맥을 잇는 자들에게만 전해지는 기밀이어서 외부인에게 가르쳐 줄 수 없어요. 다만 황하를 넘어 북쪽에 있다는 정도로 말씀드리겠습니다."

"남만의 십만대산 속 어느 곳이 아니고?"

"천마성교의 고귀한 영혼이 죽으면 북쪽 하늘로 올라가 별이 된다는 말이 있어요. 고귀한 영혼은 당연히 교주를 말하는 것이고요. 해서 고래로 북쪽 하늘과 가까운 곳에 교주들의 무덤을 썼다고 들었습니다."

천마대총의 대략적인 위치를 말해주는 것으로 연소교는 동참을 확인해 주었다.

이제 그곳까지 어떻게 죽간을 가져가서 봉인하느냐의 문제가 남아 있었다.

"이제부터는 국주님의 지혜를 빌려야 할 것 같습니다."

사마옥이 이종산을 돌아보며 말했다.

이종산은 고민을 하는 듯 잠시 사이를 두었다가 무겁게 입을 열었다.

"무림맹이 아무리 많은 병력을 동원해 호송해도 마교도들은 수단과 방법을 가리지 않고 죽간을 탈취하려 들 것입니다. 하면 결국 봉인을 위한 여정 자체가 정마대전의 도화선이 되어버리겠지요."

"쉽지 않을 줄은 압니다."

"무엇보다 적들의 행보가 생각보다 빠릅니다."

"무슨 말씀이신지요?"

이종산이 총표두 곽석산을 돌아보며 고개를 끄덕였다.

그러자 곽석산이 기다렸다는 듯이 말을 하기 시작했다.

"저녁 무렵부터 천룡표국 주변에 정체를 알 수 없는 자들이 어슬렁 거리고 있습니다. 인근 여각과 주루 등에는 범상치 않은 기도를 풍기는 자들로 이미 만원이고요."

"벌써!"

"그런가 하면 표행을 의뢰하겠다며 천룡표국을 찾아와 경내에 머물고 있는 의뢰인들의 숫자가 평소보다 두 배나 많습니다. 절반은 처음 보는 사람들입니다."

이거야말로 깜짝 놀랄 일이었다. 눈치를 보아하니 표국 주변에 갑자기 이상한 자들이 꼬이기 시작하자 곽석산이 표사들을 풀어 상황을 파악하게 한 모양이었다.

　내가 비룡당으로 불러 연소교와 삼뇌의 수급을 보여주지 않았다면 지금까지도 그들이 누구인지 모른 채 뒤를 캐고 있었을 것이다.

　의도치 않게 무림맹을 끌어들인 데다 마교도들까지 잔뜩 끌고 온 것이 되어버린 연소교는 미안해서 어쩔 줄을 몰라 했다.

　사마옥이 다시 이종산에게 물었다.

　"저들의 전력은 어느 정도나 됩니까?"

　"한 식경 전까지 천룡표국을 중심으로 십 리 안에 대략 오백여 명 정도가 머물고 있는 것을 확인했습니다. 숫자는 지금도 계속해서 늘어나는 중이고요."

　"오히려 우리가 천라지망에 갇혀 버렸군요."

　"지금 속도라면 내일 아침쯤에는 천여 명에 육박할 겁니다. 그땐 저들도 무작정 기다리고만 있지 않을 것 같습니다만."

　"감당할 수 있겠습니까?"

　"연 소저와 죽간을 지킬 수 있겠느냐고 물으시는 거라면 물론입니다. 하지만 천룡표국의 경내 곳곳에는 마교도와 표사들의 시체가 산이 되어 쌓이겠지요."

　"서둘러 죽간을 옮기는 수밖에 없겠군요."

　"세 개의 죽간이 천마대총으로 향한다는 걸 저들이 알게 해야 합니다. 하지만 전면전으로 확산되는 것은 피해야 하고요. 그러려면 강호인들의 눈에 띄지 않는 최소한의 인원으로 은밀하게 움직여야 합니다."

　"제가 하겠습니다."

　사람들의 시선이 다시 연소교에게로 모아졌다.

그녀의 말이 이어졌다.

"제가 벌인 일이니 제가 마무리를 짓겠습니다. 염치없지만 몇 가지 약재들과 함께 천라지망을 뚫고 나갈 수 있도록만 도와주세요. 그다음은 제가 알아서 하겠습니다."

이종산이 연소교에게 말했다.

"진짜 문제는 천라지망을 뚫은 다음이오. 소저 혼자서는 무리오. 황하를 넘기는커녕 절강성을 벗어나지도 못하고 사로잡힐 것이오."

"제가 함께 가겠습니다."

내가 불쑥 끼어들며 한 말이었다.

깜짝 놀란 사람들이 이번엔 일제히 나를 돌아보았다. 나는 꼭 다문 입술과 부리부리하게 뜬 눈으로 결의를 표현했다.

수하들을 전부 잃고 부상까지 당해 도망쳐 온 연소교에게 그 무거운 짐을 전부 떠맡길 수는 없었다. 무엇보다 나 역시도 그녀만큼이나 전쟁의 발발을 막고 싶었다. 그래야 남궁소소도 전쟁터로 끌려가지 않을 테니까.

죽어가던 연소교의 눈동자에서 생기가 돌기 시작했다. 달리 방도가 없어 혼자 하겠다고는 했지만, 그녀도 속으로는 말할 수 없을 만큼 무서웠을 것이다.

사마옥이 놀라서 물었다.

"자네가 왜?"

"운송과 호송은 원래 표사의 일이니까요. 그리고 지금 이곳은 제가 당주로 있는 비룡당의 집무실입니다. 특별 의뢰와 암표는 보통 여기서 진행되지요. 바로 지금처럼 말입니다."

"둘이 간다고 달라질 것 같은가?"

"한 명 더 있습니다."

나는 저만치 구석에서 아직도 시체처럼 널브러져 있는 호리독사에게로 시선을 주었다.

그리고 좋은 말로 타일렀다.

"이 방에서 귀하가 깨어났다는 걸 모르는 사람은 아무도 없소. 그러니 죽은 척 그만하고 어서 일어나 앉으시오."

호리독사가 슬그머니 일어나 앉았다. 이어 겸연쩍은 듯 머리통을 벅벅 긁으면서 읊조렸다.

"딱 한 병만 마셔보려고……."

"함께 가주겠소?"

"예?"

"대충 들었잖소."

"제가 딱히 쓸모가 있을까요?"

"귀하는 내가 아는 최고의 객원표사요."

비용 대비라는 말은 차마 못 했다.

호리독사는 잠시 어리둥절한 표정이 되어 나를 보았다.

이게 뭐라고 모두가 숨죽이고 그의 대답을 기다렸다.

이윽고 호리독사의 입이 다시 열렸다.

"그럼 그럴까요?"

"고맙소이다."

"별말씀을요."

다시 사마옥을 돌아보며 말했다.

"표행단이 꾸려진 것 같습니다."

"경솔하게 굴지 말게. 자네의 능력이 비범한 줄은 알겠으나 이건 지금까지 해왔던 표행들과는 차원이 다르네."

"표행비는 부르는 대로 주겠다는 말씀으로 듣겠습니다. 물론 의뢰인은 무림맹입니다. 보시다시피 연 소저는 직접 운송하는 것으로 제 몫을 하니까요."

"내가 말려도 가겠느냐?"

이종산이 착 가라앉은 음성으로 물었다. 모두가 숨을 죽이고 나와 이종산을 지켜보았다.

"삼십 년 전 국주님께서는 총표두님과 단둘이서 다섯 개 흑도 문파에게 쫓기던 일가족 네 명을 광동성에서부터 호위해 대설산을 넘으신 바 있습니다. 저는 하 표사와 함께 연 소저를 호위해 황하를 건너겠습니다."

"그때보다 훨씬 고되고 위험한 표행이 될 것이다."

"외람된 말씀입니다만, 저는 그때의 국주님이나 총표두님보다 조금 더 강합니다. 지켜야 할 사람도 적고요."

"총군사님과 함께 도울 방법을 강구해 보마."

"허락해 주셔서 감사합니다."

"총표두!"

"하명하십시오."

"월인소야검을 가져오게."

"복명."

일이 빠르게 진행되었다.

일단 표국에 상주하는 최고 의원이 내 집무실로 와서 사마옥과 함께 연소교의 상태부터 살폈다. 다행히 오랜 도주 생활로 말미암아 진기가 쇠했을 뿐, 내상과 외상은 큰 문제가 아니었다. 그럼에도 불구하고 이종산은 가문비전의 영약들을 아끼지 않았다.

사람들이 연소교의 상태를 살피는 동안 나는 이미 잠자리에 든 가불염과 전립성 그리고 용소백을 호출해 뒷일을 부탁했다.

갑작스러운 표행 소식에 세 사람은 놀라서 어쩔 줄을 몰라 했다. 가불염이 함께 가게 해달라고 몇 번이나 청했지만, 이 표행은 최대한 사람의 시선을 끌지 않아야 한다는 말에 고개를 떨구었다.

이윽고 모든 준비를 마쳤을 때는 창밖이 어슴푸레 밝아오고 있었다. 머지않아 동이 터 오를 것 같았다.

지금쯤 남궁소소는 오라버니와 함께 다선초당에서 양주로 떠날 채비를 열심히 하고 있을 것이다. 예쁘게 차려입고 기다릴 테니 나도 멋지게 차려입고 오라던 그녀의 마지막 말이 떠올랐다.

'아무래도 약속을 지키지 못할 것 같군.'

수많은 표마차들이 삼삼오오 짝을 지어 천룡표국을 빠져나갔다.

이른 새벽이면 어김없이 펼쳐지는 진풍경이었다. 날이 완전히 밝아지기 전에 출발해서 날이 완전히 어두워지기 전에 멈추는 것이 표행단의 오랜 규칙이기 때문이었다.

비룡당의 일각주 왕일은 그중 하나의 표행단을 이끌고 천룡표국을 나섰다. 열 명의 표사와 열일곱 명의 노련한 쟁자수들로 이루어진 이 표행단은 표마차 아홉 대를 호송하는 임무를 맡았다.

출발하기 직전 그가 모시는 주군이자 당주 이정룡은 이렇게 말했다.

"여긴 우리 구역이오. 그걸 절대 잊지 마시오."

처음엔 모든 게 순조로웠다.

문제는 시원하게 뻗은 대로를 지나 북쪽으로 방향을 꺾은 지 얼마 되지 않았을 때 일어났다.

정체를 알 수 없는 오십여 명의 무림인들이 앞을 막아섰다. 복장도 용모도 무기도 제각각인 것이, 딱 보아도 저 내키는 대로 칼질을 하며 살던 인간들이라는 게 느껴졌다.

지금쯤 천룡표국을 중심으로 십 리 안에서 사방 거미줄처럼 뻗어 나가는 길목마다 이런 자들이 표마차들을 막아서고 있을 것이다.

"새벽부터 고생이 많으십니다."

짝눈에 들창코에 뻐드렁니까지, 남들은 하나도 어려운 삼박자를 두루 갖춘 사내가 인사를 건네왔다.

가슴에 장검 한 자루를 품은 채 팔짱을 꼈는데, 가볍게 웃기까지 하는 모습에서 긴장한 기색이라고는 찾아볼 수가 없었다. 이런 일에 이골이 난 것이다.

"고생은 당신들이 하고 있지. 우리야 방금까지도 집 안에서 불을 쬐다 나왔지만 당신들은 이 추운 날씨에 밤새 밖에서 기다렸을 것 아니오."

예상치 못한 반응에 무림인들은 살짝 당황한 기색을 보였다.

추남은 피식 웃더니 말했다.

"재밌는 표사로군."

"천룡표국 비룡당 소속 왕일이오. 귀하는?"

"바람처럼 스치고 말 사이에 무슨 통성명씩이나."

"바람이 스칠지 칼이 목에 스칠지는 모르는 거니까. 후자라면 서로가 이름 정도는 알아두는 게 좋지 않겠소?"

"우리가 왜 마차를 세웠는지 잘 아는 것 같은데, 몇 가지 협조만 해 주면 피차 칼이 목에 스칠 일은 없을 것이오."

"나도 궁금한 게 있는데."

"어디로 가는 표행이오?"

"나이가 몇이오?"

"표물은 무엇이오?"

"고향은 어디오?"

"우리가 좀 봐도 되겠소?"

"얼굴은 언제부터 그랬소?"

"표사와 쟁자수들의 몸도 전부 수색을 해야 하는데."

"이러고 돌아다니는 거 부모님들께선 알고 계시오?"

"협조가 잘 안 되는군."

"도둑질에도 도(道)가 있는 법이오, 남의 표국 앞에서 새벽부터 노상 강도질을 하는 주제에 너무 예의를 모르는군."

"안 되는 걸 되게 하는 것이 우리의 일이지."

채채채채채챙!

오십여 명이 병장기를 뽑아 들고는 살기를 폭사했다.

표사들 역시 반사적으로 도검을 뽑아 들고 표마차를 막아섰다. 쟁자수들은 쟁자수들대로 모조리 표마차 위에 올라가 활에 화살을 재어 적들을 겨누었다.

비룡당의 쟁자수들은 다른 당의 쟁자수들과 달리 모두 박도와 활을 웬만큼 다루었다. 이는 당주인 풍운비룡이 쟁자수들에게도 기마술과 도법과 궁술을 배우도록 장려하고 기회를 만들어주었기 때문이었다. 거기에 쟁자수 출신으로 표사가 되어 풍운비룡의 총애를 한 몸에 받는 독고완에 대한 선망도 한몫했다.

훨씬 부족한 전력에도 불구하고 표사와 쟁자수들이 주눅 드는 기색을 전혀 보이지 않자 놈들은 크게 의아한 모양이었다.

그때 천룡표국 쪽으로부터 누군가 말을 타고 다급하게 달려왔다.

기마인은 왕일이 이끄는 표행단을 지나쳐 길을 막고 선 놈들에게로 곧장 갔다. 이어 말에서 내릴 사이도 없이 우두머리 추남에게 다급히 보고했다.

"추혼쌍귀(追魂雙鬼)를 비롯해 간밤에 천룡표국으로 들어갔던 특무조 칠십 명이 전부 사로잡혔습니다."

"뭐!"

"그중 양귀를 비롯해 아홉 명이 죽고, 열세 명이 중상을 입었으며, 나머지 역시 서둘러 치료를 해야 하는 상황입니다."

"대체 어쩌다가?"

"죽은 아홉 명은 천살마녀를 찾기 위해 몰래 표왕부로 침투하다가 정체를 알 수 없는 고수들에게 당했고, 나머지는 다른 전각들을 뒤지다가 당했습니다. 아무래도 일급표사들이 계속 감시를 하다가 위로부터 명령이 떨어지자 동시에 공격을 감행한 것 같습니다."

간밤에 마교도들이 사람들의 눈을 피해 조금 먼 곳의 길목들에다 진을 친 것은 천룡표국의 위세를 두려워했기 때문이다. 만약 바로 코앞에서 표국을 빙 둘러쌌다면 이종산은 크게 모욕을 느끼고 전 표사들을 동원, 바로 전면적인 토벌전을 감행했을 것이다.

하물며 몰래 표왕부에 침투하고 제멋대로 경내를 돌아다니려고 한 자들을 가만두었겠나. 실력 좋기로 유명한 천룡표국의 표사들이 그들을 감지하지 못한다는 것은 더더욱 말이 안 되고.

"호법들께서는 뭐라고 하시더냐?"

"좌호법께서 천룡표국으로 들어가 표왕을 만나셨습니다. 그리고 조금 전 급한 교지를 내리셨습니다."

"내용은?"

"전 교도들은 무조건 싸움을 멈추고 대기하라!"

"저들이 강제로 뚫고 지나가려고 해도?"

그때 또 한 명의 기마인이 말을 타고 달려왔다. 등에 천룡표국의 표기를 꽂은 그는 왕일의 앞에 이르러 역시나 마상에서 다급하게 전했다.

"국주님의 명령을 전합니다. 천룡표국의 모든 표행단은 흉수들이 강탈을 시도하지 않는 한 공격을 멈추고 대기하라!"

대충 상황이 그려졌다. 국주가 사로잡은 마교도들을 볼모로 좌호법이라는 자와 협상을 하고 있는 모양이었다.

지금부터는 그야말로 창과 방패의 싸움이었다.

천마성교의 사자와 천룡표국의 표사는 각각 다른 조와 표행단에도 소식을 전하기 위해 말을 달려 사라졌다.

천룡표국을 중심으로 십 리 안에만 수십 개의 갈림길이 있으니 저 소식을 전하는 사람들도 한두 명이 아닐 것이다.

왕일을 시작으로 가장 멀리 있는 표행단에까지 명령을 전달한 나는 귀환을 위해 천룡표국 쪽으로 말을 달렸다.

이따금 새벽을 깨우는 장사꾼들이 물색을 모르고 오갔지만, 인피면 구를 뒤집어쓴 탓에 누가 알아볼까 하는 염려는 하지 않아도 되었다.

대로에서 이어지는 갈림길들은 물론이거니와 작은 골목의 입구까지 마교도들이 포진해 있지 않은 곳이 없었다. 심지어 양민들이 사는 전 각의 지붕 곳곳에도 감시의 눈길이 있었다. 그중 몇 개는 천룡표국을 나온 후부터 지금까지 계속 나를 쫓았다.

그러나 아무리 촘촘하게 천라지망을 펼쳐도 빈틈은 반드시 존재하는 법이었다. 게다가 이곳은 내가 무려 삼십 년을 살아온 곳이 아닌가. 어느 전각에 누가 살며, 개구멍이 어디로 나 있고, 이 시간에 어디가 가장 어두운지까지 훤히 꿰고 있었다.

잠깐 나타나는 수로를 옆에 끼고 달릴 무렵이었다. 부지런한 나룻배 한 척이 두 명의 선객을 태운 채 맞은편에서 한가롭게 미끄러져 왔다.

아름드리 수양버들 두 그루를 사이에 두고 나룻배는 수로 위에서, 나는 길 위에서 서로를 스쳐 지날 때였다. 돌연 나룻배가 출렁이면서 선객 한 명이 수양버들 사이를 지나 뭍으로 쏜살처럼 비상했다.

신법이 예사롭지 않더라니, 선객은 단 세 걸음 만에 내 눈앞 허공까지 날아왔다.

나는 등에 꽂은 표기를 휙 뽑아서 허공에 던져놓은 다음 반대쪽으로 훌쩍 뛰어내렸다. 사내는 표기를 낚아채 자신의 등에 꽂더니 눈 깜짝할 사이에 안장까지 차지하고 앉았다. 그러고는 아무 일 없었다는 듯 계속해서 말을 달려갔다.

반대로 나는 재빨리 수로 쪽으로 달려가 힘차게 도약한 다음 낙엽처럼 사뿐히 나룻배에 올라탔다. 무려 일 장을 날아서 착지했지만, 나룻배는 조금도 흔들리지 않았다.

"놀라운 신법이군요."

앞쪽에 앉아 있던 선객이 조용히 말을 걸어왔다.

방물장수처럼 행낭을 두 팔로 안은 채 초립을 쓴 그는 남장에 역용을 한 연소교였다.

"추적자는?"

"없었어요."

나는 뒤돌아보며 강태공에게도 물었다.

"삿대를 제법 잘 찍는구려."

"제가 한때 수채에 몸담았다는 사실을 벌써 잊으셨습니까?"

"추적자는?"

"깨끗합니다."

강태공은 역시나 변복에 역용을 한 호리독사였다.

두 사람 다 나보다 앞서 비슷한 방식으로 조력자들과 말을 바꿔 탄 상태였다. 우리를 대신해 말을 타고 간 사람들은 비룡당 내에서도 유흥가를 전담 관리하는 삼각의 표사들이었다.

지난밤, 나는 바깥에서 표사들을 이끌고 유흥가를 돌고 있던 왕삼에게 은밀히 연락을 취하는 데 성공했다. 그 결과가 지금 이것이었다.

호리독사가 물었다.

"이제 어디로 갈까요?"

"수로가 끝날 때까지 북쪽으로."

그때쯤 동쪽 지평선 너머로부터 동이 터 오르기 시작했다. 불과 잠깐의 차이로 온 세상이 불 켜진 방 안처럼 환하게 밝아왔다.

'지금쯤이면 출발했겠지?'

오라버니를 따라 양주로 떠났을 남궁소소가 떠올랐다.

마지막 순간까지 나타나지 않는 나를 기다리며 얼마나 원망했을까? 만약 내가 이 표행을 실패한다면, 그래서 그녀가 전장으로 끌려가 만에 하나 불의의 사고라도 당한다면, 어젯밤 보았던 게 마지막 모습이 되어버린다. 반대로 그녀가 살고 내가 표행 중에 목숨을 잃어도 마찬가지였다. 남궁소소는 어젯밤의 공기와 풍경과 우리가 나눴던 대화들을 기억하며 오랜 세월 나를 그리워할 것이다.

'그러다 결국 딴 놈한테 시집을 가겠지.'

절대 그렇게 되도록 놔둘 수 없었다. 무슨 일이 있어도 표행을 성공시켜 그녀를 다시 만나야 한다. 그래야 약속을 지키지 못한 일에 대해서도 사과를 할 게 아닌가.

"부상은 좀 어떻소?"

"국주님께서 영약들을 아끼지 않고 주신 덕분에 훨씬 가뿐해졌어요. 금창약도 잘 듣고요."

"다행이군."

"신세는 꼭 갚겠어요."

"줄 만해서 준 것이니 부담 갖지 마시오."

"네?"

"열아홉 살의 어린 여자가 혼자 정마대전을 막겠다고 온몸을 던지는데, 절강성 제일의 표국에서 영약 몇 개도 주지 못한대서야 말이 되겠소?"

"한 가지 여쭤도 될까요?"

"말해보시오."

"왜 저와 함께 가겠다고 하셨어요? 천룡표국의 이익을 위해서라면 오히려 정마대전이 벌어지는 게 더 유리했을 텐데."

"무슨 소리. 표행이 성공할 경우 책임지고 맹주님을 설득해 백지 전표를 발행해 주겠다는 약속을 총군사님으로부터 받아내는 거 못 봤소? 내가 무림맹에 얼마를 요구할 줄 알고."

"확실히 의협심 때문은 아니군요."

"난 표사요."

호리독사의 삿대질 솜씨가 제법이더니, 나룻배는 몇 번이나 방향을 꺾어 어느새 항주의 외각을 지나고 있었다.

수향의 도시답게 항주는 수로가 사통팔달로 이어졌다. 그리고 수로의 좌우에는 '반드시'라고 해도 좋을 만큼 관도가 깔려 있었다.

해가 완전히 떠오르자 부지런한 사람들이 관도에 하나둘씩 모습을 드러내기 시작했다. 수로 위에 떠다니는 나룻배들도 점점 많아졌다.

그러던 어느 순간 호리독사가 깜짝 놀라며 말했다.

"당주님, 앞을 좀 보십시오!"

마교도들이라도 나타난 줄 알고 황급히 전방을 살피던 나는 그만 온몸이 그대로 굳어버렸다.

이십여 장 앞에서 남궁세옥이 그의 여동생 남궁소소와 말 머리를 나란히 한 채 또각또각 오고 있었다. 뒤에는 나도 잘 아는 남궁세옥의 수하 십여 명이 역시나 말을 타고 오는 중이었다.

남궁세가가 위치한 양주는 북쪽에 있었고, 방향으로만 따지자면 저들도 지금쯤 어딘가에서 우리처럼 북쪽으로 가고 있어야 했다. 그런데도 반대 방향에서 오는 건 우리가 지나온 곳 어디쯤에 위치한 다리를 통해 수로를 건너기 위해서였다. 덕분에 그녀와 나는 아주 잠깐이나마 조우할 수 있게 된 것이고.

'이런 행운이!'

거리가 가까워지면서 남궁소소의 모습도 점점 선명해졌다. 십여 장 정도로 가까워졌을 때는 그녀의 넓은 이마 위로 새치름하게 흘러내린 머리카락까지 다 보일 정도였다.

"오늘따라 유난히 곱게 차려입으셨네요. 오라버니와 함께 어디 어려운 자리에 인사라도 드리러 가시나?"

호리독사도 반가운지 싱글생글 웃으며 말했다.

남궁소소가 저렇게 차려입은 사정을 아는 연소교는 무거운 표정으로 가만히 나를 돌아보았다.

남궁소소는 완전히 다른 사람 같았다. 꽃과 나비를 은은하게 수놓은 새하얀 비단 궁장을 입고 허리에는 넓은 띠를 둘렀는데, 그 바람에 안 그래도 한 줌밖에 되지 않는 허리가 더욱 잘록해 보였다. 허리띠의 오른쪽에는 나비매듭에 여러 가지 색깔의 보옥으로 장식한 술을 매달아 살짝 멋을 부렸다. 그런가 하면 머리는 한올 한올 참빗으로 곱게 빗어 올려 내가 사준 목련잠으로 야무지게 쪽을 진 다음 꽃 모양의 작은 노리개도 꽂아두었다.

같은 난초꽃이라도 항아리에 담은 것이 다르고 백옥분에 담은 것이 다르다더니, 지금 남궁소소의 모습이 딱 그랬다. 단아하면서도 화려하고, 화려하면서도 귀족들처럼 기품 있는 그녀의 모습에 나도 모르게 침이 꼴깍하고 넘어갔다.

잠깐 사이 남궁소소와의 거리는 대여섯 장 정도로 가까워졌다. 이제는 살짝 손만 흔들어도, 아니, 그녀가 무심코 이쪽을 바라보아도 눈이 마주칠 정도였다.

"배를 잠깐 세울까요?"

호리독사가 또 속삭이듯 말했다.

순간, 남궁소소의 뒤쪽 수십 장 밖에서 걸어오고 있는 대여섯 명의 사내들 눈에 들어왔다. 새벽바람이 추운 듯 팔짱을 끼고 몸을 잔뜩 움츠린 채 양민들 틈에 섞여 걷고 있지만, 그들의 걸음은 결코 평범하지 않았다.

'추적자!'

지난밤 저 남매가 천룡표국을 다녀갔다는 사실이 생각났다. 특히 남궁소소는 비룡당으로 찾아와 나까지 만나고 갔다. 꼬리가 붙는 건 당연했다.

"그냥 가시오."

"예?"

"그냥 가라고 했소."

놈들이 남궁소소를 해치지 않을까 하는 걱정은 하지 않아도 된다. 남궁소소도 이미 일류고수지만, 오라버니 남궁세옥이 곁에 있는 한 털끝하나 건드리지 못할 테니까. 어쩌면 남궁세옥이 이미 눈치챘을지도 모르고.

남궁소소와 나는 결국 서너 장의 거리를 두고 서로를 지나쳐 갔다. 내가 할 수 있는 것이라곤 다른 행인들처럼 초립의 창을 슬쩍 들어서 쓸쓸한 표정으로 지나가는 그녀를 훔쳐보는 것뿐이었다.

'금방 돌아오겠소.'

아침부터 시작된 비는 오후가 되어도 그치질 않았다.

도롱이를 입고 커다란 죽립을 쓴 우리는 인적 없는 산길을 묵묵히 걸었다.

항주를 떠나와 이렇게 도보로만 이동한 지 벌써 사흘째였다. 말을 타면 편하기야 하겠지만, 대신 강이 나타날 때마다 큰 배가 있는 포구 마을을 찾아가야 한다. 그런 곳에는 눈이 많다.

"어떻게 되었을까요?"

연소교가 불쑥 물어왔다. 천룡표국을 벌집으로 만들어놓고 온 것이 계속 마음에 걸리는 모양이었다.

천마성교도들은 천룡표국에서 빠져나가는 모든 표물과 표사와 쟁자수들을 이 잡듯이 검문하려 들었을 것이다.

반면 특별한 이유 없이 표물을 외부인에게 보여주는 건 모든 표국에서 금기로 여기는 일이었다. 다른 곳도 아니고 천룡표국이 수백 년간 지켜온 원칙을 마교의 협박 따위가 무서워 깰 리 만무했다. 결국 어떤 식으로든 격전이 벌어질 수밖에 없었다.

　내가 연소교와 함께 목숨 걸고 마교의 성보들을 운송하는 것처럼 이종산도 후방에서 그의 방식으로 치열하게 싸우고 있었던 것이다.

　다만 경륜과 지혜를 발휘해 표사와 쟁자수들의 인명 피해가 크지 않기를 바랄 뿐이었다. 다행히 전쟁 전문가인 무림맹 총군사 사마옥이 함께 있으니 그나마 조금은 안심이 되었다.

　"걱정되시오?"

　"저로 말미암아 벌어진 일이니까요."

　"천룡표국으로 찾아온 건 소저의 의지이지만, 일을 이렇게까지 크게 벌인 건 국주님의 의지요. 빚진 마음이 있다면 최대한 멀리까지 달아나도록 합시다. 그게 국주님을 비롯한 천룡표국의 표사들이 전쟁을 감수하는 이유니까."

　"국주님께선 왜 절 내쫓지 않으신 거죠? 그랬다면 모든 게 간단했을 텐데요."

　"우리는 표국인들이오. 의뢰를 거절하는 일은 있어도 사마외도라고 해서 의뢰인을 죽음으로 내모는 일은 없소. 하물며 혼자 전쟁을 막겠다며 찾아온 이를."

　지금처럼 강북으로 향하는 암표행에서 가장 첫 번째로 만나는 난관은 역시 장강이었다.

남무림에서 흑도의 악명 높은 고수가 유명한 무림방파의 제자를 죽인 후 북무림으로 도망친다고 치자. 그럴 때 제자를 잃은 무림방파에서 가장 먼저 봉쇄하는 곳이 장강이었다.

북무림에서 살인을 하고 남무림으로 도망쳐도 마찬가지다. 숲이 우거진 산과 달리 장강은 사방이 트여 일단 눈에 띄기가 쉬웠다. 게다가 반드시 배를 타야 해서 건널 수 있는 곳 또한 한정적이었다. 만약 적들이 우리의 탈출을 눈치챘다면 지금쯤 남직예성과 접경을 이루는 장강 일대가 마교도들로 북적댔을 것이다.

다행히도 그런 조짐은 보이지 않았다. 뿐만 아니라 대형 여객선을 타고 장강을 건너던 중 사람들이 떠드는 얘기들을 통해 천룡표국의 소식까지 들을 수 있었다.

"대치를 이어가던 천룡표국과 천마성교도 삼천여 명이 결국 전면전을 벌였다더군. 모두의 예상을 깨고 천룡표국이 대승을 거두었다던데. 피해도 놀라울 정도로 작고."

"표국에 남은 표사와 쟁자수들을 싹싹 끌어모아 봐야 천 명도 안 되었을 텐데, 어떻게 그렇게까지 대승을 거둘 수 있었지?"

"한나절 정도 수성전을 펼치는 척하다가 마교도들을 천룡표국의 경내로 끌어들여 덫에 빠뜨린 무림맹 총군사의 작전이 주효했다더군."

"대범한 작전도 작전이지만 천하십검 중 한 명인 표왕의 압도적인 무공과 자신들의 터전을 지키려는 표사와 쟁자수들의 치열함이야말로 결정적 요인이었다고 하던걸."

"거기에 외부로부터의 조력도 한몫했을 겁니다. 수향문주가 용무

관, 삼양문, 응조문, 진검문, 철사문 등, 항주를 대표하는 정도문파의 문주들을 설득해 제자들을 대거 이끌고 천룡표국으로 달려갔다더라고요.”

“세가 약해서 그렇지 수향문이야말로 천룡표국보다 오래된 항주의 유서 깊은 검도 명문이지. 문주인 옥면검협 조충헌은 본래가 유명한 협객이었고.”

“그러고 보니 한때 아름답기로 유명한 수향문주의 딸과 표왕의 셋째 아들 사이에 혼담이 오가다가 없던 일로 되지 않았었나?”

“껄끄럽다면 껄끄러운 사이일 텐데도 불구하고 달려가 돕는 걸 보면 옥면검협이 대인배는 대인배군.”

“그렇기도 하지만 절강성의 패자이자 든든한 보루라고 할 수 있는 천룡표국이 무너진다면 다른 정도문파들에게도 좋은 일은 아니지.”

수향문의 조영영과 용무관의 진금봉을 비롯해 이병룡의 친구들이 머릿속을 스쳐 갔다. 당연히 그들도 함께 천룡표국으로 달려갔을 것이다. 한때는 나와 투닥거리기도 했는데, 지금은 내가 달아날 시간을 벌어주기 위해 다들 함께 싸워주었다고 생각하니 기분이 묘했다.

덕분에 우리는 항주를 떠난 지 닷새째 되는 날 가장 큰 난관이 될 뻔한 장강을 아무런 제지도 받지 않고 무사히 건널 수 있었다. 이건 이종산이 전쟁을 감수하면서 벌어준 시간과 거리라고 해도 과언이 아니었다.

여기에 수많은 사람의 조력과 희생이 있었던 것은 물론이고. 총군사님과 함께 도울 방법을 찾겠다던 이종산의 마지막 말이 얼마나 무거운 한 마디였는지 이제서야 실감 났다.

그날 오후, 우리는 험준한 산 하나를 올랐다.

해 질 무렵이 되자 능선을 넘었고 자연스럽게 물을 찾아 골짜기 쪽으로 내려갔다.

오늘 저녁은 여정을 시작한 이후 처음으로 불을 피울 작정이었다. 왕대나무를 잘라 만든 간이 그릇에 밥도 짓고, 육포를 넣어 육수도 끓이고.

닷새 동안 추위에 떨면서 염소 똥 같은 벽곡단만 주야장천 먹었다. 뜨끈한 국물에 하얀 쌀밥을 말아 먹을 생각하니 벌써부터 오장육부가 든든해지는 것 같았다.

한데 어렵게 찾은 계곡가에는 먼저 온 사람들이 있었다. 검게 그은 얼굴에 앙상한 체격을 가진 세 명의 노인들이었다.

그들은 바위 사이에다 커다란 솥을 걸고 무언가를 열심히 끓여대는 중이었다. 천렵을 하는 듯한 모습에다 꾀죄죄한 복장까지. 시골에서 흔히 볼 수 있는 촌로들이었다.

문제는 이곳이 인적도 없고 길도 없는 오지 중의 오지라는 데 있었다.

'약초꾼들인가?'

그렇다고 하기에는 노인들의 용모가 어딘지 모르게 살짝 기괴했다. 하나같이 눈이 툭 튀어나온 데다 관자놀이는 움푹 들어갔으며 머리털과 눈썹이 죄다 빠지고 없었다.

피를 나눈 친형제들이 아니라면 오랜 세월 동류의 무공을 익힌 탓일 수도 있다. 그것도 섭리를 벗어난 좌도방문. 하지만 무공을 익힌 흔적은 전혀 느껴지지 않았다.

그렇다고 안심할 수는 없었다. 초절정의 고수들은 기운을 얼마든지 안으로 갈무리할 수 있으니까.

잠깐 사이 거리가 가까워지면서 가마솥이 훤히 들여다보였다. 뚜껑
도 없이 김만 모락모락 피어오르는 가마솥에는 무슨 이유에선지 맹물
만 있었다. 그렇다고 물속에 넣어 끓여 먹을 고기나 생선 같은 것들도
보이질 않았다. 수상한 구석이 한둘이 아니었다.

불길한 예감을 느낀 나는 그대로 지나칠 생각이었다. 한데 우리가 다
가오는 걸 멀리서 지켜보며 나누는 그들의 대화가 귓속을 파고들었다.

"정말 이리로 오는군."

"제가 뭐라고 했습니까."

"먹음직스럽게 생겼는걸."

"아서요. 표사들은 고생을 많이 해서 질깁니다."

"늙은 황소를 잡아도 부드러운 부위가 열 관은 나오는 법이다. 하물
며 젊은것들이야 더 말할 것도 없지. 클클클."

이 노인네들이 지금 무슨 소리를 하는 건가.

한데 따지거나 저항하고 싶은 마음이 조금도 들지 않았다. 본능적으
로 저들을 건드려선 안 된다는 생각이 들었다. 분명 살기나 기세는 아
닌데, 그런 것들만으로는 설명할 수 없는 무언가가 저 노인들에게는 있
었다. 나도 모르게 걸음이 더욱 빨라졌다.

대여섯 장의 거리를 두고 서둘러 지나치려는 순간 한 노인이 말을 걸
어왔다.

"못 본 척 지나치려고?"

끝까지 시치미를 떼고 걸었다.

"그게 말이 된다고 생각해?"

누가 그걸 모르나. 어떻게든 싸움을 피하고 도망치려다 보니 그런 거지.

연소교와 호리독사에게 전음으로 신호를 준 후 경공을 펼쳐 달아나려는 순간이었다. 무언가 대기를 찢으며 날아오더니 '땅!' 하는 굉음과 함께 눈앞의 고목에다 주먹만 한 구멍을 뚫어놓았다. 노인이 던진 돌멩이가 뚫고 들어간 것이다.

그럼에도 불구하고 고목은 한번 부르르 떨고 말 뿐이었다. 속도가 너무나 빠른 탓이었다.

맹세코 이토록 빠르고 강력한 돌팔매질은 일찍이 본 적이 없었다. 만약 우리 중 누군가가 저 돌멩이를 머리에 맞았다면? 아마도 달리는 중에 머리통이 폭발하듯 터져 나가 버렸을 것이다. 생각만으로도 모골이 송연해졌다.

순간, 연소교의 전음이 들려왔다.

[아무래도 명부삼귀(冥府三鬼)인 것 같아요!]

[더 자세히 말해주시오.]

[천마성교 내에서 염왕부라는 암살단을 이끌던 사신(死神)들이에요. 저들 셋이 힘을 합치면 하늘 아래 찾아내거나 죽이지 못할 사람이 없다고 들었어요. 오랫동안 강호에 나타난 적이 없어 다들 늙어 죽은 줄 알았는데…….]

[한데 그동안은 왜 삼뇌와 함께 다니지 않은 거요?]

[천마교주에게 굴복해 천마성교의 염왕부를 이끌었을 뿐, 저들의 뿌

리가 되는 교맥은 사령신교예요.]

[혹시 식인을 하는 자들이오?]

[고대의 사령신교는 죽은 교도의 육체를 나눠 먹는 것으로 영생을 할 수 있다고 믿었어요. 그때의 관습 때문에 식인을 하는 자들이 있다는 얘기는 들었지만…….]

사마옥의 예상이 적중했다. 마교의 성보 세 개가 세상에 나타나면 심산유곡에 은거하던 거마(巨魔)들이 모습을 드러낼 수도 있다고 하더니만.

나는 등에 가로질러 멘 물건을 한번 추스르며 정확한 위치를 가늠했다. 둘둘 감은 광목천 안에는 이종산이 준 그의 애병 월인소야가 숨어 있었다.

이어 세 명의 노인들이 있는 곳으로 천천히 걸음을 옮겼다.

호리독사와 연소교가 조용히 따랐다. 숨조차 제대로 쉬지 못하는 모습에서 두 사람이 얼마나 놀라고 긴장했는지를 알 수 있었다.

이윽고 노인들의 앞에 이르자 정중히 포권지례부터 올렸다.

"무림 말학 이정룡, 선배님들께 인사드립니다."

"우리가 누군 줄은 아느냐?"

셋 다 나이를 종잡을 수 없을 만큼 늙은 와중에도 두 번째로 늙어 보이는 노인이 물었다. 낮은 쇳소리가 왠지 산 사람의 목구멍에서 나오는 소리 같지가 않았다.

"한때 천마성교의 염왕부를 이끌던 명부삼귀 선배님들이 아니신지요."

"제법이구나."

"무림맹 총군사께서 경고를 해주셨지만 이렇게 빨리 뵙게 될 줄은 몰랐습니다. 아무래도 천마성교 내에 배교자들이 있는 모양이군요."

"풍운비룡이라는 이름이 대단하긴 대단한 모양이지? 돌다리도 두들 겨 보고 건너는 만박노군이 너에게 성보의 운송을 맡긴 걸 보면 말이다."

"과찬의 말씀입니다. 하지만 믿어주신 만큼 끝까지 최선을 다해서 반 드시 성공시켜야겠다고는 생각하고 있습니다."

그러려면 먼저 상대의 무공 수준부터 알아야 한다. 나는 가만히 망 혼소를 시전하며 가장 젊어 보이는 노인의 단전부터 더듬어갔다.

그리고 느껴지는 것은 갓난아기 머리통만 한 덩어리였다.

'이게 무슨!'

순간, 젊은 노인의 표정이 와락 일그러졌다.

"어디서 잡공을 배웠구나!"

일성과 함께 젊은 노인이 휘파람을 불었다. 그러자 '꽝!' 하는 굉음과 함께 머릿속에서 폭발이 일어나는 것 같았다.

나도 모르게 고개를 크게 뒤로 젖히며 두 걸음이나 물러났다. 그간 숱하게 망혼소를 펼치면서 눈치를 채는 내가고수들은 일부 보았다. 하 지만 이처럼 같은 음공으로 반격을 하는 사람은 처음이었다.

'엄청난 인간들이다!'

그래도 소득은 있었다. 불행 중 다행인지 일단 내공으로만 따지자면 내가 오히려 저들보다 살짝 우위에 있었다.

하지만 기운이 세다고 소가 왕 노릇 하는 법은 없다. 게다가 저들은 세 명이었다. 혼자서 어찌어찌 한 명은 감당한다 치더라도 나머지 두 명에게 맞아 죽고 말 것이다. 내가 죽었는데 호리독사와 연소교가 살아서 산을 내려갈 리 없었다.

"언감생심 상대가 아님을 알았으면 성보들을 내놓고 조용히 가거라. 하면 백골시마와의 인연을 생각해 목숨들은 살려줄 것인즉."

가장 늙은 노인이 가마솥 아래에 장작을 무심코 툭 던져 넣으며 한 말이었다. 딱히 누구를 지칭하지 않았지만 연소교에게 하는 말이라는 것쯤은 충분히 알 수 있었다.

연소교가 마른침을 꿀꺽 삼키며 나를 보았다. 나는 조용히 고개를 가로젓고는 방금 말한 노인에게 물었다.

"기왕에 이렇게 된 거 궁금증이나 시원하게 해소해 주십시오, 대체 어떻게 저희를 찾아내신 겁니까?"

"너는 우리가 무섭지 않느냐?"

"무서운 건 무서운 거고, 어떻게든 정신을 차려 상대의 수법을 알아내야 같은 실수를 반복하지 않지 않겠습니까?"

"설마 우리에게서 달아날 수 있다고 생각하는 것이더냐?"

"아직 잡히지도 않았습니다만."

가장 늙은 노인은 재밌다는 듯 나를 한참이나 뚫어지게 보았다. 그러다 가장 젊은 노인을 향해 고개를 끄덕였다.

젊은 노인은 자신이 걸터앉은 바위 아래에서 큼지막한 포대 자루를 집어 앞으로 옮겨놓았다. 이어 새끼줄로 꽁꽁 묶은 입구를 풀었다. 그러자 두 갈래로 갈라진 혓바닥을 낼름거리며 황갈색의 알록달록한 칠보사 십여 마리가 모습을 드러냈다.

칠보사는 이름처럼 물리기만 하면 일곱 걸음 안에 쓰러져 죽을 만큼 맹독을 지닌 독사였다. 뱀이 많은 계절에도 보기 힘든 칠보사를 한

겨울에 어떻게 저리 많이 잡았는지 모를 일이었다.

젊은 노인은 놀랍게도 맨손으로 칠보사들을 덥석 집어 산 채로 끓는 물에 풍덩 풍덩 던져 넣었다. 날벼락을 맞은 독사들이 가마솥 안에서 요동치다가 허연 배를 뒤집으며 서서히 익어갔다.

한데 한 마리는 그대로 땅바닥에 남겨두었다. 그리고 혀를 쯧쯧 하고 찼다.

순간 노인의 품속에서 피처럼 붉은 족제비 한 마리가 불쑥 튀어나왔다. 족제비는 고개를 빳빳이 치켜든 칠보사에게 그대로 달려들더니 순식간에 목을 물어뜯어 죽여 버렸다. 그 속도가 얼마나 빠르고 민첩한지 흡사 헛것을 보는 것 같았다.

족제비는 행여나 사람들에게 빼앗길까 봐 제 몸보다 무거운 칠보사를 끌고 근처 바위 위로 올라갔다. 다음에는 칼처럼 날카로운 발톱으로 배를 갈라 쓸개부터 꺼내 천천히 씹어 먹기 시작했다.

그 모습을 지켜보고 있던 호리독사가 신음하듯 말했다.

"적향서(赤香鼠)!"

향서는 사흘 전 찍힌 발자국에 남은 냄새까지도 찾아내 추적을 한다는 영물이었다. 살아 있는 모든 것은 특유의 체취가 있게 마련이어서 일단 향서에게 걸리면 방법이 없었다. 젊은 노인의 품속에서 나온 것은 그런 향서 중에서도 가장 귀하다는 적향서였다. 나도 말로만 들었지, 적향서를 직접 본 건 오늘이 처음이었다.

그리고 또 하나, 말이 좋아 족제비고 영물이지 저건 그냥 작은 맹수였다. 성질도 포악하고 보통의 족제비들과는 차원이 다르게 빨라서 함부로 건드렸다가는 오히려 독 이빨에 물려 죽는 수가 있었다.

늙은 노인이 말했다.

"설명이 되었느냐?"

천마성교에 남아 있던 끄나풀을 통해 연소교가 입었던 옷을 구하기라도 했을까?

"아무래도 제가 생각했던 것보다 훨씬 오래전부터 추적을 해오신 것 같군요."

"소문대로 눈치가 빠르군."

"한데 왜 이제야?"

"천마성교도들의 손아귀에서 완전히 벗어난 다음 장강을 무사히 건널 때까지 기다렸느니라."

"……!"

이천 명씩이나 되는 천마성교의 교도들을 따돌린 후 불도 피우지 않고 벽곡단을 씹어가며 닷새를 달렸다. 한데 줄곧 뒤에서 우리를 따라오고 있었다니. 이렇게 되면 도망치기는커녕 밥을 먹기 좋게 차려준 셈이 아닌가. 호리독사와 연소교도 기가 막히는지 숨 쉬는 것조차 멈추었다.

그때였다. 나를 바라보고 앉은 노인들의 뒤쪽 허공으로부터 무언가 시커먼 것이 한 점 소리도 없이 뚝 떨어져 내렸다.

"어, 저거!"

"개수작 부리지 마라."

"그게 아니고요."

허공에서 떨어진 그림자는 저만치 바위 위에서 한참 칠보사를 뜯어 먹고 있던 적향서를 덮쳤다.

푸닥거리는 소리가 났을 때는 이미 늦었다.

카악! 카악!

비명과 함께 발작적으로 버둥대는 적향서를 순식간에 낚아챈 그림자는 커다란 날개를 펄럭이며 다시 허공으로 솟구쳤다.

그건 놀랍게도 눈처럼 하얀 매였다. 백사, 백록, 백호…… 세상에 수많은 흰색 영물들이 있다고 들었지만 흰색 매는 처음 보았다.

대경실색한 젊은 노인이 뒤늦게 돌멩이를 주워 허공에 냅다 던졌다.

쒜액…… 펑!

그러나 대기를 찢으며 날아간 돌멩이는 어디선가 날아온 또 다른 돌멩이를 맞고 펑 소리를 내며 터져 버렸다.

세상에, 초절정의 고수가 매를 잡으려고 던진 돌멩이를 누군가 다른 돌멩이를 던져 맞추다니. 이건 마치 날아가는 화살을 다른 화살로 맞추는 것과도 같았다. 듣도 보도 못한 경지에 나는 그만 머리끝이 쭈뼛하고 섰다.

무언가 생각난 듯 연소교가 까마득한 허공으로 사라지는 흰 매를 보며 외쳤다.

"설응(雪鷹)!"

순간 연소교는 물론이거니와 세 명의 노인, 즉 명부삼귀의 얼굴도 차갑게 식었다. 그건 두려움을 느낀 사람들의 표정이었다.

위쪽 숲으로부터 네 명의 장한이 커다란 상여를 앞뒤에서 메고 나타났다.

길도 없는 이런 오지에 장례식에서나 볼 상여라니. 이 무슨 밑도 끝도 없는 전개란 말인가. 게다가 상여의 크기에 비해 상여꾼들의 숫자가 터무니없이 적었다. 경험으로 미루어 볼 때 저 정도 크기면 아무리 힘 좋은 장정이라도 최소 여덟 명은 붙어야 한다.

더 놀라운 건 상여꾼들의 신법이었다. 열 걸음도 똑바로 걷지 못할 만큼 나무가 빽빽한 숲 지대를 네 명이 마치 한 몸이라도 된 것처럼 빠르게 달려 내려오는 것이었다. 그러면서도 상여는 허공에서 완벽히 수평을 유지했을 뿐만 아니라 작은 나뭇가지에조차 걸려 쓸리는 법이 없었다.

'고수들이다!'

갑자기 나타난 상여도 상여지만 상여꾼들의 예사롭지 않은 신법에 나는 더욱 눈이 휘둥그레졌다.

한편, 상여를 본 명부삼귀의 얼굴은 그야말로 썩어 문드러졌다.

연소교는 연소교대로 잔뜩 공포에 질려 있었다.

'대체 저 상여가 뭐길래.'

이윽고 상여가 이동을 멈추었다. 어쩌다 보니 명부삼귀와 내 일행과 상여가 삼각형을 이루고 선 형국이 되었다.

어느 순간 상여의 뚜껑이 위로 활짝 열렸다. 동시에 기괴한 복장과 용모를 지닌 괴인이 모습을 드러냈다.

'저건 또 뭐야?'

늙은 사자의 갈기를 연상케 하는 은발에 칠흑처럼 시커먼 장포를 입은, 쭈글쭈글한 얼굴의 주름만 보아서는 구순은 족히 되었을 것 같은 상노인이었다. 노인의 얼굴은 주름진 와중에도 회칠을 한 것처럼 희었는데, 그 바람에 검은 장포와 대비되면서 왠지 모를 섬뜩한 느낌을 주었다.

상여가 등장하길래 강시라도 나올 줄 알았다가 그것보다 더 이상한 물건이 튀어나오자 나와 호리독사는 놀란 표정을 감추지 못했다.

순간, 연소교의 전음이 머릿속에서 울렸다.

[아무래도 편복은왕(蝙蝠銀王)이 나타난 것 같아요.]

[이번엔 또 어떤 작자요?]

[한때 팔대호교사자의 일좌를 차지했던 마군이에요. 명부삼귀가 저승사자라면 저 노인은 염라대왕과도 같은 존재랄까.]

[그 정도요?]

[팔대호교사자들은 달리 팔마군이라고도 불렸어요. 무공 수준은 극초절정, 혼원신교(混元神敎)의 무공을 익힌 마군들 중에서는 가장 높은 경지까지 나아갔다고 알려졌어요. 명부삼귀보다 먼저 죽었을 거라고 생각했는데…….]

죽은 줄 알았던 노마들이 살아서 나타나는 것도 놀랍지만, 그게 팔대호교사자들 중 한 명이라는 사실이 더욱 놀라웠다.

명부삼귀가 그토록 긴장한 이유를 이제야 알 것 같았다. 무림맹의 조직 체계에 빗대어 말하자면 평소 사람을 잘 죽이기로 악명 높은 집법당의 당주가 더욱 무시무시한 팔대장로 중 한 명을 만난 것과 비슷한 느낌이 아닐까?

[한데 왜 저런 흉측한 물건을 타고 돌아다니는 거요? 복장은 또 왜 저렇고. 보는 사람 꺼림칙하게시리.]

[구태여 상여여야 하는 이유는 모르겠지만, 예로부터 혼원신교의 무공을 극성으로 익히면 햇빛을 볼 수 없다고 들었어요. 그래서 낮에 이

동할 때는 저렇게 햇빛을 차단해 주는 무언가를 타야 한다고. 옷은 아마도 더 완벽한 차광을 위해서가 아닐까요?]

자연스럽게 하늘을 올려다보았다. 과연 해가 서산을 꼴딱 넘어가면서 사위가 빠르게 어두워지고 있었다.

그때 편복은왕이 크고 검은 쥘부채를 살랑살랑 흔들며 상여 밖으로 나왔다. 한데 신법을 펼쳐 훌쩍 뛰어내리는 것이 아니라, 흡사 유령처럼 천천히 허공을 미끄러져 땅에 내려앉는 게 아닌가. 아무 생각 없이 지켜보던 나와 호리독사는 그만 입이 쩍 벌어졌다. 능공허도(凌空虛渡)라는 경지가 실제로 존재한다면 저런 모습이 아닐까 싶었다.

"저것들은 삼십 년이 지나도 여전히 버르장머리가 없군. 어른을 봤는데 한 놈도 인사라는 걸 할 줄 모르니 말이야."

편복은왕이 명부삼귀를 한심하다는 듯 쏘아보며 한 말이었다. 그러자 가장 젊은, 아마도 삼귀로 짐작되는 노인이 발끈하고 나섰다.

"적반하장도 유분수지, 곤륜산을 십 년 동안이나 뒤져 겨우 한 마리 잡은 적향서를 죽여놓고 지금 그게 우리에게 하실 말씀이오!"

"설아(雪兒)가 곤륜산에서 온 독쥐를 잡아먹었다고? 몹쓸 것을 먹고 탈이나 나지 않으려는지 모르겠군."

명부삼귀의 툭 튀어나온 눈동자에 혈광이 맺히기 시작했다. 삼귀는 그야말로 부글부글 끓는 모습이었다. 적향서가 귀한 탓도 있지만 그런 영물을 잡아 훈련하면서 나름대로 정을 주었을 것이다.

두 번째 늙은 노인, 아마도 이귀로 짐작되는 노인이 편복은왕을 향해 냉랭한 음성으로 말했다.

"여긴 어떻게 알고 오셨소이까?"

"말도 마라. 너희를 찾느라고 얼마나 고생했는지 모른다. 물론 가장 고생을 한 건 설아지만 말이다."

"우리를 왜?"

"그야 너희가 성보를 찾아낼 줄 알았기 때문이지. 설마하니 너희에게 볼일이 있었겠느냐? 네 녀석은 여전히 머리가 아둔하구나."

"말을 삼가시오! 귀하나 우리나 함께 늙어가는 처지에."

"함께 늙어간다라. 하기사 나보다는 네 녀석들이 먼저 죽을 것 같긴 하다만. 클클클."

이귀가 어금니를 빠드득 갈았다.

연소교는 명부삼귀가 마음을 먹으면 천하에 찾아내지 못할 사람이 없다고 했다. 편복은왕은 명부삼귀가 성보를 찾아낼 줄 알고 역으로 그들을 추적한 모양이었다.

쉽게 말해 명부삼귀가 피처럼 붉은 적향서를 풀어 우리를 추적게 했고, 편복은왕이 설응을 날려 다시 적향서를 추적게 한 것이다. 그러다 명부삼귀가 우리와 맞닥뜨린 걸 알고는 설응으로 하여금 더는 필요 없어진 적향서를 잡아먹어 버리게 한 것이고.

급기야 일귀가 나섰다.

"우리가 성보를 순순히 내줄 것 같소이까?"

"아직 너희의 수중에 있지도 않을 터인데."

"잘 아시다시피 우리가 먼저 발견했소이다."

"번견이 사냥감을 찾으면 상으로 고기라도 던져주는 법이긴 하지. 원하는 게 있으면 말해보거라."

"명부삼귀의 이름을 너무 가볍게 여기시는구려."

"닥쳐라!"

가볍게 내지른 것 같은데 한순간 천둥이라도 치는 줄 알았다. 모닥불이 요동치고 초목이 한참이나 흔들렸다.

'이 무슨 어마어마한 공력이란 말인가!'

삼귀와 이귀가 동시에 움찔하는 사이 편복은왕의 꾸짖음이 이어졌다.

"너희의 수중에 들어오기 전에 내가 취하는 것만으로도 체면을 세워준 줄 알아야지. 염왕부에서 개백정 노릇이나 하던 것들이 어디서 감히!"

명부삼귀가 성보를 손에 넣었다면 그들에게서 빼앗아 갔을 거라는 말이었다. 그랬다면 그들의 모양새가 얼마나 우스워졌겠나. 처음 명부삼귀와 맞닥뜨렸을 때 느꼈던 존재감과 압박감을 기억하는 나로서는 실로 무시무시한 얘기였다.

명부삼귀는 모두가 어금니를 꽉 깨물었다. 더불어 눈동자도 더욱 붉어졌다. 적향서를 잃어버린 것으로도 모자라 이런 수모까지 당하니 분노가 끓어 오를밖에.

말 한마디로 상황을 평정해 버린 편복은왕은 그제야 연소교를 천천히 돌아보았다.

"네가 백골시마의 제자더냐?"

"무림 말학 연소교, 편복은왕 선배님을 뵙습니다."

"듣자 하니 뇌천자의 목을 베었다고?"

"그렇습니다."

"왜 그랬느냐?"

"그와는 가는 길이 달랐기 때문입니다."

"네 길을 갈 힘은 있고?"

"가는 데까지라도 가보려고 합니다."

"무엇을 상상했든 그 이상의 험난한 여정이 될 것이다."

"각오하고 있습니다."

"세상일이 각오만으로 될 것 같으면 구름처럼 많은 칠교의 고수들이 그토록 오랜 세월 천마성교의 교주들에게 머리를 조아리지도 않았겠지."

"……!"

"나와 함께 가겠느냐?"

가는 길이 달라서 삼뇌의 목을 베고 도망쳤다는 사람에게 자신과 함께 가겠느냐고 묻는다. 이건 제안이 아니라 경고였다. 더 늦기 전에 목숨이라도 부지하고 싶으면 순순히 성보들을 내놓으라는 경고. 물론 그렇게만 하면 삼뇌의 복수를 하려 드는 천마성교의 모든 교도들로부터 지켜주겠다는 제안이 담겨 있기는 했지만.

연소교는 어깨를 파르르 떨었다. 가족 같았던 수하들을 잃어가면서 여기까지 왔다. 이제 와서 성보를 편복은왕에게 바치면 수하들은 개죽음당한 것이 된다. 그렇다고 거절하면 여기서 자신과 나와 호리독사가 죽는다.

그녀의 대답은 이미 정해져 있었다. 단지 차마 입 밖으로 꺼낼 수가 없었을 뿐.

나는 그녀가 더 쉽게 결정할 수 있도록 도움을 주어야겠다고 생각했다. 어차피 이 표행의 책임자는 나였으니까.

"나를 믿소?"

"네?"

"나를 믿냐고 물었소."

"갑자기 그건 왜."

"대답해 보시오."

"아니면 왜 귀하가 있는 천룡표국으로 갔겠어요."

"그럼 나를 주시오."

"무얼요?"

"무슨 말인지 알아들었잖소. 저 사람들에게 주는 것보다는 내게 주는 것이 소저에게 더 쉬운 결정일 것이오."

"어쩌려고요?"

"소저의 고민을 내가 대신해 주려는 거요."

내 의중을 알 리 없는 연소교는 잠시 고민했다. 그러다 품속에서 작은 보퉁이를 꺼내어 내밀며 말했다.

[절대 빼앗기면 안 돼요.]

[물론이오.]

[약속할 수 있나요?]

[아니면 왜 함께 왔겠소.]

보퉁이가 내 수중에 들어왔다. 그러자 편복은왕은 물론이고 명부삼귀의 시선까지 전부 연소교를 떠나 내게로 향했다.

편복은왕은 연소교를 대할 때와 달리 차갑기 그지없는 표정을 하고선 물었다.

"네가 풍운비룡이더냐?"

"무림 말학 이정룡, 편복은왕 선배님을 뵙습니다."

"소문과 다르게 인사성이 밝군."

"감사합니다."

"노부가 어떤 사람인 줄은 아느냐?"

"연 소저에게 들었습니다. 옛 혼원신교의 무맥을 이은 마군들 중에서는 가장 높은 경지까지 오른 전대의 고수이시라고요."

"하면 이제부터 네가 무얼 해야 하는지도 잘 알렸다?"

"물론입니다."

그러면서 나는 보퉁이를 명부삼귀에게로 가져가 공손히 바쳤다.

삼귀가 얼떨결에 보퉁이를 건네받았다.

"지금 뭘 하는 거예요!"

연소교가 소스라치게 놀라며 외쳤다. 졸지에 성보를 손에 넣은 명부삼귀도, 잔뜩 기대를 하고 있던 편복은왕도 한순간 모두 넋이 나가 버렸다. 오직 호리독사만이 놀란 와중에도 '이 인간이 이번엔 또 무슨 이상한 짓을 꾸미려고 그러는 거지?'라고 말하는 듯한 표정으로 나를 보았다.

그사이 삼귀는 잔뜩 흥분한 채 보퉁이를 풀어 안에 든 물건을 확인했다. 세월의 손때가 묻어 거무튀튀해진 죽간본 두 벌이 모습을 드러냈다. 죽간 하나하나마다 새까맣게 새겨진 고대의 글자들이 꼭 꿀 바른 막대기에 개미 떼가 달라붙은 것 같았다.

삼귀가 이귀와 일귀를 보며 고개를 끄덕였다. 진품이 맞다고 확인을 해주는 것이다. 염왕부의 사신이라 불리는 초절정의 고수들이다 보니 진위 정도는 파악할 수 있는 모양이었다.

사람들은 이제야말로 더욱 당혹스러운 표정을 지었다. 사방에서 벌떡대는 심장 박동 소리가 들리는 듯했다.

명부삼귀의 다른 노마들에 비해 좀 더 침착한 성격의 일귀가 착 가라앉은 음성으로 내게 물었다.

"이걸 왜 우리에게 주는 거지?"

"성보가 저희 손을 떠났으니 더는 위험할 일이 없지 않겠습니까. 이제 선배님들의 차례입니다. 부디 무운을 빌겠습니다."

"어부지리를 취하겠다는 속셈이더냐?"

"차도살인이라는 편이 더 정확하겠지요. 피할 수 없는 싸움이라면 일단 적을 한 명이라도 더 줄이고 봐야지 않겠습니까? 표물은 줬다가 다시 빼앗으면 되는 것이고요."

"편복은왕을 앞세워 우리부터 먼저 제거하겠다?"

"멍청한 놈!"

편복은왕이 벼락처럼 호통을 쳤다.

그의 노성이 이어졌다.

"나는 혼자고 저놈들은 셋이다. 뒤엉켜 싸우는 동안 두 놈이 성보를 가지고 도망치지 않는다는 보장이 있더냐!"

"상여꾼들은 놀고요?"

"명부삼귀를 만만하게 보지 마라. 저 아이들 넷이 달라붙어도 명부삼귀 하나를 감당하지 못할 것이다. 하물며 일부러 격전을 피하고 도망가 버린다면야."

"그럴 수는 없을걸요."

나는 품속에서 비단을 입힌 봉투 하나를 꺼냈다. 그리고 이번엔 편복은왕에게로 걸어가 공손하게 바쳤다.

봉투를 건네받은 편복은왕이 재빨리 입구를 뜯고 내용물을 살폈다. 기름까지 먹인 누런 괴황지에는 선천오법술(先天五法術)이라는 다섯 글자를 필두로 고대의 글자들이 빼곡하게 적혀 있었다.

"이건……!"

놀라는 표정으로 보아 그는 이미 글자들의 정체를 간파한 것 같았다. 다만 자신이 생각했던 것과 다른 방식으로 존재하는 것이 의아할 뿐.

"무림맹에서 보관 중이던 세 번째 죽간의 필사본입니다. 원본은 작년 여름 무당파로 운송하던 중 사고가 나서 불타 없어져 버렸지요. 천만다행으로 사마옥 총군사님께서 만약의 경우를 대비해 남겨둔 복각본이 있었습니다."

내가 여기까지 말을 했을 때 편복은왕은 고개를 들어 명부삼귀에게로 시선을 주었다. 상대적으로 무림 사정에 밝은 그들의 반응을 통해 내 말의 진위를 가늠하려는 것 같았다.

묻고 자시고 할 것도 없었다. 툭 튀어나온 명부삼귀의 눈동자는 벌써부터 탐욕으로 이글거리고 있었다.

편복은왕이 다시 내게 물었다.

"한데 이게 왜 너의 수중에 있는 거지?"

"사마옥 총군사님께서 천룡표국에 와 계시다는 건 다들 아실 겁니다. 총군사님께서는 가죽끈이 떨어진 죽간의 순서를 맞추기 위해 오랜 세월 연구를 거듭하셨습니다. 그 바람에 그만 구결을 다 외워 버리셨지요."

"선천오법술의 공능은 단순히 구결 순서를 안다고 취할 수 있는 것이 아니다. 제 머리만 믿고 함부로 해석하고 익히려 들었다간 반드시 주화입마에 빠지고 말지."

"총군사님께서도 똑같이 말씀하셨습니다. 그러면서 제가 천룡표국을 떠날 때 기억을 토대로 한 벌 써주셨습니다. 다른 두 개의 성보와 함께 모처에 봉인하라고요."

"……!"

"듣자 하니 천마성교의 전대 교주들께서는 대대로 세 권의 마경기서들을 익혔다더군요. 이는 세 개의 성보를 손에 넣고 그것을 전부 익히면 누구라도 천마교주가 되어 천하를 오시할 수 있다는 뜻 아니겠습니까?"

이런 사정은 나보다 저들이 훨씬 더 잘 알고 있을 것이다. 바로 저 세 개를 손에 넣기 위해 은거를 깨고 세상에 나왔으니까. 정곡을 찌르는 내 말에 사람들은 모두 합죽이가 되어버렸다.

나는 얼어붙어 있는 명부삼귀를 돌아보며 마지막 직격탄을 날렸다.

"아직 소문이 나지 않은 지금이 아마도 여러분께서 성보 세 개를 한꺼번에 손에 넣을 수 있는 유일한 기회가 될 겁니다. 한데도 두 개만 취하고 하나는 눈앞에서 놓쳐 버리시겠습니까?"

"고약하기 짝이 없는 놈이로고. 너희를 먼저 모조리 죽인 후 우리끼리 주인을 정하는 수도 있느니라!"

"세 분께서 편복은왕 선배님과 싸우시는 동안 저희가 상여꾼들을 상대한다면 어떻습니까? 이래도 저희를 먼저 죽여 없애시겠습니까?"

"……!"

"닭 대신 꿩이라고, 싫으시면 저희는 편복은왕 선배님의 편에 서겠습니다. 상여꾼들은 따돌려도 저희까지 따돌리지는 못할 거라고 감히 약속드리지요."

그러면서 나는 눈앞에 있는 고목을 주먹으로 힘차게 후려쳤다.

펑! 소리와 함께 어른 허벅지 두께의 고목이 구멍 난 부위에서부터 터져 나갔다. 그러자 아까 명부삼귀 중 누군가가 내 걸음을 막기 위해 던져서 박아놓은 돌멩이가 모습을 드러냈다.

다시 그걸 집어 들고는 손아귀에 힘을 주었다. 맷돌 가는 소리와 함께 돌멩이가 가루로 변해 우수수 떨어졌다.

예상했던 것보다 훨씬 고강한 내 공력에 명부삼귀의 눈이 휘둥그레졌다.

"으하하하!"

편복은왕이 갑자기 산천초목이 떠나가도록 앙천광소를 터뜨렸다. 그러다 광소를 뚝 그치며 말했다.

"아수라장이 따로 없군."

연소교는 말했었다.

명부삼귀가 마음을 먹으면 천하에 찾아내지 못할 사람이 없지만, 그들이 힘을 합치면 죽이지 못할 사람 또한 없다고.

내가 상여꾼들을 맡아주겠다고 하자 명부삼귀의 표정이 돌변했다. 제아무리 편복은왕이라고 해도 자신들 셋이서 협공을 하면 한번 해볼 만하다고 생각하는 것이다. 무엇보다 명부삼귀는 애지중지하는 적향서를 설웅이 눈앞에서 낚아채 가는 걸 본 이후 화가 잔뜩 나 있었다.

편복은왕이 일귀를 콕 집어 노려보며 물었다.

"설마, 저 핏덩어리의 농간에 놀아나는 건 아니겠지?"

"우리 일은 우리가 알아서 하겠소이다."

"생각이 아주 없지는 않나 보군."

"못 할 건 또 무엇이외까?"

"옛 인연을 생각해 한 가지만 충고해 주마. 감히 내게 살수를 펼치고도 숨통을 끊어놓지 못한다면 명년 오늘이 네놈들의 제삿날이 될 것이다."

"저놈을 귀하의 편에 서게 만들려는 속셈은 아니시오?"

"감히 나를 뭐로 보고! 너희를 죽이는 일에 저 표사 놈 따위가 있고 없고는 전혀 중요하지 않음을 정녕 모르겠느냐!"

"......!"

한 분야에서 높은 업적을 이룬 노인들은 노련하고 영악한 대신 대체적으로 한 가지 공통적인 약점이 있다. 자존심이 너무 강한 나머지 상대로부터 모욕적인 언사를 들으면 화를 억누르지 못한다는 것이다. 지금 일귀의 말을 들은 편복은왕이 그랬고, 편복은왕의 호통을 들은 명부삼귀가 그랬다.

나는 앞서 연소교의 결정을 대신해 준 것처럼 이번엔 일귀의 결정을 대신해 주어야겠다고 생각했다.

"에라, 모르겠다!"

귀영무의 보법을 펼치며 명부삼귀에게로 신형을 쏘았다.

대경실색한 일귀가 내 쪽으로 돌아서며 벼락처럼 양손을 뻗었다. 앙상한 손바닥이 급격하게 커지는가 싶더니 시커먼 기운이 쇄도해 왔다.

뻐엉!

"장법을 조심해요!"

한 박자 늦게 연소교가 비명을 질렀다.

돌아서며 중심을 잡고 장법을 출수하는 일귀의 동작이 그만큼 빨랐다. 그러나 나는 일귀보다 한발 앞서 그의 머리 위를 공중제비를 돌며 날고 있었다.

이어 천근추의 수법을 펼쳐 모닥불 앞으로 뚝 떨어졌다. 동시에 시뻘겋게 달아오른 가마솥의 밑바닥을 발등으로 힘껏 올려 찼다.

뚜웅!

"무슨 짓이야!"

모닥불의 좌우에 있던 이귀와 삼귀가 내 얼굴을 향해 검은 기운이 어린 주먹을 뻗어 왔다.

장담하건대 호리독사와 연소교는 눈으로도 쫓지 못할 속도일 것이다. 하지만 삼백 년의 공력에 이능력까지 발동한 내게는 앙상한 뼈마디며 궤적까지 또렷이 보였다. 거기에 맞춰 내 움직임도 고작 일 갑자에 불과하던 일 년 전과는 비교조차 할 수 없었다.

나는 착 가라앉으며 삼귀와 이귀의 주먹을 머리 위로 아슬아슬하게 흘려보냈다.

찰나의 순간 머리카락이 쭉 빨려 올라가는 게 느껴졌다.

'이런 괴물들이라니!'

그 사이 가마솥은 편복은왕을 향해 정확히 날아갔다.

하지만 아무리 맹렬하게 날아간다고 한들 가마솥 따위가 위협이 될 리 없었다.

"어딜!"

편복은왕은 커다란 가마솥을 귀찮은 파리 쫓듯 손등으로 가볍게 후

려쳤다.

따캉!

흡사 쇠뭉둥이로 범종을 부수는 듯한 소리가 날카롭게 울렸다.

막강한 암경을 감당하지 못한 가마솥이 공중에서 박살이 나버렸다. 날카롭게 쪼개진 쇳조각들과 펄펄 끓는 육수와 칠보사 아홉 마리의 고깃점들이 사방팔방으로 날아갔다.

그 와중에도 호신강기를 끌어 올렸는지 편복은왕에게는 한 방울의 국물도 튀지 않았다. 대신 화려하게 장식한 상여가 뿌연 육수와 잘 익은 고깃덩어리들을 잔뜩 뒤집어썼다. 특히 연꽃 모양의 장식물 위에는 뱀 대가리 하나가 떡하니 달라붙어 있었다.

그걸 본 편복은왕이 또다시 대갈일성을 터뜨렸다.

"이것들이 대체 뭘 처먹고 있었던 거야!"

명부삼귀는 명부삼귀대로 힘들게 잡은 칠보사와 가마솥이 허무하게 폭발해 버리는 걸 보고 눈이 뒤집혔다.

폭급한 성정의 이귀가 일갈을 내질렀다.

"남의 가마솥을 깨놓고 지금 그게 할 소리요!"

"솥을 찬 놈은 따로 있는데 그걸 왜 내게 따지느냐?"

"솥을 찬 놈은 따로 있는데 상여가 더렵혀진 걸 왜 우리 탓을 하는 거요!"

"저런 시건방진 놈들 같으니라고."

양쪽 모두 독기가 바짝 오른 걸 확인한 나는 재빨리 편복은왕의 위쪽으로 신형을 쏘았다.

모름지기 싸움을 붙이려면 일단 양쪽 모두에게 생각할 시간을 주지 말아야 한다. 그러려면 내가 손발부터 놀려야 한다. 입은 살짝 거들 뿐.

"상여꾼들은 저희가 맡겠습니다!"

부웅!

상여꾼이 휘두른 대부(大斧)가 내 왼쪽 어깨를 아슬아슬하게 비껴갔다. 상여의 앞쪽을 담당하는 우두머리답게 힘과 속도가 장난이 아니었다.

쩌엉!

애초 명부삼귀가 계곡가에 자리를 잡은 탓에 주변이 온통 바위 지대였다. 나를 대신해 대부를 맞은 너럭바위가 불꽃을 튀기며 '쩍' 하고 갈라졌다.

"애꿎은 바위를 왜!"

그와 동시에 일 장 높이의 허공에서는 두 번째 상여꾼이 역시나 대부로 정수리를 내리찍으며 떨어지고 있었다. 그러나 상여꾼이 아무리 빨라도 명부삼귀를 모두 피한 나를 따라잡을 수는 없었다.

나는 철판교의 수법을 펼치며 상체를 살짝 뒤로 휘었다. 대부는 이번에도 딱 반 뼘 앞에서 내 얼굴과 몸통에다 가상의 선을 그리며 떨어졌다.

쩌엉!

또다시 새파란 불꽃과 함께 내 발밑에 있던 바위 하나가 쪼개졌다. 상여꾼들이 한 초식을 펼칠 때마다 대부에다 내공을 잔뜩 담아내기 때문이다.

"상여질은 때려치우고 차라리 광산으로 가서 금을 캐지 그러시오!"

"아가리를 찢어주마!"

약이 바짝 오른 앞쪽의 상여꾼 두 명은 미친 듯이, 하지만 정교하기 짝이 없는 합격진으로 계속해서 협공을 펼쳐 왔다. 거기다 어찌나 빠른지 육중한 대부가 허공을 난도질할 때마다 날카로운 파공성이 쩍쩍 울렸다.

나는 때로는 물러나고, 때로는 파고들고, 때로는 흘리고 감아 돌면서 두 사람이 휘두르는 대부를 모조리 피했다.

기회가 충분히 있었음에도 불구하고 반격을 하지 않는 것은 시간을 최대한 끌기 위해서였다. 시간을 끄는 만큼 명부삼귀와 편복은왕이 오래 싸우고, 그들이 오래 싸워야 생사를 넘나드는 승부를 통해 진기를 모두 쏟아낼 것이 아닌가. 그래야 어느 쪽이 이기든 승자 또한 지칠 대로 지치게 된다.

이일대로(以逸待勞), 즉 편안하게 있으면서 상대가 지치길 기다리는 전술이었다.

다행히 연소교와 호리독사도 뒤쪽의 상여꾼들을 각각 한 명씩 맞아 대등한 대결을 펼치고 있었다.

바로 그게 문제였다.

'일개 상여꾼들의 무공이 이 정도라니!'

호리독사는 천룡표국에 들어와 객원표사 노릇을 하고 있어서 그렇지 대도 공령신투의 유일한 제자였다.

연소교는 편복은왕과 같은 배분이자 역시나 팔대호교사자 중 한 명이었던 백골시마의 제자였다. 나는 이미 남만에서 그녀의 무공이 어느 정도인지 익히 보고 경험한 바 있다.

한데도 두 사람은 상여꾼들을 상대로 대등한 싸움밖에 펼치질 못했다. 연소교의 경우 아직 내상이 완전히 회복되지 않았다는 약점이 있기는 하지만, 그래도 상여꾼들의 무공은 상상했던 것 이상이었다.

　곰곰이 생각해 보니 그럴 만도 했다. 저들은 단순한 상여꾼들이 아니었다. 편복은왕이 햇빛을 피해 상여 속으로 들어가 있는 사이 그를 지켜주는 사대호법들이었다. 그런 고수들에게 줄곧 상여꾼이라고 하다가 지금은 또 광산에 가서 금이나 캐라고 했으니 눈알이 뒤집힐밖에.

　"언제까지 도망만 칠 테냐!"

　"당신들이 너무 빠른 탓이오!"

　"비겁한 표사 놈!"

　"둘이서 협공을 하는 처지에 할 소린 아닌 것 같소만!"

　한편, 명부삼귀와 편복은왕의 대결은 마치 세 마리의 황룡과 한 마리의 흑룡이 싸우는 것 같았다.

　그들이 보법을 펼칠 때마다 딛고 선 계곡가의 돌과 바위들이 구르거나 튕겨 나가면서 우레와 같은 소리가 났다.

　꾸르르 꽝꽝!

　권장지각이 정면으로 격돌할 때는 서로에게서 터져 나온 막강한 경파가 주변을 휩쓸었다. 그 바람에 방원 십여 장이 초토화되었다.

　가마솥의 육수를 끓이던 모닥불은 사방으로 흩어졌고, 작은 나무들은 모조리 부러졌다. 아직 부러지지 않은 고목의 가지들은 태풍이라도 만난 것처럼 요동쳤다. 이런 무지막지한 싸움은 일 년 전 흑두산장에서 이종산과 녹림맹주 백군악이 싸울 때 외에는 본 적이 없었다.

그런 풍경과 배경 속에서 용들은 잠깐 사이에 삼백여 초식의 공방을 주고받았다.

싸움의 양상은 이런 식이었다.

명부삼귀는 당연하게도 수적인 우세를 이용해 연수합격술을 펼쳤다. 세 방향에서 차륜진을 펼치듯 돌아가며 권법, 장법, 각법을 가리지 않고 퍼붓는 것이다. 이는 편복은왕으로 하여금 방어를 하기에만 급급하도록 만들어 반격의 기회를 주지 않으려는 속셈이었다.

성보의 주인을 논하기 이전에 목숨이 달린 만큼 명부삼귀가 펼치는 초식에는 필생의 공력과 집착과 광기가 담겼다.

그리고 마(魔)가 있었다. 장법을 펼칠 때마다 손바닥이 시커멓게 변하더라니, 악취가 코를 찔렀다. 그건 시체 썩는 냄새였다.

'시기(屍氣)!'

장담할 수 있다. 명부삼귀는 시체를 이용해 미지의 마공을 익혔다. 구체적으로 어떤 방식인지는 모르겠으나, 시기를 흡수해야 하는 공부임에는 틀림없었다.

응축된 시기는 맹독이었다. 만약 저 장법을 맞는다면 운이 좋아 즉사를 면하더라도 하루가 지나기 전에 오장육부가 썩어서 흘러내릴 것이다. 똑같이 내상을 입어도 마공을 익힌 고수에게 당한 내상은 이처럼 차원이 달랐다.

작전은 주효해서 편복은왕은 압도적인 공력과 실력에도 불구하고 좀처럼 반격의 실마리를 잡지 못했다.

그러니까 정확히 말하면 용들의 싸움은 서로 살초를 주고받는 공방이 아니라, 명부삼귀가 일방적으로 편복은왕에게 공세를 퍼붓는 식으로 전개되고 있었다.

　한데도 점점 패색이 짙어지는 쪽은 편복은왕이 아니라 오히려 명부삼귀였다.

　처음엔 그 이유를 알지 못했다. 하지만 장법과 장법이 격돌하는 접장의 순간마다 명부삼귀의 표정이 고통스럽게 일그러지는 걸 보고 깨달았다.

　'암경(暗勁)!'

　암경이란 바깥을 쳐서 내부를 진탕 시키는 수법으로, 내가중수법이 최고 경지에 이르러야만 비로소 펼칠 수 있다.

　처음 북해투왕을 만났을 때 십초박을 가르쳐 달라고 조르다가 바로 저 암경에 당해 한나절 동안이나 까무러쳤던 적이 있었다.

　편복은왕은 반격을 못 한 것이 아니라 할 필요가 없었던 것이다. 명부삼귀가 돌아가며 쏟아내는 초식들을 받아낼 때마다 반탄기공을 이용, 암경으로 돌려주면 되니까.

　명부삼귀가 시기의 정수를 담아 펼친 장법도 천하의 편복은왕에겐 통하지 않았다. 뿐만 아니라 역으로 암경에 당하기까지 했다.

　명부삼귀도 놀랍지만 편복은왕의 무공은 더욱 놀라웠다. 새삼 저런 괴물들을 무릎 꿇리고 수족으로 부려먹었다는 천마교주가 한없이 우러러 보였다.

　'그는 대체 얼마나 강했을까?'

　어쨌든 명부삼귀의 연수합격술에 조금씩 균열이 생기기 시작했다.

　상황이 급박하게 돌아가고 있음을 감지한 나는 상여꾼들을 상대로 반격의 틈을 살폈다.

때마침 왼쪽에 있던 상여꾼이 대부로 내 목을 쳐 왔다. 피하고 도망만 치던 지금까지와 달리 오른발을 깊숙이 집어넣으며 왼손으로 도낏자루를 덥석 잡아버렸다. 이어 놀라서 눈을 동그랗게 뜨는 상여꾼의 옆통수를 우장으로 사정없이 갈겼다.

빽!

두개골 빠개지는 소리와 함께 상여꾼은 머리부터 땅바닥으로 처박혔다. 아마 다시 깨어나더라도 십중팔구 백치가 될 것이다.

그때쯤엔 오른쪽에서 어깨를 찍어오던 두 번째 상여꾼의 앞가슴에 내 왼쪽 팔꿈치가 꽂혀 들어가고 있었다.

쩌걱!

하나로 모인 여러 개의 뼈가 와장창 부러지며 주저앉는 게 느껴졌다.

'컥!' 소리와 함께 두 번째 상여꾼도 앞으로 고꾸라졌다. 운이 좋아 뼈가 붙어도 다시는 상여를 메지 못할 것이다.

그때였다.

"쿨럭!"

기침 소리에 돌아보니 이귀가 혼전 중에 편복은왕의 얼굴을 향해 시커먼 피를 뿜고 있었다.

그 찰나의 순간에도 편복은왕은 손등을 가볍게 휘젓는 것으로 피를 모조리 튕겨 보냈다. 피는 오히려 이귀의 얼굴을 덮쳤다.

합격술이 깨지자 명부삼귀는 일심동체가 되어 재빨리 삼 장 밖으로 물러났다.

"음하하하!"

편복은왕은 세상이 떠나가도록 앙천광소를 터뜨렸다. 그러다 버릇인 듯 갑자기 뚝 그치며 말했다.

"이제야 너희의 주제를 알겠느냐!"

명부삼귀가 편복은왕을 두려워한 이유를 그제야 분명하고도 확실하게 알 것 같았다.

한데 그들이 도망치듯 물러난 곳 가까이에 하필 연소교와 싸우던 상여꾼이 있었다.

어쩌다 보니 연소교와 명부삼귀 사이에 그 상여꾼이 위치하게 됐다. 연소교와 싸우던 중이었기에 상여꾼은 당연히 그녀를 향해 서 있었고.

거듭되는 수모에 이성을 잃은 삼귀가 돌연 가까이 있던 상여꾼에게 신형을 쏘았다. 살기를 느낀 상여꾼이 질풍처럼 돌아서며 대부를 휘둘러 갔다.

명부삼귀가 편복은왕의 상대가 되질 않듯, 상여꾼들은 명부삼귀의 상대가 되질 않았다.

삼귀가 외쳤다.

"적향서의 목숨값이다!"

퍼엉!

목과 이어지는 왼쪽 뺨을 격중당한 상여꾼은 삼 장이나 날아간 끝에 털썩 떨어졌다. 허공으로 솟구칠 때는 분명 산 사람이었지만 땅으로 떨어졌을 때는 시체로 변해 있었다.

그리고 왼쪽 뺨에 새겨져 있는 시커먼 손바닥 자국.

"부골흑수인(腐骨黑手印)!"

연소교가 놀라서 소리쳤다. 그제야 나는 명부삼귀가 함께 익힌 장법의 이름이 부골흑수인이라는 걸 알아차렸다.

그때였다.

"이노오옴!"

분기탱천한 편복은왕이 지금까지와는 다른 움직임을 보였다. 의기양양하게 서 있는 삼귀를 향해 벼락같은 쌍장을 출수한 것이다.

순간 요강단지만 하게 맺혀진 은빛 구체가 그의 양손으로부터 쏘아져 나왔다. 그것도 무려 삼 장 밖에서.

삐엉!

삼귀는 무얼 어떻게 해볼 사이도 없이 양손을 교차해 자신의 얼굴과 심장을 막았다. 그러나 형상화된 강기를 감당하지 못하고 대여섯 장이나 날아간 다음 커다란 바위에 등을 부딪친 후 떨어졌다.

"셋째야!"

이귀의 외침이 허공을 갈랐다.

그에 화답하듯 삼귀가 콜록콜록 기침을 했다. 앞서 이귀와는 비교도 할 수 없을 만큼 많은 양의 검은 피가 쏟아져 나왔다.

이어 한 손으로 땅을 짚으며 몸을 일으키려는 순간 팔목이 그만 뚝 부러져 버렸다. 그제야 나는 은빛 구체를 정통으로 맞은 그의 팔목에 하얗게 서리가 낀 것을 알아차렸다.

"투골음풍장(投骨陰風掌)!"

연소교가 또 낮게 소리를 질렀다.

한데 더욱 놀라운 풍경이 펼쳐졌다. 팔꿈치 아래의 생살을 한 치나 뚫고 나온 삼귀의 뼈가 온통 시커멨다.

나도 모르게 속엣말이 입술을 비집고 흘러나왔다.

"오골계도 아니고 저게 무슨!"

"셋째야!"

이귀가 고함을 지르며 달려갔다. 그런 다음 부러진 뼈가 살을 뚫고 나온 삼귀의 팔목 위쪽 혈도를 타다닥 짚었다. 급한 대로 큰 출혈을 막기 위해서인데, 여기서 멈추지 않고 최대한 빨리 뼈를 맞춘 다음 완전히 지혈을 하고, 부목을 대고, 붕대까지 감아 뼈가 어긋나지 않도록 고정을 해야 한다. 그래야 남은 생을 불구로 사는 걸 피할 수가 있다.

하지만 이귀는 선뜻 손을 대지 못했다. 대적을 앞에 두고 한가하게 동료의 치료나 하고 있을 수가 없기 때문이었다.

"괜찮으냐?"

"팔 하나 부러진 걸 갖고 웬 호들갑이십니까?"

"내상은?"

"이 정도로 죽을 제가 아닙니다. 다만 저 늙은 박쥐왕의 모가지를 비트는 데 더는 한 손을 보탤 수 없다는 게 원통할 뿐."

편복(蝙蝠)은 본래 낮에는 동굴 천장에 거꾸로 붙어살다가 밤이 되면 돌아다니는 박쥐를 고급스럽게 일컫는 말이었다. 따라서 박쥐왕이라는 말에는 시커먼 장포를 입고 햇빛을 피해 밤에만 돌아다닐 수 있는 편복은왕에 대한 노골적인 조롱이 담겨 있었다.

"하여튼 버르장머리 없는 것들 같으니라고."

편복은왕은 가소롭다는 듯 조소만 흘릴 뿐 조금도 기분 나빠 하지 않았다. 별호에서부터 이미 박쥐왕이라 불리거니와 그가 공언한 대로 명부삼귀를 모조리 죽여 버릴 심산이기 때문이었다.

나는 재빨리 신법을 펼쳐 달려간 다음 애초 삼귀가 차지했던 편복은왕의 좌방을 점하고 섰다.

이어 이귀를 향해 버럭 소리를 질렀다.

"지금 한가하게 그러고 있으실 때가 아닙니다. 다 같이 죽고 싶지 않으면 빨리 와서 합격진을 펼치십시오!"

연소교와 호리독사에게도 외쳤다.

"연 소저와 하 표사는 삼귀 선배의 박살 난 팔목을 응급처치해 드리시오. 쓰러진 상여꾼들의 상태도 봐주고."

그때쯤엔 호리독사가 연소교의 도움을 받아 마지막 상여꾼의 옆구리를 막 베어서 쓰러뜨리고 있었다.

호리독사는 도둑질을 하다가 들켰을 때처럼 깜짝 놀란 얼굴을 한 채 멈춰 섰다.

하지만 그것도 잠시, 두 사람은 마치 오랜 시간 호흡을 맞춘 것처럼 일사불란하게 움직였다.

우선 연소교가 삼귀에게 달려간 다음 뼈를 맞추기 전에 수통의 깨끗한 물로 상처에 묻은 흙을 씻어냈다.

호리독사는 사방으로 흩어져 버린 모닥불 조각들을 몇 개 주워다가 불을 크게 일으킨 다음 서둘러 자신의 단도를 달구기 시작했다. 연소교가 뼈를 맞추면 불에 달군 단도로 상처 부위를 지져 출혈도 멈추고, 나쁜 것들이 들어가지 않게 하려는 것이다.

그사이 나와 일귀와 이귀는 편복은왕을 가운데 두고 삼각형으로 빙 둘러쌌다.

본격적인 싸움을 재개하기 전에 내가 이귀에게 물었다.

"내상은 좀 어떠십니까?"

"내 몫은 할 테니 염려 마라."

"다행이군요."

"왜 삼귀를 치료해 주는 거지?"

"사나운 용을 잡으려면 일단 이무기끼리 힘을 합쳐야죠."

"그다음엔 우리가 너희를 잡으려 들 터인데도?"

"어차피 삼귀 선배님은 명부삼귀의 전력에서 제외되었습니다. 대신 만약 마지막에 성보를 놓고 우리끼리 싸우게 되면 저 두 사람에게만큼 은 손속에 사정을 좀 둬주십시오."

"너는 봐주지 않아도 되고?"

"모두에게 사정을 봐주면 싸움이 되겠습니까?"

일귀와 이귀는 서로 눈빛을 교환하며 묘한 표정을 지었다. 마교도라 고 해서 무작정 죽여 버리는 정도무림인들과는 다른 데다 당당하기까 지 한 내가 희한하게 보이는 것이다.

그때 편복은왕이 말했다

"다들 그런 쓸데없는 고민 따위는 하지 않아도 되느니라. 이 몸이 너 희를 모조리 죽여서 상황을 간단하게 정리해 줄 것인즉."

"고작 삼백여 합으로 벌써부터 자만하지 마시오!"

이귀가 발끈하며 외쳤다. 그러고는 곧장 신법을 펼치더니 돌연 반 장 높이로 솟구쳤다.

너무 성급한 것 아닌가 하는 우려와 달리 아래로 쭉 뻗는 그의 좌장 에서 주먹만 한 검은 구체가 쏘아졌다.

퍼엉!

앞서 편복은왕이 쏘아 보낸 은빛 구체보다 훨씬 작았지만 충분히 위협적이었다. 거리도 매우 가깝거니와 시기로 뭉쳐진 구체에는 강력한 독성이 있기 때문이었다.

그와 동시에 오른쪽에서는 일귀가 낮게 쇄도하며 편복은왕의 단전을 향해 우장을 뻗고 있었다. 역시나 시커먼 구체가 작렬했다.

퍼엉!

간발의 차이를 두고 이귀가 먼저 신형을 쏘았지만 그는 공중으로 솟구쳤고, 일귀는 아래로 깔렸기 때문에 실제로 두 사람이 구체를 쏘아 보낸 것은 거의 동시였다. 둘 중 한 사람이 쏘아 보낸 장력만이라도 격중한다면 편복은왕은 중상을 피할 수 없을 것 같았다.

다시 말해 격중을 한다면.

퍼엉!

퍼엉!

편복은왕은 선 자리에서 각기 다른 방향을 향해 쌍장을 떨쳤다.

검은 구체는 연기처럼 터져 나가 버렸고, 일귀와 이귀는 이번에도 막강한 경력을 감당하지 못해 삼 장이나 튕겨 날아갔다.

그보다 한발 앞서 일귀의 외침이 있었다.

"지금이야!"

일귀와 이귀가 시기로 뭉쳐진 강기를 각각 위와 아래에서 쏘아 보내고, 그것들을 막기 위해 편복은왕이 각기 다른 방향으로 쌍장을 떨치는 그 찰나의 순간, 나는 무방비 상태인 편복은왕의 왼쪽 전권을 파고드는 데 성공했다.

이어 그의 옆구리를 난타하기 시작했다. 귀영무의 보법에 이은 십초박의 선팔초가 펼쳐지는 순간이었다.

여기에 십성의 공력까지 담아냈다.

뻑! 뻐버버버버버벅!

절굿공이로 떡을 치는 것 같은 찰진 육장음이 요란하게 울렸다.

갈비뼈는 인간의 신체를 구성하는 모든 뼈들 중 가장 약한 축에 속한다. 특히 근육이 없는 옆구리에서 날갯죽지까지는 충격에 취약했다.

하지만 선팔초를 모두 쏟아내고도 갈비뼈를 한 대라도 부러뜨리기는커녕 내 주먹 뼈가 모조리 박살 나는 것 같았다.

상대의 가공할 호신강기 때문이 아니었다. 믿을 수 없게도 편복은왕은 눈 한 번 깜빡이고 말 그 짧은 순간에 일귀와 이귀를 날려 보낸 것으로도 모자라 벼락처럼 돌아서며 나와 똑같이 주먹으로 응수했다.

정확히 말하면 때렸다. 나는 갈비뼈가 아니라 편복은왕이 번갈아 내주는 주먹을 죽으라고 맞받아친 것이다.

'이게 무슨!'

싸움이 시작되는 순간부터 이능력을 기본으로 발동한 상태였다. 빠르기로만 따지면 명부삼귀와도 백중세를 이룰 거라고 자부했다.

물론 손발이 그렇다는 얘기일 뿐, 눈은 내가 명부삼귀보다 더 빨랐다. 한데 편복은왕은 눈으로도 겨우 따라잡을 수 있을 정도의 속도를 손발에 담아냈다. 거기다 흡사 쇳덩어리를 치는 듯한 이 무지막지한 충격과 함께 손목의 뼈를 뚫고 들어오는 암경이란!

'이게 인간의 경지라고?'

일찍이 본 적 없는 거대한 장벽을 만난 것 같았다.

그 순간 편복은왕의 오른손이 갈고리처럼 변하더니 내 어깨를 노려왔다.

'잡히면 끝장이다!'

대경실색한 나는 주먹을 풀고 금나수와 비슷한 수법으로 편복은왕의 주먹을 감싸고 비틀었다. 부지불식간에 십초박의 후이초가 반사적으로 튀어나온 것이었다.

처음 십초박을 전수해 줄 당시 북해투왕은 말했었다.

"십초박은 선팔초(先八招)와 후이초(後二招)로 나뉜다. 하지만 무슨 일이 있어도 '선팔초' 안에 승부를 봐야 한다. 나머지 '후이초'는 만약에 대비해 너의 몸을 빼기 위한 동작들이다."

편복은왕의 왼쪽 주먹이 한순간 방향을 잃고 바깥으로 빠져나갔다.

이걸로 그를 어찌해 볼 수는 없다. 다만 잠시나마 당황하게 만들어 발을 빼기에는 충분했다.

나는 귀영무의 보법을 펼치며 삼 장 밖으로 후다닥 물러났다. 그때쯤엔 앞서 튕겨 나간 일귀와 이귀가 중심을 잡고 반격의 준비를 하면서 다시 대치가 이루어졌다.

전체적으로 보면 네 명이 우레처럼 붙었다가 투다닥 하고는 어느 쪽도 승기를 잡지 못한 채 번개처럼 떨어진 셈이었다.

하지만 그런 와중에도 사람들의 시선을 강렬하게 사로잡은 이는 있었다.

편복은왕이 호기심 가득한 표정으로 나를 돌아보며 말했다.

"보통 빠른 게 아니군."

"제가 하고 싶은 말입니다."

"그 나이에 그런 엄청난 공력이 운공만으로 생겼을 리 없을 터, 좀처럼 만나기 어려운 기연을 여러 차례 얻었으렷다?"

"중원 전역을 돌아다니는 것이 직업이다 보니 아무래도 기인이사(奇人異士)들을 만날 일이 범부들보다는 흔하지요."

"비영문의 전승자도 만났더냐?"

비영문이라는 말에 일귀와 이귀가 깜짝 놀란 표정이 되었다. 저만치 떨어진 곳에서 치료를 받고 있던 삼귀와 그를 치료하고 있던 연소교도 놀라서 나를 돌아보았다.

"그렇습니다."

"그가 누구지?"

편복은왕의 나이가 구순 어림이라고 가정했을 때 칠순 어림인 북해투왕과는 무려 이십 년 정도의 차이가 난다.

북해투왕이 청해에서 중년의 권사로 한참 명성을 날리기 시작할 무렵 편복은왕은 남만에서 은거를 시작했을 것이다. 이후 세상 소식들과 담을 쌓고 살았다면 천하십대 권사 중 한 명인 북해투왕을 모르는 것도 이상한 일이 아니었다. 활동했던 곳이 각각 남만과 청해로, 수만 리 이상 떨어진 곳이기도 했고.

눈치를 보아하니 그건 명부삼귀도 마찬가지인 것 같았다.

"북해투왕입니다."

"너는 그자의 제자이고?"

"그렇습니다."

"비영문은 일인전승일 텐데?"

"제가 바로 그 전승자입니다."

북해투왕은 이미 항주를 떠났고, 곤륜파와의 은원에 관한 문제도 대책이 있었다. 나는 더 이상 그의 제자임을 숨기지 않았다. 이미 훤히 꿰뚫고 있으니 숨길 수도 없었고.

"안타깝구나. 한때 천하를 오시하던 비영문의 권공이 다시 꽃을 피워보기도 전에 맥이 끊기게 생겼으니 말이다."

삼귀를 치료하고 있던 연소교와 호리독사의 표정이 돌덩이처럼 굳어졌다.

북해투왕은 내게 또 말했다.

"만약 십초식을 모두 펼친 후에도 승부가 나지 않았다면 상대가 너를 희롱하고 있는 것이니 이미 죽은 목숨이다."

일생일대의 대적을 만났음을 실감했다.

하지만 내겐 아직 숨겨둔 한 수가 더 남아 있었다. 그건 엄격히 말해 내 무공이 아니라 저들의 무공이었다. 사실은 무공인지도 모르지만.

바로 선천오법술이었다.

얼얼해진 주먹을 번갈아 주무르는 척하며 소매 끝에 꽂아둔 비격쌍뇌창 한 쌍, 즉 두 개를 양쪽 주먹 속에 숨겼다.

무당파에는 양심신공(兩心神功)이라고 해서 하나의 마음을 두 개로 나누어 쓰는 공부가 있다고 들었다. 나는 아직 그런 경지에는 이르지 못했다. 그러나 비격쌍뇌창 두 개를 하나의 방향으로는 얼마든지 날릴 수 있었다. 만약 하나가 실패하더라도 다른 하나가 급소를 뚫어주기만

한다면 충분히 승산이 있었다.

자세를 취한 후 일귀와 이귀를 향해 진지한 표정으로 말했다.

"이젠 제가 엄호를 하겠습니다. 두 분 선배님들 중 한 분께서 전권을 파고 들어가 살수를 펼치도록 하십시오."

이귀가 말을 받았다.

"우리가 그를 두려워해 너를 앞세우기라도 했다는 뜻이냐?"

"선공을 한 두 사람은 손발을 묶는 역할밖에 하지 못하는 반면 가장 나중에 뛰어든 한 사람은 혼자 위험을 무릅써야 하니 드리는 말씀입니다."

"무어?"

"알겠습니다. 그러면 다 같이 선공을 하다가 먼저 틈을 보는 사람이 치고 들어가서 살수를 쓰도록 하시죠. 모두의 목숨이 달린 일이니만큼 각자의 위치에서 최선을 다하실 거라 믿습니다."

"아까부터 무슨 쓸데없는 말을 그렇게 진지하게들 하고 앉았느냐. 고민할 것 없이 그냥 내가 선공을 하마!"

말과 함께 편복은왕이 시원하게 쌍장을 뻗어왔다.

아까 보았던 은빛 구체가 또다시 폭사되었다. 크기는 작았지만 대신 두 개였고, 각각 일귀와 이귀를 향해 날아갔다.

편복은왕이 장력을 끌어올리는 순간 일귀와 이귀는 이미 두 다리를 앞뒤로 크게 벌리며 축을 세운 상태였다. 그리고 쌍장으로 검은 구체를 힘차게 쏘며 맞섰다.

뻐벙!

두 개의 굉음이 거의 동시에 울렸다. 그 바람에 결과적으로는 또다시 일귀와 이귀가 선공을 한 셈이 되어버렸다.

'젠장!'

나는 울며 겨자 먹기로 다시 한번 편복은왕의 전권을 질풍처럼 파고 들었다.

이건 사실 편복은왕이 유도한 판이었다. 그는 아까와 같은 방식으로 다시 승부를 보고 싶어 하는 것 같았다. 내가 십초박을 모두 펼치고 도망치기 전에 잡아보려는 속셈이었다.

편복은왕은 나와 명부삼귀를 상대로 싸우는 것이 아니라 자기 자신과 싸우고 있었다. 우리를 귀찮은 벌레처럼 보는 것이다.

'누구 마음대로!'

편복은왕이 유도한 대로 좀 전과 똑같은 양상이 펼쳐졌다.

장력을 감당하지 못한 일귀와 이귀는 이번에도 삼 장이나 튕겨 날아 갔고, 나는 십초박의 선팔초를 작렬했다.

뻑! 뻐버버버버버벅!

차이가 있다면 이번엔 옆구리가 아니라 전면이었다는 정도였다.

편복은왕은 재밌는 장난감이라도 발견한 것처럼 잔뜩 흥분해서는 어김없이 자신의 두 주먹으로 내 주먹들을 모두 때려 막았다. 그리고 아까와 달리 쌍수를 뻗어왔다.

쭉 뻗은 양손이 흡사 적향서를 낚아채던 설응의 발톱처럼 섬뜩하게 느껴졌다. 저 손가락에 잡히면 그대로 죽는 것이다.

나는 후이초를 펼치는 대신 편복은왕의 양손을 향해 쌍장을 떨쳤다. 편복은왕이 가소롭다는 듯이 손바닥을 활짝 펼쳐 역시나 쌍장으로 응수했다.

뻐벙!

접장의 순간, 편복은왕은 화끈한 불맛과 함께 두 개의 청동빛 바늘이 자신의 손등을 뚫고 나오는 걸 보아야 했다.

막강한 장력에 내가 튕겨 나가는 사이 바늘은 그대로 편복은왕의 두 눈을 향했다.

내가 선택한 급소는 눈이었다. 인체에서 유일하게 호신강기가 통하지 않는 곳. 운이 좋아 뇌까지 뚫고 들어가 박힌다면 사람을 벼락처럼 거꾸러뜨릴 수도 있는 곳.

하지만 편복은왕의 움직임은 경이로움 그 자체였다. 눈 한 번 깜빡이는 걸로도 표현할 수 없는 찰나의 순간, 그는 얼굴을 옆으로 꺾었다. 비격쌍뇌창의 바늘은 그의 코와 늘어져 출렁이는 주름살 살을 비스듬히 뚫고 지나갔을 뿐이었다.

이번에도 편복은왕을 쓰러뜨리는 데 실패했다.

대신 이번에도 도망을 치는 데는 성공했다. 이능력과 십초박에 이어 비격쌍뇌창을 이용한 선천오법술까지 전부 쏟아붓고도 고작 그의 마수를 피하는 데 그친 것이다.

'이러면 정말 답이 없는데!'

진짜 문제는 그다음에 일어났다.

"이노옴!"

편복은왕의 신형이 돌연 쭉 늘어나더니 아직 체공 상태에 있는 나를 향해 쌍장을 출수해 왔다. 이건 생각지도 못한 반격이자 기습이었다. 요강단지만 한 은빛 구체가 보였다.

죽음을 직감한 순간, 몸속 깊은 곳에서 죽간의 기운이 간만에 터지듯 솟구쳤다.

나는 천근추의 수법을 펼치며 쇠공처럼 뚝 떨어져 내렸다. 지독한 냉기와 함께 은빛 구체가 내 머리카락을 몽땅 잡아채며 아슬아슬하게 위로 스쳐 갔다.

찰나의 순간, 활짝 열린 편복은왕의 상체가 보였다.

"제발 좀 죽어랏!"

십이성의 공력을 전부 발끝에 모아서 땅을 힘차게 박찼다.

그 순간 나는 한 대의 화살이 되어 편복은왕을 향해 날아갔다. 그리고 심장을 향해 마지막이 될지도 모르는 일장을 출수했다.

대경실색한 편복은왕은 다시 한번 그 놀라운 속도로 장력을 마주 떨쳐왔다.

이제는 비격쌍뇌창도 없었다. 대신 편복은왕의 은빛 구체가 완벽히 형상화되기 전, 간발의 차이로 내 양손에서 폭사된 붉은 불길이 그를 먼저 덮쳤다.

뻐엉!

결과는 놀라웠다.

나는 그 자리에 못 박은 듯 서 있는 반면, 편복은왕은 지금까지와 달리 무려 세 걸음이나 턱 턱 턱 물러난 끝에 가까스로 멈춰 섰다. 그리고 무슨 이유에선지 믿을 수 없다는 표정으로 나를 잠시 응시하다가 '우웩!' 하고 피를 한 줌이나 토했다.

"……!"

저 무지막지한 괴수가 내 장법 한 방에 내상을 입고 목구멍으로 피를 토한다고? 물론 처음 제대로 격중시킨 장법이긴 했다. 그렇다고 해도 뭔가 예상했던 것 이상의 결과에 나는 어안이 벙벙해졌다.

그 순간 저만치에서 삼귀가 치료를 받다 말고 연소교와 호리독사를 밀쳐내며 벌떡 일어났다. 이어 내상을 입은 사람이라고 믿기 어려울 만큼 산이 떠나가라 외쳤다.

"구천홍염장이다!"

이귀와 일귀도 소스라치게 놀란 얼굴이 되어 나를 보았다.

일귀가 떨리는 음성을 진정시키며 내게 물었다.

"혹시 구천홍염장도 익힌 건가?"

"그렇습니다만."

"왜 진작 말하지 않았나!"

"아무도 묻지 않는데 혼자 말하고 다니라고요?"

"백포산군과는 무슨 사이인가?"

"대체 왜 그러시는 겁니까?"

"구천홍염장은 투골음풍장과 상극일세. 상극 중에서도 염극음(炎克陰). 다시 말해 구천홍염장의 화기가 투골음풍장의 음기를 무력화시켜 버린다는 뜻이지."

"으하하하!"

갑자기 삼귀가 앙천광소를 터뜨렸다. 그러다 편복은왕이 그랬던 것처럼 뚝 그치더니 착 가라앉은 음성으로 말했다.

"아무래도 명년 오늘 제삿날의 주인이 바뀔 것 같군!"

분노한 편복은왕이 일갈했다.

"가소로운 것들! 내가 익힌 신공절학들이 어디 투골음풍장뿐이겠느냐!"

일귀가 냉랭하게 받아쳤다.

"투골음풍장이 아니라면 우리가 귀하를 그토록 두려워할 이유가 무엇이란 말이오. 하물며 내상까지 입은 다음에야."

편복은왕은 당황한 기색이 역력했다. 조금 전까지만 해도 제왕처럼 굴던 그였지만 지금은 눈동자가 크게 흔들렸다.

반면 반전의 기회를 맞은 명부삼귀는 의기양양했다.

특히 투골음풍장에 맞아 내상을 입고 팔목까지 부러진 삼귀는 좋아서 어쩔 줄을 몰라 했다. 그러다 한순간 기혈이 뒤틀렸는지 갑자기 가슴을 부여잡고는 바위에 털썩 주저앉았다.

나와 연소교와 호리독사는 그저 어리둥절할 뿐이었다. 이건 전혀 예상하지 못한 일이었기 때문이다.

"모두 힘을 합쳐 범부터 잡고 보자!"

"송곳니가 없는 범은 더 이상 범이 아니지요."

이귀가 일귀를 기합 같은 일성들을 주고받고는 동시에 신형을 쏘았다.

"가소로운지고!"

편복은왕은 내상을 입은 와중에도 쌍장을 각기 다른 방향으로 떨치며 두 사람을 상대했다.

뻥! 뻐벙! 뻥! 뻥!

장력이 충돌할 때마다 또다시 굉음과 함께 엄청난 경파가 휘몰아쳤다.

은빛 구체를 만들어내지는 않았지만, 편복은왕의 투골음풍장은 강맹함을 잃지 않았다. 장력이 폭사될 때마다 좌중의 공기를 꽁꽁 얼려버리는 한기 또한 여전했다.

다만 나를 의식해서인지 전력을 다해 두 사람을 상대하지는 않는 눈치였다. 언제 어느 방향에서 기습해 오더라도 불꽃 같은 반격을 가할 수 있도록 공력의 삼 할 정도를 남겨두는 것이다.

일귀와 이귀 역시 무작정 돌진하지는 못했다. 나를 위해 남겨둔 공력이 언제 은빛 구체에 담겨 자신들을 덮칠지 모르기 때문이다.

서로가 서로의 눈치를 보는 가운데 치열한 공방이 오가길 한참, 돌연 주먹만 하게 형상화된 은빛 구체 두 개가 일귀와 이귀를 향해 기습적으로 쏘아졌다.

감히 경시할 수 없었던 일귀와 이귀 또한 검은 구체로 맞섰다.

뻐벙!

폭발적인 굉음과 함께 일귀와 이귀가 대여섯 걸음이나 튕기듯 물러났다.

이어 이귀가 나를 향해 버럭 소리 질렀다.

"뭘 하고 있는 거냐!"

"아무 짓도 안 했습니다만."

"그러니까 왜 아무것도 않고 가만히 있느냐고!"

"제게 이래라저래라 명령하지 마십시오."

한순간 모두가 당혹스러운 표정을 지었다.

이귀가 무언가 더 말을 하려는 찰나 일귀가 손을 들어 그를 제지했다. 그리고 서늘한 음성으로 내게 말했다.

"함께 편복은왕을 제거하기로 하지 않았던가?"

"상황이 바뀌었습니다. 제게는 편복은왕 선배님을 상대할 대비책이 생겼지만, 아직 마지막에 두 분을 상대할 대비책은 없습니다."

"그래서?"

"아무래도 편복은왕 선배님께서 그 대응책이 되어주실 수 있을 것 같아 어떻게 할까 잠시 고민하던 중이었습니다."

"신의를 목숨처럼 여겨야 할 표사가 말을 너무 쉽게 바꾸는군."

"표물을 빼앗으러 온 강도가 표사에게 신의를 지키라고 강요하다니, 지나가는 소가 웃을 일입니다."

명부삼귀는 뜨악했다. 특히 제삿날의 주인이 바뀌니 어쩌니 하며 설레발을 쳤던 삼귀는 거의 사색이 되었다.

하지만 편복은왕은 산전수전 다 겪은 노강호답게 노련했다. 그는 무작정 환영하는 대신 나를 노려보며 슬그머니 떠보았다.

"그래서 날더러 명부삼귀를 때려눕혀 달라?"

"가능하겠습니까?"

"질문은 내가 한다."

"가능하지 않으면 질문을 하실 필요도 없어서요."

"내가 명부삼귀를 때려눕힐 수 있는 건 너무나 당연한 일이다!"

"그럼 질문하십시오."

"방금 묻지 않았느냐!"

"제 대답은 '그렇다'입니다."

순간 편복은왕의 눈이 뻘게졌다. 그는 화를 가라앉히려는 듯 잠시 숨을 고른 다음 다시 물었다.

"죽간은?"

"연 소저에게 주어야지요."

"귀신들은 내가 때려잡고 죽간은 너희가 챙기겠다?"

"주인에게 돌려주려는 겁니다."

"내 것도 내놓으라고 할 기세군."

"그건 제가 가져가고요."

"하!"

"이제 선배님께서 대답을 주실 차례입니다."

"하면 내가 얻는 건 무엇이냐?"

"목숨보다 더 중요한 게 있겠습니까? 거절하시면 저로서는 명부삼귀 선배님들의 편에 서서 편복은왕 선배님을 도모할 수밖에 없습니다만."

"어차피 빈손으로 돌아갈 바엔 명부삼귀와 내가 너희를 모조리 죽여 없애 버린 다음 훗날을 기약하며 각자가 가진 정보들만 챙겨서 헤어지는 편이 났겠지."

제대로 한 방 먹였다고 생각했는지 편복은왕은 흡족한 표정이 되었다. 그에 화답하듯 명부삼귀도 고개를 끄덕였다. 적의 적과 친구가 되었다가 다시 적이 되었다가 이번엔 적들끼리 친구가 되어 나를 압박하는 순간이었다.

"명부삼귀 선배님들은 그러지 못하실 겁니다."

그때였다.

모닥불가에 있던 호리독사가 불타는 장작을 슬그머니 집어 들었다. 이어 바로 지척의 바위에 앉아 나를 보고 있던 삼귀의 머리통을 냅다 갈겨갔다.

내상을 입고 팔이 부러졌어도 명부삼귀라는 이름은 어딜 가는 것이 아니었다. 도저히 피할 수 없을 것 같은 그 짧은 거리에서도 삼귀는 다치지 않은 손을 휘둘러 장작불을 쳐냈다.

펑!

묵직한 장작이 불꽃을 터뜨리며 허공으로 끝도 없이 튕겨 날아갔다. 동시에 삼귀의 상체가 아주 잠깐 열리면서 무방비 상태로 변했다.

그 찰나의 순간, 호리독사는 상여꾼들의 검상 치료를 위해 모닥불에 달구고 있던 단도를 득달처럼 뻗어갔다. 장작불은 삼귀의 앞가슴을 열기 위한 미끼였을 뿐, 진짜는 바로 이 단도였다. 잡아서 찌르기 좋도록 미리 꺼내 달구어놓은 것도 그 때문이고.

그러나 삼귀는 결코 호락호락한 인물이 아니었다. 편복은왕에게 당한 모습 때문에 상대적으로 약해 보일 뿐, 모든 강호인들이 두려워해 마지않는 초절정의 고수였다.

"어딜!"

삼귀는 상체와 머리를 벼락처럼 뒤로 꺾었다.

호리독사가 뻗은 단도는 반 뼘의 차이를 두고 아슬아슬하게 허공을 찔렀다.

"건방진!"

단도를 흘려보내는 동작 그대로 삼귀가 호리독사를 향해 일각을 뻗었다. 놀란 호리독사는 몸을 옆으로 재빨리 뒤집으며 가까스로 발길질을 피했다. 이어 삼귀의 이 차 공격을 두려워한 나머지 황급히 나려타곤의 수법을 펼쳤다. 그 바람에 모닥불 위까지 데굴데굴 굴러갔다.

"벌레 같은 놈!"

호리독사의 예상은 적중했다.

눈 깜짝할 사이에 그를 따라잡은 삼귀는 밟아 죽이려는 듯 발을 들었다가 그대로 뚝 멈추었다. 차디찬 검신이 자신의 목덜미에 철썩하고 붙었기 때문이다. 쇠꼬챙이처럼 가늘고 시퍼런 검신의 손잡이는 조금 떨어진 곳에서 연소교가 쥐고 있었다.

"수고했어요."

"하마터면 죽을 뻔했네."

호리독사가 옷자락에 묻은 불똥들을 탁탁 털어 내면서 일어났다.

장작불이 단도로 찌르기 위한 미끼였던 것처럼, 사실은 호리독사의 공격 전체가 연소교의 기습을 위한 미끼였다.

더 멀리서 보자면 치료를 해주는 척 삼귀에게 접근한 것도, 쓰러져 신음하는 상여꾼들을 치료해 준 것도 전부 치밀하게 계산된 행동이었다. 목적은 당연하게도 명부삼귀와 편복은왕이라는 닳고 닳은 노강호들의 경계심을 무너뜨리는 것이었고.

물론 이 모든 건 내가 사전에 전음으로 두 사람에게 지시를 한 내용들이었다.

방심하고 있다가 새파란 연소교에게 사로잡힌 삼귀가 슬그머니 발끝을 틀었다. 순간, 대범하게도 연소교가 검신을 삼귀의 목살에 쓱 밀어넣어버렸다. 시뻘건 피가 협봉검의 좁은 검신을 타고 주르륵 흘러내렸다. 조금만 더 깊었어도 경동맥이 잘려 나갈 뻔했다.

"제가 백골시마의 제자라는 걸 잊지 마세요!"

삼귀의 몸이 통나무처럼 뻣뻣하게 굳었다.

임무를 완수한 연소교가 나를 보며 고개를 끄덕였다.

갑작스러운 전개에 사람들은 모두 뜨악했다.

전장을 단숨에 장악해 버린 나는 다시 편복은왕을 돌아보며 냉랭한 음성으로 말했다.

"이제 제 말을 믿으시겠습니까?"

삼귀의 목숨이 우리 수중에 있는 한 명부삼귀는 절대 당신의 편에서서 나를 공격할 수 없다. 그러니 나를 대신해 일귀와 이귀를 제압해라……. 라는 게 내 말의 요지였다.

하지만 여기에도 맹점은 있었다. 일귀와 이귀가 자신들의 목숨을 바쳐가면서까지 삼귀를 지키려 하진 않을 거라는 거다.

결국 모두가 받아들일 수 있는 합리적인 타협안을 제시해 주어야 한다.

"이렇게들 하시죠. 양쪽 모두 죽간을 저희에게 돌려준 다음 조용히 산을 내려가시는 겁니다. 하면 서로 죽고 죽일 일도 없고 모두 승자가 될 수 있습니다."

명부삼귀와 편복은왕은 치밀어 오르는 분노를 억누르느라 얼굴이 하나같이 노래졌다. 그 와중에도 치열하게 눈치작전을 펼쳤다. 각자의 입장에서 어떻게 해야 가장 이득인지를 따져보는 것이다.

하지만 아무리 머리를 굴려 보아야 선택할 수 있는 길은 한 가지밖에 없었다.

그때쯤엔 호리독사가 모닥불 옆에 시체처럼 누워 신음하는 상여꾼들 옆으로 가서 가만히 섰다.

상여꾼들 또한 실제 신분은 사대호법이었다. 저만한 호법들을 다시 키워내려면 아마도 뛰어난 무재를 지닌 아이들 백 명을 잡아다 이십 년은 가르쳐야 할 것이다.

삼귀에 이어 상여꾼들의 목숨까지 우리 수중에 있는 한 명부삼귀와 편복은왕은 운신의 폭이 좁을 수밖에 없었다.

모든 게 내가 펼친 구천홍염장으로부터 시작된 일이었다.

남궁소소의 꾐에 빠져 의뢰를 받아들이고 익힌 백포산군의 절학이 목숨을 구해줄 줄이야.

"저것들 셋의 나이를 전부 합쳐도 나보다 열 살은 어릴 터인데, 꼴이 아주 우습게 되어버렸군."

편복은왕은 모든 걸 체념한 듯 자조 섞인 음성으로 말했다. 이어 품속에서 비단 봉투를 꺼내 내게 휙 던졌다. 얼른 낚아채서 내용물을 확인해 보니 처음 그대로였다.

나는 일귀와 이귀를 천천히 돌아보았다.

편복은왕이 백기 투항을 한 이상 저들도 다른 도리가 없었다. 끝까지 저항하면 삼귀의 목숨도 위험하거니와 내가 편복은왕에게 또 무슨 제안을 할지 모르기 때문이다. 가령 일귀와 이귀의 멱을 따버리면 저들에게 간 죽간 둘 중 하나를 양보하겠다고 할 수도 있는 노릇이고.

일귀가 삼귀에게 고개를 끄덕였다. 그러자 삼귀가 품속에서 보퉁이를 꺼내 바닥에 툭 던져놓았다. 호리독사가 얼른 주워서 보퉁이를 푼 다음 내용물을 확인했다.

호리독사가 나를 향해 고개를 끄덕여 주었다.

나는 다시 일귀를 향해 말했다.

"어차피 다시 추적해 오시겠지만 오늘 밤은 그만 뵈었으면 합니다. 선배님께서 약속을 해주시면 감사하겠습니다."

시정잡배처럼 근처 풀숲에 숨어 있다가 기습을 해오지 말라는 뜻이다. 그러겠다고 약속을 해야 삼귀를 풀어주겠다는 뜻이고.

"너는 신의를 저버리면서 내가 약속을 지키길 바라느냐?"

"전술과 거짓말을 같은 것인 양 호도하시면 안 되지요. 설사 그렇다고 해도 저의 작은 이름과 명부삼귀의 명성을 어찌 같이 비교하겠습니까?"

"너희가 어디를 향해 가는지 잘 알고 있다. 하루 이틀은 도망쳐도 사흘 나흘을 도망치진 못할 것이다. 그때까지 사람들 눈에 띄지 말고 잘 피해 다니거라."

"그럼 살펴 가십시오."

나는 일귀와 이귀를 향해 정중하게 포권지례를 올렸다.

그걸 신호로 연소교가 삼귀의 목에서 천천히 검신을 떼어내고는 뒤로 서너 걸음 물러났다.

명부삼귀는 계곡 아래쪽으로 가려 했다.

하필 그들이 가려는 방향에 편복은왕이 버티고 서 있었다.

편복은왕이 냉랭한 음성으로 일귀에게 말했다.

"저 아이에게 한 말을 내가 그대로 너희에게도 해주지. 혈채는 꼭 받아낼 테니 머리카락 한 올도 보이지 않게 잘 숨어다니거라."

삼귀가 상여꾼 한 명을 때려죽인 걸 두고 반드시 복수를 하겠다는 말이었다.

"우리가 사신으로 불렸음을 잊지 마시오."

일귀도 지지 않고 한마디 쏘아붙였다. 정면승부라면 모를까, 조용히 접근해 숨통을 끊는 일이라면 자신들이 전문이니 잠잘 때 목을 조심하라는 뜻이다.

"그만 사라지거라."

"다음에 또 봅시다."

편복은왕이 옆으로 비켜나자 명부삼귀가 빗살처럼 신형을 쏘아 계곡 아래로 사라졌다. 이제 남은 사람은 편복은왕과 나와 연소교와 호리독사 그리고 상여꾼들이었다.

아직 숨이 붙어 있는 상여꾼 셋은 모닥불 근처에 나란히 누운 상태였다. 둘은 나한테 당해 까무러치거나 가슴뼈가 함몰된 자이고, 나머지 하나는 호리독사가 옆구리를 베어버리는 바람에 숨을 헐떡대는 자였다.

다행히 나와 명부삼귀와 편복은왕이 개싸움을 하는 동안 연소교와 호리독사가 불에 달군 칼로 상처를 지져 출혈은 멈춘 상태였다. 그러나 그들의 목숨은 여전히 호리독사의 수중에 있었다. 편복은왕도 그 사실을 너무나 잘 알고 있었고.

"아직 내게 볼일이 남았더냐?"

"설옹을 불러주십시오."

"……!"

놈이 있는 한 절대 편복은왕의 손아귀에서 벗어날 수 없다. 무슨 일이 있어도 설옹을 처리하고 떠나야 한다.

"싫다면?"

"그게 대답입니까?"

"내가 먼저 물었지 않느냐!"

"일단 명년 오늘은 상여꾼들의 합동 제삿날이 될 것입니다. 선배님과는 목숨을 걸고서라도 지금부터 자웅을 겨루어보아야겠지요. 물론 저 혼자서는 아니고요."

"끈질긴 녀석이로고."

"표사가 힘들다고 표물을 포기해서야 쓰나요."

"설옹은 어떻게 할 생각이더냐?"

"잘 데리고 있다가 표행이 끝난 후 하늘로 날려주겠습니다. 하면 알아서 선배님을 찾아가겠지요?"

"목을 비틀어 죽이는 편이 훨씬 간단하고 여정에도 수월할 텐데."

"그런다면 순순히 내어주시겠습니까?"

"그럴 생각은 있고?"

"어떻게 대답해 드리길 바라십니까?"

"제발 내가 묻는 말에 먼저 대답부터 좀 하거라!"

"염려 마십시오. 그런 일은 없을 겁니다."

"이건 전술이 아니더냐?"

"약속드리겠습니다."

힘들게 대답을 끌어낸 편복은왕은 좀처럼 분노가 가시지 않는지 콧김을 뿜으면서 한참이나 나를 노려보았다. 그러다 창공을 향해 길게 휘파람을 불었다.

잠시 후, 어느새 깜깜해진 하늘로부터 눈처럼 하얀 그림자가 나타났다.

그림자는 무서운 속도로 내리꽂더니 편복은왕의 어깨에 살포시 앉았다. 이제 보니 발톱에 살짝 은광이 도는 것이 아무래도 강철조(强鐵爪)를 씌운 것 같았다. 본래도 맹수인데 강철로 된 발톱까지 착용했으니 짐승들은 물론이거니와 어지간한 사람도 해칠 수 있을 것 같다.

편복은왕은 설응의 두 발을 가죽 줄로 두어 번 감아서 묶은 후 나에게 천천히 건네주었다.

뜻밖에도 설응은 별다른 저항 없이 내 어깨 위로 살짝 옮겨 왔다. 다만 평소와 달리 편안하지가 않은지 발톱에 힘을 주었다. 그 바람에 생살이 뚫려 옷섶을 붉게 물들였다.

순간적으로 화가 솟구친 나는 놈의 두 다리를 잡아 땅바닥에 냅다 패대기치고 싶은 걸 꾹 참았다. 그랬다간 편복은왕과 사생결단을 내야 할 것이다.

대신 재빨리 호신강기를 끌어 올려 놈의 날카로운 발톱이 더는 상처를 헤집거나 다른 곳을 뚫지 못하도록 했다.

"데리고 다닐 수 있겠느냐?"

"물론입니다."

"어깨에서 피가 나는데도?"

"곧 익숙해지겠지요."

"이름은 설아(雪兒)다. 대설산에서 놈이 늑대를 사냥해 잡아먹는 걸 우연히 목격한 후 무려 한 달을 추적한 끝에 겨우 생포했지."

"매가 늑대를 사냥해 잡아먹었다고요?"

"이제부터 네 것이다."

"예?"

"저 아이들을 죽이지 않고 치료해 준 값이다."

편복은왕의 시선이 모닥불가에 누워 있는 세 명의 상여꾼들에게로 잠시 향했다.

그의 말처럼 저들을 죽이려면 싸울 당시 이미 얼마든지 죽일 수 있었다. 좀 더 솔직히 말하면 죽여 버리는 쪽이 내 입장에선 더 쉽고 안전했다.

하지만 나도 연소교도 그러지 않았다. 나는 원래가 살인을 함부로 하는 사람이 아니었고, 연소교는 같은 마교도들에 대한 연민 때문이었을 것이다.

유일하게 한 사람 호리독사만 죽일 생각으로 한 명의 옆구리를 가차 없이 베었다가 내 명령에 깜짝 놀라 얼른 치료를 해주었다.

"무슨 말씀이신 줄은 알겠으나 받을 수 없습니다."

"좋아할 것 없다. 다음번에 만나면 널 죽인 후 죽간과 함께 다시 찾아갈 테니까. 그러려면 지금 너에게 작은 빚도 지지 않아야겠지."

"빚도 갚고 협상안으로도 쓰고 그러면서 나중에 다시 만나면 전부 빼앗고. 편리한 계산법인 것 같습니다."

"너의 전술도 못지않다."

"후배의 행동에 무례한 것이 있었다면 양해해 주십시오. 아시다시피 표사에게는 표사의 길이 있는 거니까요."

"저 아이가 성보를 들고 너를 찾아간 것도, 만박노군 사마옥이 하필 너에게 운송을 맡긴 것도. 이제는 이유를 알 것 같군."

"제가 운이 좀 좋은 편이긴 합니다."

"아니지. 그게 아니야."

"예?"

"성보를 노리는 것이 과연 마교도들뿐이라고 생각하느냐? 그것만 손에 넣으면 꼭 천마교주가 되지 않더라도 천하를 오시할 수 있는데도?"

"……!"

"두 사람 모두 너라면 최소한 중간에서 성보를 가로채 달아나지는 않을 거라고 믿었기 때문이다. 오로지 표행밖에 모르는 멍청한 표사 녀석이니까."

명부삼귀와 편복은왕을 쫓아버리는 데 성공한 나는 따뜻한 밥을 지어 먹겠다는 애초의 계획을 취소하고 다시 밤길을 재촉했다. 저 무시무시한 노인네들로부터 최대한 멀리 떨어지는 게 급선무였기 때문이다.

노인네들이 더는 우리의 흔적을 찾지 못할 정도로 달아나야 비로소 완전히 따돌렸다고 할 수 있다. 그러려면 우선 나도 모르는 사이에 목격자가 있을 수 있는 인가나 촌락, 그리고 관도를 최대한 피해야 한다. 한마디로 길도 없고 사람도 다니지 않는 오지로만 이동하는 것이 가장 좋다.

대신 이런 곳을 지날 때는 발자국을 남기지 않도록 조심해야 한다. 누군가 뒤를 바짝 따라온다고 가정했을 때 전인미답의 장소에 사람 발자국이 있으면 그건 또 그것대로 눈에 띄기 때문이다.

이건 어느 정도 감안을 했다. 사실 명부삼귀와 편복은왕 정도의 고수쯤 되면 비가 억수같이 쏟아져서 발자국을 모조리 씻어주지 않는 한 완전히 따돌리기란 현실적으로 불가능했다.

다만 노인네들로 하여금 불필요한 발품을 팔아 시간을 허비하도록 만드는 방법들이 몇 가지 있었다.

가장 쉽고 확실한 건 강을 건너는 것이었다. 방식도 간단했다. 보통 때처럼 강을 최단 거리로 건너는 대신 배를 타고 상류나 하류로 한참을 더 가서 내리면 된다. 그렇게 하면 추적자들은 사냥감이 어디에서 내렸는지 모르기 때문에 강을 건넌 다음 발자국이나 기타의 흔적을 찾아 한참을 오르내려야 한다. 이렇게 추적자들이 지체하는 동안 우리는 조금 더 멀리 달아날 수 있다.

그런 식으로 닷새 동안 모두 아홉 차례의 크고 작은 강들을 건너면서 이동했다. 이동 중에는 한 식경 이상 휴식을 취한 적이 없고, 끼니는 아침에 한 번 벽곡단으로 대충 해결했다.

무엇보다 불을 피우지 않았다. 기온이 크게 떨어지는 밤과 새벽에는 바위 밑이나 절벽 아래에서 어깨를 찰싹 붙이고 앉아 서로의 체온을 나누며 쪽잠을 잤다. 그나마도 한 시진 정도가 고작이었다.

덕분에 피로가 빠른 속도로 누적됐다. 삼백 년 공력에 오랜 표행 생활로 단련된 나조차도 닷새째 되는 날에는 볼이 떨리고 입에서 단내가 날 지경이었다.

하물며 호리독사와 연소교는 어떻겠나. 산 중턱에서 잠시 이동을 멈추고 십리경으로 척후를 살피는 그 짧은 시간에도 두 사람은 바위에 나란히 기대어 앉아 꾸벅꾸벅 졸았다.

하지만 그 고생을 한 덕분에 명부삼귀와 편복은왕을 가까스로 따돌릴 수 있었다. 최소한 지금까지는.

그리고 엿새째 되는 날, 우리는 지금까지 건넜던 것들과는 차원이 다른 강과 마주했다.

저 멀리 하남성 동백산에서 발원해 대륙을 가로지르며 흐르다 마침내 황해로 빠져나가는 이 웅장한 강의 이름은 회수(淮水)였다.

대부분의 무림인들은 장강을 기준으로 남무림과 북무림을 나눈다. 하지만 평생 하늘과 땅만 보며 사는 농부들에게는 진령(秦嶺)과 함께 저 회수가 대륙을 남북으로 나누는 실질적인 경계였다. 회수를 기준으로 남쪽과 북쪽의 기후와 풍토와 습속이 크게 달라지기 때문이다.

예를 들면 회수의 남쪽에서는 주로 쌀농사를 짓고 북쪽에서는 밀을 재배한다.

남선북마라며 남쪽에선 배를 타고 북쪽에선 말을 탄다는 말의 배경 또한 실제로는 장강이 아니라 이곳 회수였다. 귤이 회수를 건너면 탱자가 된다는 말도 그래서 나왔다.

나는 회수와 맞닿은 산 중턱의 소나무 숲에 숨어서 강변을 굽어보는 한편 십리경으로 구석구석을 살피고 있었다.

이십여 가구가 옹기종기 모여 사는 마을은 대낮인데도 불구하고 한가롭고 고즈넉했다. 마을의 규모나 지세로 보아 회수를 오르내리는 여객선이 정기적으로 들르는 곳도 아니고, 고기잡이를 업으로 삼는 곳도 아니었다. 그저 대륙의 여느 작은 촌락들처럼 강을 끼고 들어섰을 뿐이었다. 다만 그 강이 회수라는 게 다를 뿐.

"잘 아는 곳인가요?"

"처음 보는 마을이오."

"역사가 깊은 표국이나 오랜 경력의 표사들은 표마차 없이 작은 표물을 운송할 때 이용하는 자신들만의 지름길이 있다고 하던데."

"나는 오랜 경력의 표사가 아니어서 아직 나만의 지름길까지는 없소."

"폄하하려고 한 말은 아니었어요."

"그렇군."

"정말이에요. 오히려 대단하다고 생각하고 있어요."

나는 십리경을 떼고 가만히 연소교를 돌아보았다. 별것도 아닌 말에 미안해하는 것도 그렇고, 남을 추켜세워 주는 것도 그렇고. 이건 평소에 알던 그녀의 모습이 아니었다.

왜 그런지 이유를 묻기도 전에 연소교의 얼굴이 빨개졌다. 그리고 슬그러니 고개를 옆으로 꺾으며 내 눈을 피했다.

"……?"

지난 일 년 동안 남궁소소과 찰싹 붙어 다니면서 나도 이제 어느 정도는 여자에 대해 안다고 자부할 수 있었다. 이 얼굴이 여자들에게 얼마나 먹히는지도. 이미 마음을 준 연인이 있는 사람으로서, 그리고 실제로는 서른 살이나 더 많은 어른으로서 여지를 주면 안 된다. 싹은 빨리 잘라내야 한다. 그게 그녀를 위해서도 좋다.

"혹시 내가……."

"너구리 같아요."

"뭐라고요?"

"눈두덩에 동그랗게 자국이 났다고요."

한 식경 째 십리경으로 마을을 살폈더니 눈 주변이 동그랗게 눌렸나 보다. 연소교가 내 눈을 피한 것도 웃지 않으려고 그런 것이고.

나는 다시 십리경을 눈에 붙이고 마을을 계속해서 훑었다. 그리고 질문을 하는 대신 그녀가 궁금해할 만한 것을 말해주었다.

"나만의 길은 없지만 천룡표국에서 공식적으로 사용하는 지름길들이 있기는 하오. 하지만 표사들 전부의 입을 막을 수는 없으니 일부러 피했소."

"하면 지금까지 전혀 모르는 길로만 왔다는 말인가요?"

"나도 어디로 갈 줄 모르는데 추적자들이 어떻게 알겠소? 그러니 최소한 내가 갈 길을 예측해 미리 간 다음 덫을 파놓고 기다릴 수는 없었을 거요."

"철두철미하군요."

"하지만 회수는 다르오. 언제 어디서 어떻게 오든 남쪽에서 북쪽으로 가려면 반드시 이 강을 건널 수밖에 없소."

"그들이 회수를 봉쇄했을 거라는 말씀인가요?"

"천룡표국으로 처들어왔던 추혼쌍귀니 좌호법이니 하는 마교도들은 어떤 자들이오? 특히 머리를 굴리는 쪽으로."

"추혼쌍귀(追魂雙鬼)는 별호에서도 짐작할 수 있다시피 한번 점찍은 목표물은 평생 놓쳐본 적이 없다는 천리추종술의 대가들이에요. 좌호법 혈영노조(血影老祖)는 한때 삼뇌군사의 뒤를 이을 거라고 평가됐던 천재 책사고요."

"이을 거라고?"

"스무 살 정도 젊었거든요. 한데 삼뇌군사께서 너무나 오래 사시는 바람에 이름을 날릴 기회가 없었죠."

"그래도 일흔을 훌쩍 넘긴 노마겠구려?"

"물론이죠."

"그들에 비하면 명부삼귀와 편복은왕은 상대적으로 무공이 고강할 뿐, 추적을 하거나 상황을 보는 눈은 아무래도 한 수 뒤처지겠군."

"하지만 가장 먼저 우리를 찾아냈죠."

"하물며 우리가 천룡표국을 빠져나갔다는 걸 추혼쌍귀와 혈영노조라는 자들이 열하루가 지난 지금까지도 모르고 있을까?"

"그거야말로 천마성교의 저력을 너무 얕잡아 본 거예요."

"내 짐작이 틀리지 않는다면 우리가 천룡표국을 빠져나온 지 사흘 후쯤에는 알아차렸을 것이오. 국주님께서도 그 정도면 우리가 장강을 건너는 데 무리가 없다고 판단하여 표사들을 보호하기 위해서라도 전쟁을 끝내는 방향으로 유도했을 것이고."

"그 사실을 뒤늦게 간파한 천마성교는 장강을 포기하는 대신 총력을 쏟아부어 이곳 회수에다 천라지망을 펼치려 했겠군요. 말을 타고 가장 빠른 길로 쉬지 않고 달리면 충분히 우리보다 앞서 도착할 수도 있고요."

"항주에서 천룡표국과 천마성교 사이에 짧게나마 교전이 있었으니 지금쯤이면 정사마의 모든 무림인들이 성보에 대해서도 알게 되었을 것이오. 그들은 천마성교의 움직임을 주시했을 것이고."

"도시와 시골, 사람이 있는 곳과 없는 곳의 구별 없이 회수 전역에 지켜보는 눈이 있다고 봐야겠군요."

"이제 내 말을 이해하겠소?"

연소교는 충격으로 대답도 못 하고 마른침만 꼴깍 삼켰다.

나는 나대로 말을 하면 척척 알아듣고 다음 수를 내다보는 그녀의 통찰력에 크게 놀랐다. 하지만 가장 놀라운 건 역시 삼뇌의 목을 베고 성보를 훔쳐서 나를 찾아온 그 모든 과정이었다. 저게 어딜 봐서 열아홉 살짜리 여자아이의 행동이란 말인가.

'예쁘게 생긴 사내대장부지. 그것도 노강호들 뺨칠 정도로 뚝심과 배짱이 두둑한. 덤으로 싸움도 잘하고.'

"이제 어떡하죠?"

"눈에 띄면서 눈에 띄지 않아야지."

"무슨 말씀인지 알아들었어요. 한데 설응이 문제예요. 우리야 변복과 역용을 한다지만 저 희고 커다란 설응을 어깨에 올려놓고 다니면 사람들의 시선을 한 몸에 받게 될 거예요. 그렇다고 보퉁이 속에 넣어 갈 수도 없고요."

"일단 하늘로 날려 보낸 후 회수를 건넌 다음 적당한 장소에 이르러 다시 불러들일 거요."

많지는 않지만 천룡표국의 전서각에서도 매를 키운다.

전서응은 전서구에 비해 훨씬 높게, 그리고 멀리까지 날았다. 다만 어린 매를 구하거나 완벽히 길들이기가 어렵다는 단점이 있었다. 야생으로의 귀소 본능이 워낙 강한 나머지 기껏 길들여 놓으면 배달을 갔다가 돌아오지 않기가 일쑤였던 것이다.

나는 운 좋게도 전생에서 전서각주 계종명이 전립성을 찾아와 술을 마시며 그런 괴로움에 대해 토로하는 걸 들은 적이 있었다.

"매는 본래 작은 새나 쥐를 잡아먹고 사는 맹금인데, 무슨 이유에선지 참나무에 기생해 자라는 녹색 애벌레를 보면 아주 환장을 합니다."

"녹색 애벌레?"

"그런 게 있습니다. 엄지손가락만 해가지고 발톱으로 찢으면 찍 하며 시퍼런 육즙과 함께 부드러운 속살이 나오는."

"엄지손가락만 하면 매 입장에선 제법 요기가 되겠군."

"해서 겨울에 참나무가 많은 숲에서는 절대 놈을 훈련해선 안 됩니다. 어쩌다 우연히 녹색 애벌레를 발견해서 한번 맛보면 계속 그것만 잡아먹다가 결국 주인을 배신하고 야생으로 돌아가 버리거든요. 그렇다고 바쁜 와중에 허구한 날 그걸 잡아다 먹이로 줄 수도 없고요."

지난 엿새 동안 나는, 나는 굶을지언정 놈에게는 틈나는 대로 녹색 애벌레를 잡아다 배가 터지도록 먹였다. 다행히 녹색 애벌레는 겨울이라 찾는 방법만 알면 참나무 나무껍질 속에 얼마든지 있었다.

내가 놈에게 공들인 작업은 사실 전 주인인 편복은왕과의 끈끈한 유대를 끊고 배신하도록 하는 일이었다. 그런 다음에서야 나를 새로운 주인으로 받아들이게 할 수 있다.

계종명과 달리 나는 열심히 녹색 애벌레를 잡아 먹였고, 앞으로도 그럴 테니 놈이 그 정성을 알아주길 바랄 뿐이었다.

하지만 진짜 문제는 따로 있었다.

똑똑한 연소교가 그걸 정확히 꼬집어주었다.

"저렇게 하얀 설응을 하늘로 날려 보내면 십 리 밖에서도 눈에 띌 거예요. 명부삼귀와 편복은왕이 근처에 있다면 우리의 위치를 알아내는 건 시간 문제고요."

"당연히 그렇겠지."

"역시 짐작했군요."

"사실은 그 정도의 간단한 문제가 아니오. 편복은왕이 내게 천응을 준 이유가 정말 상여꾼들을 죽이지 않은 것에 대한 보답 때문이라고 생각하시오?"

이건 좀 어려운 문제였던지 연소교가 잠시 생각에 잠겼다.

그러다 눈을 크게 뜨고는 깜짝 놀란 음성으로 말했다.

"회수를 앞두고 우리가 사람들의 눈에 띄지 않기 위해서라도 어떻게든 천응을 하늘로 날려 보낼 수밖에 없다는 걸 계산했군요. 설응을 첩자로 심어둘 생각을 하다니!"

"노강호들이 무언가 중요한 결정을 하거나 평소와 다른 행동을 할 때는 항상 두세 가지 안배가 있는 법이오. 조심해야 하오."

"한데도 설응을 하늘로 날린다고요?"

"우리도 안배를 해야지."

나는 수통의 남은 물을 전부 마신 다음 칼로 주둥이를 탁 잘라냈다. 그러자 입구가 주먹도 들어갈 정도로 넓어졌다.

그런 다음 오늘 낮 동안 이동 중에 부지런히 잡은 녹색 애벌레 백여 마리를 수통 속에 넣고 작대기로 찧기 시작했다.

육즙이 쭉쭉 터지면서 노린내가 진동하자 설응이 벌써부터 커다란 날개를 푸닥거리며 야단법석을 떨었다. 하지만 발목에 묶은 줄을 진작부터 연소교가 잡고 있어서 내게 가까이 오진 못했다.

이윽고 육즙이 흥건해지자 건더기만 건져 양손으로 꾹꾹 눌러 짠 다음 놈의 앞에다 툭 던져주었다.

"이제 모자를 벗겨주시오."

설응의 머리는 편복은왕이 준 가죽 씌우개로 덮여 있었다.

사람이 생각할 때 매가 눈이 보이지 않으면 놀라서 사납게 굴 것 같지만 실제로는 오히려 마음이 편안해지면서 얌전하게 군다.

연소교가 매듭을 풀어 머리 씌우개를 벗겨주었다.

설응이 눈앞에 잔뜩 놓인 녹색 애벌레의 속살을 미친 듯이 쪼아 먹기 시작했다.

그사이 나는 수통 속에 든 녹색 애벌레의 육즙을 놈의 몸통과 날개에다 치덕치덕 발랐다. 본래의 새의 깃털은 기름기가 많아 웬만해선 물이 묻지를 않는다. 묻어도 홰를 치거나 부르르 떨어서 털어버리면 그만이었다. 오랜 비에 축축해질 정도로 젖었을 때는 잠깐 비행을 하며 바람에 말릴 수도 있고. 당연히 무언가로 새를 염색한다는 건, 그럴 일도 없지만 되지도 않는다.

하지만 쑥을 달인 것 같은 녹색 애벌레의 시퍼런 육즙은 달랐다. 어떤 성분이 들었는지 종이에 색칠을 한 것처럼 잘 먹었다. 나는 이걸 놈에게 녹색 애벌레를 잡아 먹이던 첫날 우연히 발견했다. 놈의 주둥이와 머리 주변이 온통 퍼렇게 물들어 있었던 것이다.

잠깐 사이 눈처럼 하얗던 설응의 몸은 시퍼런 쑥색으로 변했다. 물기에 털이 삐죽삐죽 뭉쳐서 볼품도 없었고

"이게 닭이야, 매야."

"이런 건 어디서 배웠어요?"

"세상은 온통 신기한 것들로 가득 차 있소. 평소 열심히 관찰하는 습관을 지닌 사람이라면 나이가 들수록 경험도 자연스럽게 비례해서 쌓일 거요."

"그렇다고 해도 스물네 살에 누구도 당주님처럼 될 수는 없을 거예요."

이런저런 대화를 하는 사이 설응이 애벌레를 깨끗이 먹어치웠다.

그러고는 나를 노려본다. 더 달라는 건지, 다 먹었으니 이제 횃대 위로 올려달라는 건지 알 수가 없다.

참고로 설응을 어깨에 계속 올려놓고 걷기가 너무나 불편해 이종산이 준 월인소야검을 어깨에 걸치고, 놈으로 하여금 그 위에 올라 앉도록 한 채 지금까지 이동했다. 상어 가죽으로 만들어 까슬까슬하면서도 발톱을 오므렸을 때 딱 잡히는 굵기인 검갑을 놈은 다행히 매우 좋아했다.

나는 놈을 팔뚝에 얹은 다음 다리에 묶은 가죽 줄을 천천히 풀어주었다. 이어 도무지 무슨 생각을 하는지 모를 눈을 똑바로 응시하며 말

했다.

"그동안 답답했을 텐데 당분간 창공을 실컷 날아다니면서 사냥도 하고 그래. 대신 전 주인을 찾아가 우리에게로 데려오면 애벌레는 다시 못 먹을 줄 알라고."

말과 함께 놈을 허공으로 힘껏 던졌다. 팔뚝을 박차고 날아오르는 힘이 예사롭지 않더니, 놈은 순식간에 커다란 날개를 퍼덕이며 숲 밖으로까지 날아갔다. 잠시 후에는 광활한 창공의 작고 푸른 점이 되어 사라졌다.

그때 저만치 풀숲으로부터 마을을 살피러 갔던 호리독사가 돌아왔다. 그새 어디서 훔쳐 먹었는지 술 냄새가 살짝 돌았다.

"모든 게 너무나 평온해서 오히려 이상할 지경입니다. 마을 사람들도 전부 평범한 농군들이 확실하고요."

"배는?"

"다섯 척 정도 있습니다. 죄다 코딱지만 한 낚싯배입니다. 두 척은 강 위에 세 척은 나루터에. 그나마 나루터에 있는 것들 중 두 척은 밑창에 크게 구멍이 나서 띄울 수가 없는 상태고요."

"상황이 좋질 않군요."

"십 리 정도 하류로 내려가면 마차도 실어서 건널 수 있을 정도로 큰 나룻배가 다니는 대형 포구촌이 나온다고 합니다."

"사람들에게 말을 걸었소?"

"천만에요. 젊은 아낙들이 정자나무 아래에 앉아 아이에게 젖을 먹이면서 하는 얘기를 숨어서 엿들었습니다."

"아낙들이 뜬금없이 왜 그런 대화를 나눈단 말이오?"

"엄청난 권세를 가진 어느 황족이 대규모 사병들을 이끌고 내일 아침쯤 그곳에서 회수를 건널 모양입니다."

"황족이라고요?"

"해서 인근의 유력한 군벌과 호족과 고위 관리들까지 인사를 하기 위해 포구에서 진을 치고 기다리는 등, 일대가 난리라고 합니다. 아낙의 남편들은 이때다 싶어 배를 타고 붓 만드는 데 쓰는 족제비와 담비의 꼬리털을 팔러 갔고요."

"대체 얼마나 대단한 권세를 지닌 황족이길래."

"혹시 진왕야가 아닐까요?"

"진왕야께서?"

"일전에 표사들이 하는 말을 들으니 우리가 무림맹에서 돌아오기 이틀 전, 마침 항주로 피한을 왔던 진왕야께서 가족들과 함께 북경으로 떠나셨다고 하더군요."

정확하게 말하면 남경에 급한 일이 생겨서 잠시 들른 후 북경으로 귀궁할 거라고 했다.

남경에서 북경으로 가는 길은 크게 두 가지였다.

첫 번째는 장강 물길을 따라 양주로 가서 경항대운하를 따라 다시 북상하는 길이다. 이 경우 배를 타고 밤낮으로 가기 때문에 이동 속도도 빠른 데다 마지막까지 모두가 안전하고 쾌적한 여행을 할 수가 있다. 특히 여러 가지 이유로 자신만의 공간을 필요로 하는 귀족 여자들은 경항대운하를 통한 선상 여행을 선호한다.

두 번째는 합비와 곡부와 제남으로 이어지는 관도를 통해 육로로 가는 것이다. 육로 여행의 치명적인 단점은 종일 마차를 타고 가다가도

해가 지면 여각을 찾거나 노숙을 해야 한다는 것이었다. 딱딱하고 덜컹거리는 마차는 배보다 훨씬 불편하거니와 밤에는 이동을 할 수 없기 때문에 결과적으로 보면 빠르지도 않다.

한편, 남직예성의 성도이기도 한 합비에는 표마차도 실을 만큼 큰 나룻배들을 운항하는 강나루가 세 개 정도 있었다.

호리독사가 십 리 정도 아래에 있다고 말한 대형 나루는 바로 그 합비의 서쪽 외곽에 위치한 육가촌(六家村)이었다.

전생에서 표행을 할 적에 수도 없이 이용했던 곳이라 너무나 잘 안다. 시간상으로만 보면 남경에서의 볼일을 끝낸 진왕이 육로를 통해 북경으로 가는 중일 가능성도 얼마든지 있었다.

하지만 아무리 생각해도 쉽게 이해가 되질 않는 게 있었다.

진왕이 비록 황제로부터 봉작을 받고 왕으로 책봉되었지만, 인근의 군벌과 호족과 고위 관리들까지 달려와 진을 치고 기다릴 정도로 권세 있는 황족은 아니라는 점이다.

"설마!"

"왜 그러십니까?"

그게 가능하려면 한 가지 경우밖에 없다. 모두의 예상을 깨고 오황자가 마침내 황태자로 책봉이 된 것이다.

그렇다면 사시사철 황실 권력의 흐름에만 촉각을 곤두세우고 있던 지방의 권력자들이 이때다 싶어 달려와 머리를 조아릴 것이다. 진왕이 오황자의 스승이자 책사이자 황실 종친 출신의 가장 강력한 후원자라는 걸 알 만한 사람은 다 알 테니까.

'지금이 그때인가?'

궁금해 죽을 것 같은 얼굴을 하고 있는 두 사람에게 나는 대략의 사정을 설명해 주었다. 그러자 호리독사가 먼저 입이 떡 벌어졌다.

"오황자께서 황태자로 책봉되셨다고요?"

"귀하가 말한 황족이 진왕야일 경우에 그럴 수도 있다는 얘기요. 그게 아니라면 주변에서 일어나는 일들이 설명이 안 되니까."

"맙소사. 오황자께서 황태자로 책봉되셨다니."

저 인간은 다 좋은데 언제부턴가 내가 하는 말이라면 그것이 추측이라도 철석같이 믿어버리는 경향이 있다.

"하지만 왕비마마와 공주마마를 그토록 아끼시는 진왕야께서 편한 경항운하를 놔두고 구태여 힘들고 오래 걸리는 육로로 이동하실 이유를 모르겠구료."

"만약 무림의 사정을 잘 아는 누군가가 왕야의 곁에 있어서 당주님을 비롯해 우리가 처한 상황을 이야기해 주었다면 어떻습니까?"

"그래서요?"

"그렇다면 당주님이 걱정된 나머지 당연히 사람을 풀어 계속해서 보고를 받으셨겠지요. 그러다 망할 놈의 마교 놈들이 당주님을 잡기 위해 회수를 봉쇄할 거라는 걸 아시고는 이쪽으로 오신 겁니다."

"너무 멀리 가는 거 아니오?"

"천만에요. 진왕야께서는 지금 당주님을 부르고 계신 겁니다. 내가 여기 있으니 빨리 달려오라고. 그래서 평소와 달리 소문도 파다하게 내며 오신 거였고요. 어쩐지 간신배들이 귀신처럼 알고 찾아왔더라니."

군벌과 호족과 고위 관리들이 빈손으로 오지는 않았을 터, 그들이 진왕에게 뇌물로 바칠 명주를 이때다 하고 얻어 마실 생각에 머리가 팽팽 돌아가는 호리독사였다.

사실은 나 역시도 진작부터 호리독사의 말이 십중팔구 맞을 거라고 생각했다.

모든 걸 떠나 황족은 아무 데서나 쉽게 만날 수 있는 존재들이 아니었다. 북경에서 먼 곳일수록 더욱 그렇다. 항주로 피한을 왔다가 북경으로 돌아가는 중인 진왕이 아니라면, 지금 이 시기에 어떤 황족이 이 머나먼 합비에 나타나겠나.

그때 나와 호리독사의 대화를 잠자코 듣고만 있던 연소교가 잔뜩 의아한 표정으로 물었다.

"진왕과 친분이 있으신가요?"

"해마다 겨울이 되면 일가족과 함께 항주로 피한을 오셨소. 작년부터는 천룡표국이 왕야께서 머무시는 이화원의 호원을 책임졌고."

"그런 인연이 있었군요."

"그때 백백곡이라는 살수 집단이 왕야를 암살한 다음 공주마마를 납치하려고 했었는데, 어쩌다 보니 내가 두 사람을 구출해 주게 되었소."

"네에?"

연소교의 눈이 동그래졌다. 아직은 어디까지나 추측에 불과하지만, 장차 황제의 최측근이 될 사람과 그 딸을 내가 구해주었다고 하니 놀랄 밖에.

미안하지만 그게 전부가 아니었다. 나는 진왕의 의뢰를 받고 그가 모시는 오황자에게도 큰 도움을 준 바 있다. 바로 왜국에 볼모로 사로잡혀 있는 황자비의 어린 동생을 구출해서 안전하게 데려다준 일이었다.

그 일에는 호리독사도 동참을 했었다. 오황자가 황태자로 책봉되었을지도 모른다는 말에 호들갑을 떨며 흥분한 것도 그 때문이었다. 사실이라면 그는 장차 황제가 될 사람을 알현한 셈이 되니까.

하지만 이는 어디까지나 비밀이었기에 호리독사도 나도 입을 꼭 다물었다.

"어떻게 하시겠습니까?"

호리독사가 혀로 입술을 한차례 핥고는 내게 물었다.

연소교도 나만 뚫어져라 보았다.

두 사람 모두 눈이 토끼처럼 빨갛다. 지난 닷새 동안 잠을 한 시진씩밖에 자지 못할 정도로 강행군을 하는 바람에 실핏줄이 죄다 터져 버린 탓이다.

특히 연소교가 문제였다. 아직 내상을 완전히 회복하지 못한 상태에서 무리를 했더니 오늘 아침엔 피까지 토했다. 걱정을 끼치지 않으려고 나와 호리독사에겐 비밀로 했지만, 그런다고 눈치채지 못할 내가 아니었다.

잠자리에 들기 전과 아침에 일어난 후 쟁자수들의 상태를 살피는 건 모든 상자수들의 의무였다. 전생에서 나는 그 일을 십 년 넘게 했었다.

"밤이 깊어지길 기다렸다가 나룻배를 훔쳐 타고 강을 따라 내려가겠소. 그런 다음 회수를 건너 남직예성을 완전히 벗어날 때까지는 진왕 야께 곁을 내어달라고 부탁드려 보겠소. 그러니 두 사람 다 조금만 참으시오."

"이를 말씀입니까!"

낮 중에도 더 밝은 낮이 있듯이 밤이라고 해서 다 같은 밤이 아니었다.

우리는 줄곧 산 중턱에 숨어 있다가 자정을 훨씬 넘겨 삼경이 깊어서야 마을로 내려갔다. 지금부터 시작해 해뜨기 전까지의 한 시진 동안이 하루 중 가장 어둡다. 말이 좋아 밤이지 사실은 깊은 새벽이었다.

이렇게까지 조심을 하는 것은 하필 오늘따라 하늘에 별이 총총한 데다 보름달까지 떠서 쓸데없이 밝은 탓이었다.

"이 배로 하시죠. 소싯적에 수적질을 좀 해본 경험으로 말씀드리자면 똑같이 작은 배라도 이렇게 길쭉한 배일수록 속도가 빠릅니다. 이는 노를 저을 때 배가 뒤뚱거리는 걸 막아주기……."

"그렇게 합시다."

자신의 전문 분야가 나오자 살짝 말이 많아지는 호리독사였다. 나는 그의 말을 끊은 다음 배가 있던 자리에 은전 열 냥을 놓아두었다.

호리독사가 능숙하게 삿대를 찍자 배는 빠르게 나루에서 멀어졌다.

어느 정도 멀어진 다음에는 삿대가 땅에 닿지를 않았다. 그때부터는 삿대를 놓고 노를 저어야 했다.

삿대질이고 노질이고 간에 나도 웬만큼은 한다고 자부했다. 하지만 호리독사에 비할 바가 아니었다. 그는 노를 최대한 깊숙이 찔러 넣은 상태에서 물 밖으로 꺼내는 법이 없었다. 이러면 노에 묻은 물이 떨어지거나 노를 다시 물속으로 넣을 때 생기는 소리가 전혀 나지 않는다. 또한 깊이 찔러 넣는 만큼 저항을 크게 받아서 배의 속도도 빨라진다. 다만 노를 젓는 사람도 힘이 두 배로 들어서 그렇지.

그러나 호리독사는 조금이라도 빨리 진왕이 제공해 줄 그 안락한 보호막 속으로 뛰어들 생각에 신나게 노를 저었다.

얼마나 갔을까? 이따금 물새 우는 소리와 물 위로 튀어 오른 물고기의 첨벙대는 소리만 들려올 뿐 회수는 고즈넉하고 평화로웠다.

"이 정도로 고요하다면 바로 도강을 하는 것도 나쁘지 않았을 것 같아요. 아무리 회수를 봉쇄한다고 해도 이런 쪽배 하나까지 다 걸러낼 수는 없지 않을까요?"

"이렇게 평온해 보여도 지켜보는 눈들은 반드시 있소. 그리고 분명 강 건너에 칠 할이 집중되어 있을 거요."

"그건 왜 그렇죠?"

"추적하는 대상이 배를 타고 강을 건너기 시작한다면 가는 걸 지켜보는 것보다 오는 걸 지켜보는 쪽이 사냥을 하기에 훨씬 유리하기 때문이오."

"무슨 말씀인 줄은 알겠지만, 이렇게 캄캄한 새벽에 소리 없이 강을 건너오는 배를 하나도 놓치지 않고 전부 발견하기가 쉬울까요?"

"무공을 조금이라도 익힌 사람이 이런 새벽에 배가 뭍에 닿는 걸 알아차리기 위해 필요한 최소한의 거리가 몇 장이라고 생각하시오?"

"삼십 장 정도요?"

"삼십 장마다 한 명씩 배치하면 백 리를 봉쇄하는 데 오백 명 정도면 충분하오. 천 명이면 무려 이백 리를 봉쇄할 수 있고."

"과연 그렇군요."

연소교가 비상한 머리를 지녔지만 아직은 어쩔 수 없는 후기지수에 불과하다는 걸 이런 대목에서 알 수 있다.

세상의 그 어떤 기재라도 예외가 없다. 무공은 기연을 얻어 하루아

침에 고수가 될 수 있지만, 경륜은 반드시 세월이라는 대가를 치러야
만 한다.

시간은 빠르게 흘러 어느새 십 리 정도를 내려온 것 같았다.

나는 안력을 최대한 끌어 올린 다음 백여 장 앞 강변 쪽을 살폈다. 대
형 나룻배며 상선들이 잔뜩 정박해 있는 나루가 달빛 아래에서 흐릿하
게 보이기 시작했다.

마침내 합비의 서쪽 외곽에 도착했다. 배들 너머에는 주루며 여각들
이 조금 더 희끄무레한 그림자의 형태로 즐비하게 서 있었다. 간간이
등불을 밝힌 창문도 보였지만, 대부분은 불이 꺼진 상태였다.

저 여각들 어딘가에 진왕과 그의 일족이 묵고 있을 것이다. 진왕도
진왕이지만 왕비와 공주까지 나를 돕기 위해 번거로움을 감수했다고
생각하니 마음이 무거웠다.

"나루 쪽으로 천천히 접근하시오."

호리독사가 강기슭으로 조금씩 방향을 틀어갔다. 그사이 나는 십리
경을 뽑아 눈에 붙이고 나루의 구석구석을 보다 면밀히 살폈다.

진왕이 머물고 있다면 아무리 모두가 잠든 새벽이어도 곳곳에 횃불
을 밝힌 경계병들이 있게 마련이었다. 한데 어찌 된 영문인지 좀처럼
사람의 그림자가 보이질 않았다.

어느 순간, 나루를 앞둔 강변에서 한 사람이 모습을 드러냈다. 강가
에 서서 오줌을 갈기는 사내였다. 등에는 칼을 가로질러 멨는데 옷차
림이 아무리 봐도 관병이나 진왕의 사병 같지가 않았다.

볼일을 끝낸 그는 바지를 추스른 후 나루 쪽으로 천천히 걸음을 옮
겼다. 그러자 어둠 속으로부터 세 명의 또 다른 무장한 사람들이 나타

났다. 그들 역시 관병이나 사병의 옷차림이 아니었다.

'황족이 머무는 나루에 일반인들이 무장을 하고 돌아다닌다고? 그 것도 이 새벽에?'

도검이나 창을 비롯해 무기를 휴대하는 것은 국법으로 금지되어 있다. 다만 일의 특성상 표국을 상대로 이 법을 엄격히 적용하는 일은 거의 없었다. 무림인들 역시 관과 무림은 상호 불가침한다는 오랜 관습 때문에 모른 척하는 것이고.

하지만 가까운 곳에 황족이 묵고 있다면 얘기가 완전히 달라진다. 함부로 도검을 휴대하고 돌아다녔다가는 자객으로 오인당해 화살이 가슴에 꽂히거나 목이 달아나는 수가 있다.

"그냥 지나치시오!"

내가 작은 목소리로 힘주어 말했다.

연소교와 호리독사의 표정이 대번에 얼음장으로 변했다.

말이 끝나기 무섭게 호리독사가 뒤로 드러누울 정도로 크게 노를 저었다. 갑작스럽게 가해진 강한 힘 덕분에 삐그덕 하는 소리가 조금 크게 울렸다.

십리경으로 재빨리 강변 쪽을 다시 살폈다. 다행히 바람 소리 파도 소리 때문에 놈들은 듣지를 못한 것 같았다. 강변에 조금 더 가까이 다가간 상태에서 방향을 꺾었더라면, 내가 조금만 더 늦게 놈들을 발견했더라면 꼼짝없이 들키고 말았을 것이다.

배는 순식간에 강변으로부터 멀어져 다시 강심을 향해 나아갔다. 상황을 알기에 호리독사는 첨벙대는 물소리가 나지 않도록 노를 더욱 깊이 넣고 저었다.

검은색 피풍의로 변복을 하고 온 것이 신의 한 수였다. 그렇지 않았다면 어쩔 수 없이 서서 노를 젓는 호리독사를 멀리서라도 희끄무레하게 발견했을 것이다. 내가 십리경으로 강변을 살피듯 놈들 역시 관측을 하기 좋은 장소 곳곳에서 십리경으로 강을 열심히 살피고 있을 테니까.

강변에서 어느 정도 멀어져 어둠에 휩싸이자 연소교가 착 가라앉은 음성으로 물었다.

"무슨 일이죠?"

"장담할 수 있소. 지금 저 나루에는 진왕과 그를 보러 온 군벌과 호족과 고위 관리들 대신 추혼쌍귀와 혈영노조를 비롯한 마교의 고수들이 잔뜩 머물고 있을 것이오."

"그 말씀은?"

"함정에 빠진 것 같소."

"하면 황족이 회수를 건너기 위해 온다는 얘기는요?"

"나와 진왕과의 관계를 잘 아는 놈들이 퍼뜨린 헛소문이오. 진왕은 지금쯤 남경에 머물고 있거나 수로를 통해 북경으로 가는 중일 것이고."

"대체 어떻게 그런 생각을!"

"혈영노조라는 그 노인네, 내가 볼 때는 죽은 삼뇌보다 더 뛰어난 책사 같소. 어쩌면 추혼쌍귀와의 합작품일 수도 있고."

호리독사가 갑자기 노 젓기를 뚝 멈추었다.

"왜 그러시오?"

"노에 뭐가 걸린 것 같습니다."

땡그렁! 땡그렁! 땡그렁!

나루 쪽 강변에서 작은 경종 소리가 연달아 울려대기 시작했다.

모골이 송연해진 나는 뱃전에 놓아둔 삿대를 들고 재빨리 선미로 달려갔다. 이어 삿대 끝에 매달린 수초 제거용 갈고리를 앞으로 해서 물속에 깊숙이 찔러 넣었다가 끌어당겼다. 굵직한 밧줄 한 가닥이 제법 팽팽해진 채로 걸려 올라왔다.

"빌어먹을!"

그때였다. 방울 소리가 나는 곳으로부터 십수 개의 작은 불빛들이 생겨났다.

불빛은 순식간에 굉음을 내며 허공으로 솟구친 다음 요란하게 터져 댔다.

슈슈슉 펑! 펑! 펑! 펑!

정확히 강을 가로지르는 가상의 선을 따라서였다.

가상의 선은 놈들이 밧줄을 걸어놓은 곳이었고, 우리가 탄 배는 바로 그 밧줄 위에 있었다.

한순간 사위가 대낮처럼 밝아지며 우리의 모습이 사방에 그대로 노출되었다. 폭죽은 계속해서 솟구쳤고, 정확한 위치를 발견한 다음에는 우리의 머리 위에서만 터져댔다. 무얼 어떻게 해볼 틈도 없었다.

한편, 강변에서는 횃불이 하나둘씩 밝혀지더니 잠깐 사이 수십 수백 개로 늘어났다.

강물 위 이곳저곳에서도 선등이 켜지고 횃불이 밝혀졌다. 어둠 속에 잠복해 있던 배들이 일제히 불을 켠 것이다. 그런 배들이 수백 장 안에만 백여 척 정도가 되었다. 덧붙여 그 모든 배들이 지금도 계속해서 펑펑 터지고 있는 폭죽 아래의 우리를 향해 빠른 속도로 달려오기 시작했다.

"제기랄!"

호리독사가 노를 잡은 채 욕설을 내뱉었다. 연소교도 잔뜩 얼어붙은 표정으로 주변을 둘러보았다.

적들은 내가 하루 중 가장 어두운 새벽을 틈타 올 거라는 것과, 첨벙대는 소리가 나지 않도록 노를 물속 깊숙이 넣어서 저을 거라는 것까지 정확히 간파하고 있었다.

함정에 빠진 이유는 너무나 간단했다. 연소교가 내 경륜을 따라오지 못한 것처럼 나 또한 좌호법 혈영노조를 비롯한 노마두들의 경륜을 따라가지 못한 것이다.

"보기 좋게 당했군."

주변을 겹겹이 둘러싼 백여 척의 작은 배들 사이로 커다란 배 한 척이 나타났다. 앞이 뾰족한 보통의 배와 달리 사각형의 넓은 뱃머리에다 박쥐 날개 모양의 쌍돛까지 박은 대형 나룻배였다.

배에는 큼지막한 도끼 두 자루를 어깨에 가로질러 멘 장년인이 타고 있었다.

연소교가 재빨리 전음을 보내왔다.

[혈부투귀예요. 천마성교의 광동지부를 책임진 당주고요. 아마도 본 기억이 있을 거예요.]

기억이 있다마다. 남만으로 갔을 때 줄곧 삼뇌의 옆자리를 차지하고 있던 자였다.

공교롭지만 녹림맹에도 똑같은 별호를 쓰는 자가 있었다. 이래서 별호는 쓸데없이 위협적이고 과장되기만 한 것보다 독특한 것 위주로 지어야 한다. 그러나 저자의 별호는 흔한 것일지언정 결코 쓸데없이 과장되지 않았다.

혈부투귀는 한참 높은 나룻배의 뱃머리에 서서 우리를 내려다보며 물었다.

"이 새벽에 어딜 그렇게 바삐 가시나?"

"전혀 바쁘지 않았습니다만."

"남자 둘에 여자가 하나라."

"다 남자로 보일 텐데요."

"설마, 시치미를 떼려고?"

"그러기엔 너무 늦은 것 같군요."

"삼경이 되길 기다렸다가 역용을 한 채 수면과 맞닿은 쪽배를 타고 나타날 거라더니. 이 모든 걸 내다보신 좌호법의 신안(神眼)이 놀랍기 그지없군. 진작 이랬어야 하는 건데. 후후."

"덕분에 열하루 동안이나 밤잠을 설쳤습니다. 피곤하게시리 자꾸 말 걸지 말고, 어서 귀하가 모시는 수장에게 안내나 하시지요."

"시건방진 건 여전하군."

"얌전히 군다고 풀어줄 것도 아닌데 기왕이면 당당해야죠."

"끌고 가자!"

밧줄 달린 작살 한 대가 날아와 쪽배의 뱃머리에 '쾅!' 소리를 내며 박혔다.

그 상태에서 우리는 쪽배와 함께 통째로 끌려갔다.

강나루는 이른 새벽임에도 불구하고 대낮처럼 밝았다. 수백 개의 횃불은 물론이거니와 사공들이 언 몸을 녹이기 위해 곳곳에 가져다 놓은 모닥불까지 모조리 불타올랐기 때문이다.

쪽배가 뭍에 닿자 도검을 패용한 마교도들이 사방에서 개미 떼처럼 에워쌌다.

그러나 섣불리 다가와 무장을 해제하려 들지는 않았다. 벼랑 끝으로 내몰린 나나 연소교가 무슨 짓을 할지 모르기도 하거니와 이제는 그물 속에 든 물고기여서 놈들의 입장에선 서두를 필요도 없었다. 다만 한 방향으로 가도록 길만 열어주었다.

그렇게 한참을 걸어간 곳에 여덟 명의 노인들이 서서 기다리고 있었다. 하나같이 기괴한 용모에 불그죽죽한 피부색 그리고 기광이 번뜩이는 눈동자를 지닌 노인들이었다.

이런 경우엔 일반적으로 가운데 있는 자가 수장이다. 황금빛 비단 장포을 입은 데다 살집까지 넉넉한 것이 흡사 부호처럼 보이는 노인.

아나나 다를까 연소교가 또 전음을 보내왔다.

[가운데 황금 장포를 입은 노인이 혈영노조예요.]

[살벌한 별호와는 분위기가 많이 다르구려.]

[저렇게 온화한 모습을 하고 있어도 일단 싸움이 벌어지면 순식간에 주변을 피로 물들이는 초절정 고수예요.]

[머리만 비상한 자가 아니다?]

[머리까지 비상한 자죠.]

[좌우에 있는 일곱 명의 노인들은 누구요?]

[아무래도 교를 재건하고 새로운 교주를 옹립하기 위해 뭉친 팔대호교사자들 같아요. 삼뇌군사가 죽자 위기의식을 느낀 천마성교 내 각 파벌의 수장 격들이 혈영노조를 중심으로 모인 거죠.]

[그 반대일 수도 있소.]

[반대라면?]

[각 파벌의 수장들이 혈영노조를 중심으로 뭉친 게 아니라, 혈영노조가 각 파벌의 수장들을 하나로 모은 것일 수도 있다는 얘기오.]

[……!]

[그건 그렇고, 성보가 든 보퉁이를 잠시 내게 맡길 수 있겠소?]

그게 그거인 것 같아도 사실은 큰 차이가 있었다.

전자가 연합 또는 연맹의 형태라면 후자는 모양만 그럴싸할 뿐 상명하복의 독재 체제일 가능성이 크다. 쉽게 말해 후자일 경우 혈영노조 그 자신이 천마교주로 등극하려 할 수도 있다는 얘기다.

진작 이랬어야 했다는 혈부투귀의 말에서도 알 수 있듯이, 혈영노조는 삼뇌가 몇 번이나 시도하고서도 실패했던 나를 포획하는 데 성공함으로써 지도자의 자질을 입증했다. 더불어 삼뇌가 잃어버린 성보를 전부 회수하고, 마지막으로 연소교를 죽여 삼뇌의 복수까지 하면 명분마저 얻게 된다.

결정적으로 그는 삼뇌보다 스무 살이나 젊었다. 그래도 일흔 살이 넘었지만 사분오열된 천마성교를 하나로 뭉치고 반석 위에 올려놓기에는 충분한 나이였다.

"자네가 풍운비룡이군."

역시 가운데 있는 노인이 먼저 말문을 열었다. 오늘내일하는 것처럼 보이던 삼뇌와 달리 목소리도 생기로 넘쳤다. 그리고 기품이 있었다. 나이 어린 사람이라고 해서 함부로 '너, 네' 하며 하대를 하지 않는 여유와 귀족다움이 그에겐 있었다.

"혈영노조 선배님을 뵙습니다."

"이미 내 얘기를 들었나 보군."

그러면서 혈영노조가 바짝 얼어붙은 채로 내 옆에 서 있는 연소교를 잠시 돌아보았다. 그녀는 지금 남장에 역용까지 완벽하게 한 상태였다. 하지만 혈영노조에게는 조금도 통하지 않았다.

"천룡표국의 습격을 주도하셨다고 들었습니다."

"그 일로 우리가 더 큰 손해를 봤으니 억울해할 것 없네. 만박노군의 지원을 등에 업은 표왕의 저항이 제법 매섭더군."

"총군사께서 계시지 않았더라면 더 매서웠을 겁니다. 무림맹의 눈치를 볼 필요가 없으니 전면전도 불사하셨을 테니까요."

"부자 사이의 신뢰가 깊군."

"무슨 말씀이신지요?"

"마지막 담판을 짓기 위해 표왕을 다시 만났을 때 내게 그러시더군. '당신들이 어떤 수단을 동원하더라도 내 아들을 잡지 못할 것이다'라고."

"……!"

하지만 이렇게 잡았다. 그것도 무려 회수를 건너기도 전에. 혈영노조는 지금 이 말을 하고 싶은 것이다.

이종산과 나를 비웃듯 곳곳에서 웃음보가 왁자지껄하게 터졌다. 혈영노조는 천마성교의 교도들이 지금의 상황을 선명하게 받아들일 수 있도록 충분히 시간을 주었다. 그리고 분위기가 어느 정도 무르익기를 기다렸다가 내게 말했다.

"이제 슬슬 정리해 볼까?"

"그래야겠지요."

"세 개의 성보와 천살마녀를 넘기게. 하면 천룡표국에 끼친 손해를 배상하는 차원에서라도 자네와 공령신투의 제자는 보내주도록 하지."

공령신투라는 말에 옆에서 호리독사가 움찔 놀랐다. 딱히 비밀도 아니지만, 그렇다고 크게 떠벌리고 다닌 적도 없는 탓이다.

"모르시는 게 없군요."

"항주에서 며칠 머무르다 보니 찾아오는 입들이 많더군."

"천살마녀도 함께 보내주십시오."

"그건 불가하네."

"그럼 계산이 안 맞습니다."

"그녀는 삼뇌군사부주를 시해한 배교자일세. 군사부주께서는 마지막 천마교주를 모셨던 교맥의 전승자. 내 손으로 반드시 이 자리에서 숨통을 끊어놓아 일벌백계로 삼아야겠네."

"와아아!"

우레와 같은 환호성이 사방에 울려 퍼졌다. 혈영노조의 한마디가 천마성교의 교도들 가슴에 불을 지른 탓이다.

'비상한 두뇌에다 선동을 하는 수완까지.'

잠깐 살펴본 것에 불과하지만, 삼뇌가 자신에 대한 공포심으로 천마성교도들을 이끌었다면 혈영노조는 교도들로 하여금 스스로 충성을 바치게 하는 힘이 있는 것 같았다. 이렇게 뛰어난 머리에 야망까지 있는 자가 왜 그동안 두드러지지 않았을까? 아닌가? 때가 무르익기를 기다리며 수면 아래에 숨어 있었던 건가?

그때쯤엔 강 곳곳에 포진해 있던 자들까지 모조리 올라오면서 넓은 나루터가 이천여 명에 달하는 천마성교도들로 가득 찼다.

그들의 뒤쪽 야트막한 언덕에도 어디서 나타났는지 모를 일천여 명의 구경꾼들이 반쯤은 그림자처럼 흐릿하게 보였다.

마교도들이 나루터를 장악한 다음 배를 전부 징발해 버리자 도강을 하지 못해 발을 동동 구르고 있던 사람들이 태반일 것이다.

어깨며 옆구리로 삐죽삐죽 튀어나온 그림자들로 미루어 병장기를 지닌 무림인들도 적지 않았다.

무림인들은 정사마를 초월해 중간에서 성보를 가로챌 기회를 호시탐탐 노리고 찾아온 자들이 틀림없었다. 아직 모습을 드러내고 있지 않지만, 지난 엿새 동안 우리를 추적해 왔던 명부삼귀와 편복은왕도 저 무림인들 틈에 섞여 있을 거라고 확신했다.

천마성교도들에 이어 저들 모두를 뚫고 여길 빠져나가기란 이제 불가능해졌다.

"뭣들 하느냐!"

채채채채채채채채챙!

혈부투귀의 일성에 가장 앞줄에서 우리를 둘러싸고 있던 마교도 백여 명이 일제히 도검을 뽑아 들었다.

채챙!

호리독사와 연소교도 반사적으로 도검을 뽑았다. 앞서 웅장하게까지 느껴지던 쇳소리들에 비하면 미약하기 그지없었다.

나는 혈영노조에게 다시 물었다.

"한 가지만 여쭤도 되겠습니까?"

"말씀해 보시게."

"제가 걸려들 줄 어떻게 아셨습니까?"

"쫓기는 자들의 심리란 사실 아주 간단하지. 최대한 빨리 그리고 멀리까지 달아난다. 그러다 굶주리는 시간이 길어지고 피로가 누적되면 점차 판단력이 흐려지면서 평소엔 쉽게 보던 것들조차 놓치게 마련이고."

호리독사와 연소교가 한숨을 쉬며 고개를 떨구었다. 호리독사는 자신이 거짓 정보를 물어 왔기 때문이라 생각하고, 연소교는 내가 자신을 걱정해서 무리한 결정을 했다고 생각하기 때문이다.

하지만 이건 순전히 내 잘못이다. 거짓 정보와 조원들의 나쁜 몸 상태는 언제나 돌발 변수로 작용할 수 있는 것이기에 내가 더 냉철했어야 했다.

"한 수 크게 배웠습니다."

나는 진심 어린 마음으로 혈영노조를 향해 포권을 쥐어 보였다.

"듣던 것과 달리 담백하군."

"어떻게 들으셨는지요?"

"군사부주께서 자네에 대해 말씀하시길, 세 치 혀를 장어 꼬리처럼 놀리고 온갖 술수에도 능하기 때문에 멱을 틀어쥐기 전까지는 안심하지 말라시더군."

"구관이 명관이군요!"

말과 함께 나는 혈부투귀를 향해 날아갔다. 공력을 발끝에 집중해 두었다가 폭발하듯 펼친 질주에 주변을 둘러싼 마교도 대부분의 시선이 내 신형조차 따라오지 못했다.

그러나 혈부투귀는 달랐다. 어깨 뒤로 넘겼다가 앞으로 힘차게 당기며 뻗는 그의 양손에 시퍼렇게 날 선 두 자루 대부가 들려 있었다. 내가 달려가는 속도에 그가 대부를 내려치는 속도가 더해지면서 흡사 산이라도 쪼갤 듯한 기세가 닥쳐왔다.

순간, 나는 다시 한번 발끝으로 땅을 박차며 일 장이나 솟구쳤다.

솟구치며 몸을 빠르게 뒤집었다. 대부 두 자루의 시퍼런 날이 아슬아슬하게 내 어깨를 비껴갔다. 반면 나는 공중제비를 돌며 겹겹이 둘러싼 마교도들 머리 위를 무려 오 장이나 날아갔다.

갑자기 공력을 터뜨리며 벼락처럼 질주한 이유가 바로 이것이었다. 오 장도 안 되는 짧은 공간을 달려 마교도들이 감히 반격하지 못할 만큼의 빠른 속도와 비행거리를 만들기 위해서.

포위망을 벗어나 마교도들 너머로 날아간 나는 천근추의 수법을 펼치며 뚝 떨어졌다. 이어 품속에 있던 보퉁이를 꺼내 들고는 바로 내 발앞에서 어깨높이까지 활활 타오르고 있는 모닥불 위로 쑥 밀어 넣었다.

"모두 멈춰!"

천둥 같은 대갈일성에 좌중의 공기가 크게 출렁였다.

지금 이 순간만큼은 일신에 지닌 공력을 숨기지 않았다. 적들을 압도해야 내가 상황을 주도할 수 있기 때문이다.

예상은 적중해서 마교도들이 공격을 해오던 동작 그대로 우뚝 멈추었다.

'결국, 또 이렇게 됐군.'

문득 전생에서의 마지막 순간이 떠올랐다.

그때도 나는 죽간을 운송하던 중 그것을 탈취하려던 괴인들과 맞닥뜨렸었다.

'대체 그놈들은 또 누구였을까?'

그걸 알려면 앞으로 삼십 년 가까이 더 살아야 한다. 그때까지 살 수 있을지 모르겠다.

벼락이라도 떨어진 것처럼 웅성대는 마교도들을 헤치고 혈영노조가 나타났다. 그러자 나를 중심으로 또 다른 형태의 대치가 이루어졌다. 덕분에 수백 명의 마교도들을 가운데 두고 연소교와 호리독사 그리고 내가 따로 떨어져 마주 보는 형국이 되어버렸다.

"솜씨가 좋군."

"뭐라도 해봐야죠."

쟁자수였던 전생에선 입만 열면 쌍욕이 봇물 터지듯 터져 나왔다.

지금은 나름 신분 상승을 해서인지 차마 그렇게는 되지 않았다.

"동료들의 목숨이 내 수중에 있네."

"제게는 성보가 있고요."

"자네 입장에서는 확실히 아까보다 나아졌군."

"이제 다시 계산을 해볼까요?"

"그전에 성보를 불 속에 던질 수는 있고?"

"못 할 것 같습니까?"

"처음부터 천룡표국에서 없애질 않고 이 고생을 하며 북쪽의 성지로 옮겨 봉인하려는 데는 그만한 이유가 있었을 텐데."

"저와 무림맹의 목적이 아무리 간절한들 이것들을 손에 넣으려는 천마성교도들만 하겠습니까? 특히 선배님께서요."

"군사부주의 말씀대로 혀를 잘 놀리는군."

"절더러 미친놈이라고는 안 하시던가요?"

그러면서 나는 들고 있던 보퉁이를 불 속에 확 던져 넣어버렸다. 주변을 둘러싼 마교도들 전부 대경실색해서는 얼굴이 노래졌다.

"놈을 죽이고 성보를 꺼내라!"

"반 각 안에 나를 죽이고 성보를 꺼낼 수 있다면 얼마든지!"

혈부투귀의 다급한 일성에 나 역시 대갈일성으로 응수하며 이종산으로부터 하사받은 월인소야검을 뽑아 들었다.

놈들이 얼마나 덤벼들던지 반 각은 거뜬히 버틸 자신이 있었다. 그때쯤이면 저 보퉁이 안에 든 물건들은 한 줌의 재로 변해 버릴 것이다.

예상대로 마교도들은 함부로 달려들지 못했다. 모두가 발을 동동 구르며 혈영노조만 바라보았다. 혈영노조는 오히려 나를 뚫어지게 바라보고 있었고.

이건 배짱 싸움이다. 역설적이게도 내가 이기면 목숨을 잃고, 혈영노조가 이기면 성보를 잃는다. 혈영노조는 어떤 선택을 할까?

"다시 계산하지!"

결국 혈영노조가 고집을 꺾었다.

나는 재빨리 손을 뻗어 반쯤 타버린 보퉁이를 꺼냈다. 이어 발아래 놓고 탁탁 밟아가며 보퉁이에 붙은 불을 껐다.

제법 지체되었음에도 불구하고 죽간은 가장자리만 살짝 그을렸을 뿐 전체적으로 멀쩡했다. 연소교로부터 보퉁이를 건네받을 적에 물에 한번 슬쩍 담갔다가 꺼낸 덕분이었다.

"이제 시작해 볼까요?"

"그전에 한 가지 확실히 해두지. 방금 자네는 살아서 여길 빠져나갈 기회를 놓쳤네. 이제 원하는 걸 들어볼까?"

"첫수에 장군부터 불러놓고 새 장기를 두자고요?"

"자네가 지켜야 할 게 그것만은 아닐 텐데?"

"두 사람을 배에 태워서 보내주십시오. 회수를 무사히 건넌 후 공령 신투의 제자가 폭죽을 쏘아 무사하다는 신호를 보내오면 그때 두 번째 요구 조건을 말씀드리겠습니다."

"당주님!"

연소교가 조금 떨어진 곳에서 큰 소리로 나를 불렀다. 나만 사지에 남겨두고 혼자 떠날 수 없다는 뜻이었다.

'어째 전생과 하나도 다르지 않게 전개되는군.'

이러다가 정말 죽간들을 불태우고 나도 놈들에게 온몸을 난자당해 죽는 것이 아닐까 하는 생각이 들었다.

하지만 이번엔 환생을 하지 못할 것이다. 지금 손에 든 죽간들은 시간을 통제하거나 비트는 공능을 지닌 것들이 아닐 테니까.

"이렇게까지 하면서 저 아이를 구하려는 이유가 무엇인가?"

"표사가 목숨 걸고 의뢰인을 지키는 데 무슨 이유가 필요하겠습니까."

"표행이라. 그렇군."

"수용하신 걸로 알면 되겠습니까?"

"미안하지만 그럴 순 없네."

그때였다. 내 왼쪽에 포진한 마교도들의 뒤쪽에서 두 개의 시커먼 그림자가 벼락처럼 튀어나왔다. 칼 등에 세 개의 고리가 달린 환도(環涂)와 쇠봉에 초승달 모양의 칼날이 달린 월아산(月牙鏟)을 든 노인들이었다.

이름이나 별호는 모른다. 다만 좀 전까지 혈영노조와 함께 나란히 서 있다가 내가 자리를 옮긴 이후부터 보이지 않던 세 명의 노인들 중 두 명이라는 건 안다.

경시하는 마음이 싹 가신 나는 왼손에 죽간을 움켜쥔 상태에서 오른손에 든 월인소야검으로 두 노인을 상대해 갔다.

땅! 따다다당!

세 개의 병기가 격돌하면서 새파란 불꽃이 튀고 쇳소리가 요란하게 울렸다.

그와 동시에 오른쪽으로부터 또 하나의 그림자가 튀어나왔다. 그는 맨손이었고 나를 공격하는 대신 모닥불을 향해 쌍장을 떨쳤다. 명부 삼귀의 장법 못지않게 엄청난 장력이 분출되었다.

퍼엉!

장력을 정통으로 맞은 모닥불은 수십 개의 조각으로 흩어지며 나와 두 명의 노인들 그리고 뒤쪽에 있던 마교도들을 덮쳤다.

갑자기 불벼락을 맞은 마교도들이 화들짝 놀라서는 뒤로 물러났다. 죽일 것처럼 달려들던 두 노인도 언제 그랬냐는 듯 떨어져 나갔다.

정신을 차렸을 때는 눈앞에서 활활 타오르던 모닥불만 감쪽같이 사라져 버린 상태였다.

“……!”

나는 불씨만 남아 반짝거리는 땅바닥과 사방으로 흩어져 타오르는 장작들을 번갈아 보았다.

한 명의 노고수가 더 공격해 올 거라는 것까지는 예상을 했다. 하지만 그 대상이 모닥불일 줄은 몰랐다.

이것 역시 혈영노조가 금방 생각해서 장로들에게 지시한 작전일 것이다. 그와의 두뇌 싸움에서 연달아 두 번이나 패한 나는 한순간 맥이 탁 풀렸다.

반면 이천여 마교도들은 잔뜩 고무되었다. 하늘 밖에 하늘이 있다는 말은 이럴 때를 두고 하는 말인가 보다. 기껏 고생해서 혈영노조만 추켜세워 준 꼴이 되었다.

"믿는 구석이 사라졌군."

"아직 검이 한 자루 남았습니다만."

정신이 번쩍 든 나는 양손으로 검파를 쥐고 허공에다 반원을 한차례 가볍게 그린 다음 두 다리를 어깨너비로 벌리며 섰다. 표왕 이종산을 천하십검의 반열에 올려놓은 천무십검의 기수식이었다.

혈영노조는 모두가 지켜보는 앞에서 나를 죽이겠다고 공언했다. 자신의 말에 책임을 지기 위해서라도 그는 반드시 나를 죽일 것이다. 그렇다면 나 역시도 마지막으로 처절한 피의 살육전을 펼치는 수밖에 없었다.

"건투를 비네."

말과 함께 혈영노조와 노장로들이 뒤로 빠졌다. 그러자 혈부투귀가 앞으로 나서며 외쳤다.

"셋 다 죽여라!"

주변을 둘러싼 마교도 전부가 뻔쩍이는 도검을 앞세웠다.

그때였다. 저 멀리 동쪽 하늘에서 불화살 한 대가 긴 꼬리를 날리며 솟구쳤다.

'저건 또 뭐지?'

불화살은 어둠을 가르며 무려 이백여 장을 날아온 다음 나와 마교도들이 대치한 강나루 한가운데로 뚝 떨어졌다. 꿩 깃을 묶은 평범한 신호용 불화살이었다.

강나루에 모여든 사람들은 전부가 고개를 돌려 불화살이 날아온 쪽을 보았다. 그러자 잠시 후, 둥둥 북소리와 함께 때마침 서서히 밝아지기 시작한 동쪽 하늘을 배경으로 수천 기의 기마인들이 관도를 따라 전속력으로 질주해 오는 게 보였다.

선두는 장대 끝에 매단 깃발을 든 기수들의 차지였는데, 깃발의 크기나 생김새로 보아 표국의 것은 확실히 아니었다. 표국의 깃발들보다 훨씬 크고 웅장하고 다채로웠으며 개수 또한 많았다.

허공을 울리는 북소리와 지축을 흔드는 말발굽 소리, 갑옷과 도검 창궁으로 중무장한 기마인들의 기물 부딪히는 소리가 오금을 저릴 정도로 위압적이었다.

마교도들이 포진한 뒤쪽 구경꾼들 틈에서 동쪽 관도를 살피고 있던 누군가가 눈에서 십리경을 떼고는 세상이 떠나가라 외쳤다.

"교룡기(交龍旗)다!"

교룡기는 왕의 행차를 알리는 깃발이었다.

천마성교들의 진영이 발칵 뒤집혔다. 혈영노조를 비롯한 팔대호교사자들의 얼굴도 대번에 노래졌다. 진왕이 이곳 육가촌에 오는 것처럼 헛소문을 퍼뜨려 나를 유인했는데, 누군지 모르지만 진짜 왕이 등장했으니 놀라 나자빠질 수밖에. 그것도 수천의 중무장한 기마대까지 이끌고.

나와 연소교와 호리독사는 또 우리대로 눈과 귀를 의심했다.

'이게 대체 무슨 일이야.'

교룡기를 앞세운 기마대의 행렬은 점점 가까워져 어느새 수십 장 앞까지 다가왔다.

중무장한 대병력이 들이닥치자 역시 도검으로 무장한 천마성교도 이천여 명은 어찌할 바를 몰라 모두 혈영노조만 바라보았다. 우리를 죽일 건지 말 건지, 기마대를 이끌고 오는 왕의 행렬과 맞설 것인지 달아날 것인지 무언가 명령이 있어야 하는 것이다. 일곱 호교사자들도 혈영노조를 보며 서둘러 결단을 요구하는 눈빛을 보냈다.

마침내 혈영노조의 일성이 터졌다.

"모두 현 위치를 고수한다!"

현재 상태에서 아무것도 하지 않고 기다리는 것, 그래서 일단 시비가 일어날 그 어떤 빌미도 주지 않겠다는 게 혈영노조의 판단인 것 같았다.

그사이 기마대는 속도를 서서히 줄이며 드넓은 강나루로 들어섰다. 동시에 일렬로 달려오던 병력이 좌우로 길게 퍼지면서 강나루의 동쪽 외곽을 초승달처럼 에워쌌다.

그제서야 모두가 완전히 행진을 멈추었다.

자세히 보니 기마대는 갑옷도 무장 상태도 제각각이었다. 갑옷은 모두 세 종류였는데 각각 사병과 관병과 군병을 의미했다.

이들은 전부 도검을 기본 무장으로 패용한 상태에서 다시 궁병과 창병으로 나뉘었다. 일부는 말안장의 좌우에 도검창궁을 전부 장착하기도 했다. 아마도 척후를 살피는 등의 특수한 목적으로 운용되는 별동대인 것 같았다. 무언가 정교한 계산에 의해 만들어진 진용이라는 느낌이 물씬 풍겼다.

앞쪽 한가운데는 놀랍게도 삼국지연의 속 네 인물이 있었다. 큰 키에 멋들어진 수염을 늘어뜨린 관우, 떡 벌어진 어깨에 밤송이 같은 수염과 부리부리한 눈을 가진 장비, 앞선 두 사람 못지않은 체구에 수려하면서도 사내다운 용모를 가진 조자룡이 바로 그들이었다. 그리고 마지막으로 귀족티가 좔좔 흐르는 얼굴에 부슬부슬한 흰색 모피 옷을 입고 백마를 탄 유비가 있었다.

그들의 복장과 무장 상태와 얼굴을 보고 나는 바로 신분을 알아차렸다. 일단 관우와 조자룡은 고위 관리가 확실했다. 그리고 한 자루 대감도를 허리에 찬 장비는 군문의 장수일 것이다.

구 할이 군병으로 이루어진 기마대는 얼핏 보아도 삼천 명은 될 것 같았다. 대체 어떤 고위 관리들이며 군문의 장수이기에 이 정도의 병력을 동원할 수 있는 걸까?

관우와 장비와 조자룡이 정확하게 누군지는 모르지만, 작은 체구에 하얀 얼굴의 유비가 누군지는 단번에 알아차렸다.

그는 진왕이었다.

눈이 번쩍 뜨이면서 온몸에 소름이 돋았다. 진왕의 얼굴을 알아본 호리독사도 눈알이 빠질 것처럼 튀어나왔다.

그때 초로의 장비가 말을 몰아 대여섯 장 앞으로 나왔다. 그러곤 마상에서 천마성교도들을 아래로 쓸어보며 우렁우렁한 일갈을 쏟아냈다.

"이 새벽에 감히 어떤 불순한 무리들이 병장기를 들고 강나루에 모여 말썽을 일으키는 것인가!"

그때쯤엔 혈영노조와 일곱 명의 호교사자들이 천마성교도들을 헤치고 앞으로 나온 상태였다. 하지만 누구 하나 섣불리 대답을 하지 않았다.

장비가 또 한 번 일갈을 터뜨렸다.

"북경으로 귀궁 중인 왕야의 행차시다. 역도들이 아니라면 모두 병장기를 버리고 황족에 대한 예를 갖추어라!"

천마성교도들은 난감한 표정을 지으면서도 자신들에게 명령을 내릴 수 있는 사람은 따로 있다는 듯 꿈쩍조차 하지 않았다. 인간 세상의 왕이 아무리 지고한 신분이라고 하나 신을 대리하는 존재인 교주와 같을 수는 없기 때문이었다. 아직 천마교주가 없는 지금은 팔대호교사자의 수장인 혈영노조가 그 역할을 대신했다.

모두가 지켜보는 가운데 혈영노조가 대여섯 걸음 앞으로 나아갔다. 이어 뒤를 돌아보며 외쳤다.

"모두 퇴검(退劍)하라!"

그제야 천마성교도들이 뽑아 들었던 각자의 병장기들을 물리고 회수했다. 무려 이천여 명이나 되다 보니 그 소리가 한참이나 이어졌다.

혈영노조는 자신의 상대는 따로 있다는 듯 장비에게는 눈길도 주지 않았다. 대신 뒤쪽의 백마 탄 진왕을 향해 지나치지도 모자라지도 않은 태도로 포권지례를 올렸다.

"지나가는 노민(老民)이 왕야를 뵙습니다."

진왕은 이렇다 할 반응 없이 선 자리에서 가만히 혈영노조를 내려다보았다.

혈영노조는 조금도 주눅 드는 기색 없이 다음 말을 이어갔다.

"기회를 주신다면 감히 한 말씀 올리겠습니다. 고래로 관과 무림은 강과 호수처럼 서로를 침범하지 않았습니다. 소인은 무림의 인물로, 피치 못할 사정으로 말미암아 잠시 강나루에 머물고 있사오니, 부디 아량을 베푸시어 일을 마무리 짓고 도산검림으로 돌아갈 수 있도록 허락해 주십시오."

한마디로 '우리는 역도가 아니며 당신들에게 반기를 들 생각 또한 추호도 없다. 조용히 일을 마무리 짓고 본래 살던 세상으로 사라져 줄 테니 그때까지 잠시만 기다려 달라'라는 뜻이다.

나는 그렇게 되도록 내버려 둘 생각이 눈곱만큼도 없었다. 이십여 장 밖에 있는 진왕을 향해 목을 쭉 빼고는 큰소리로 외쳤다.

"표사 이정룡, 진왕 전하를 뵙습니다!"

진왕이 나를 발견하는 걸 확인하는 순간, 나는 최대한 큰 동작으로 머리를 땅바닥에 냅다 꽂으며 엎드렸다.

호리독사도 나를 따라 어버버거리면서 뭐라고 인사를 하고는 땅바닥에 엎드려 머리를 조아렸다. 뒤늦게 교룡기의 주인이 누군지를 알아차린 연소교도 화들짝 놀라서는 호리독사를 따라 그의 옆에 엎드렸다.

그 바람에 나도, 연소교도, 호리독사도 각종 병장기를 뽑아 든 천마성교들에게 등을 완전히 노출하며 한순간 무방비 상태가 되었다. 하지만 상관없었다. 이종산에게는 미안하지만, 지금 내가 믿을 것은 손에 쥔 보검 월인소야가 아니라 나를 보며 반가워하는 진왕의 저 눈빛이었다.

진왕이라는 말에 저 멀리 야트막한 언덕 위에서 구경하고 있던 양민들과 무림인들이 크게 웅성거리기 시작했다.

천마성교도들은 천마성교도들대로 또 한 번 당황해했다. 하필 자신들이 헛소문을 낸 바로 그 진왕이 왔으니 더욱 찜찜하고 당혹스러울밖에.

"과인이 표사들의 얼굴을 볼 수가 없으니 모두 일어나 고개를 들라."

천마성교도들이 중간에서 가로막고 있는 바람에 납작 엎드려 있는 우리가 보이지 않는다는 말이었다.

"명을 받들겠습니다."

나는 다시 일어나서는 천천히 고개를 들었다. 눈을 마주친 진왕이 가볍게 고개를 끄덕이며 웃어주었다.

'저 미소가 이렇게 반가울 줄이야.'

순간, 진왕의 뒤쪽 중무장한 군병들 틈으로 여덟 필의 말이 이끄는 팔두마차가 보였다. 마차의 오른쪽 창밖으로 달처럼 하얀 얼굴을 가진 어린 여자가 살짝 고개를 내밀고 있다가 나와 눈이 딱 마주쳤다.

"헛!"

나는 깜짝 놀라서는 다시 얼른 고개를 숙이며 포권지례를 올렸다. 호리독사도 따라서 고개를 숙였고, 연소교 역시 영문도 모른 채 일단 고개부터 숙였다.

자신에게 인사하는 걸 알고는 진왕의 딸 주소야 공주가 배시시 웃었다. 한데 공주가 고개를 내민 곳이 하필이면 언덕 위의 구경꾼들 쪽으로 난 창이었다. 엄청난 용모를 지닌 미녀의 갑작스러운 출현에 구경꾼들이 또다시 왁자지껄하게 떠들어댔다.

그러자 공주가 잠시 안쪽을 보더니 자라처럼 머리를 쏙 집어넣어 버렸다. 아마도 마차에 함께 타고 있던 왕비에게 꾸지람을 당한 모양이었다.

진왕이 뒤늦게 내게 물었다.

"잘 지내셨는가?"

"염려해 주신 덕분에 무탈합니다. 전하."

"보기에도 그런 것 같군."

무탈하지도 않거니와 보기에도 그렇지 않다. 진왕과 나는 좋지 않은 상황을 역설적인 말로 주고받으며 대범하게 넘겼다.

"전하께선 그간 강녕하셨는지요?"

"나야말로 작년 겨울 자네가 호위를 잘해준 덕분에 아직도 무탈하다네."

"천부당만부당한 말씀이옵니다. 전하."

"껄껄. 항주에 피한을 갔다가 자네를 보지 못하고 떠나온 것이 못내 아쉬웠는데, 여기서 이렇게 만나니 반갑네."

"송구하옵니다. 전하."

"한데 멀어서 그런지 목소리가 잘 들리지 않는군."

장비가 다시 나서서 일갈했다.

이번엔 정확히 혈영노조를 향해서였다.

"수하들을 모두 물려라!"

혈영노조는 여전히 꿈쩍도 않고 진왕만을 바라볼 뿐이었다. 마치 아직 자신이 한 질문에 대한 대답을 듣지 못했다는 듯이.

"이런 불손한 자를 봤나!"

장비가 호목을 부릅뜨고는 허리에 찬 대감도를 기세 좋게 뽑았다.

그러자 이천의 천마성교도들이 회수했던 병장기들을 다시 뽑았다. 그에 반응하듯 삼천 기병대가 일제히 병장기를 뽑아 들었다.

순식간에 수천 개의 도검이 강나루 전역에서 거대한 짐승의 비늘처럼 번쩍거렸다.

일촉즉발의 순간, 진왕이 초로의 장비를 향해 나지막이 말했다.

"도사(都司)께서는 잠시 물러나시지요."

"전하."

"부탁드리겠습니다."

"알겠습니다. 전하."

언덕 너머에서 지켜보고 있던 구경꾼들이 또다시 크게 술렁거렸다. 도사는 도지휘사를 부르는 약칭이었고, 도지휘사는 한 개의 성(省)을 총괄하는 군정의 최고 책임자였다. 쉽게 말해 이곳 남직예성 전역의 수호와 방위를 책임진 장수가 나타난 것이다. 그렇다면 장비와 어깨를 나란히 하고 온 관운장과 조자룡도 그 못지않은 품계의 고위 관리일 것이다.

도지휘사와 견줄 만한 고위 관리라면 약칭 포정사라 불리는 승선포정사와 안찰사라고 불리는 제형안찰사 정도였다. 남직예성의 행정과 사법과 군을 통솔하는 이들이 전부 출동한 셈이었다. 이들에 비하면 항주의 지부대인은 '고위'라는 말을 붙이기가 무색할 정도였다.

진왕이 이끌고 온 군벌이며 관리들이 상상했던 것보다 훨씬 고위직들이어서 나도 깜짝 놀랐다. 아무래도 오황자가 정말 황태자로 책봉된 모양이었다. 그게 아니고서는 저런 인물들이 군관병들을 삼천이나 움직여 가면서 진왕을 호위하고 나타날 리 없었다.

또 하나, 이 정도 병력이면 단순히 진왕에게 잘 보이기 위해 인사를 하러 왔다고 보기 어렵다. 사실 군병을 사사로운 목적으로 움직이는 건 자칫 역모로도 몰릴 수 있을 만큼 크게 위험한 일이었다.

이런저런 상황을 고려해 볼 때 해답은 하나밖에 없었다. 근자에 갑자기 황태자로 책봉된 오황자가 병부의 측근을 통해 항주에서 피한 중인 진왕이 안전하게 귀궁할 수 있도록 손을 쓴 것이다.

아마도 오황자는 권력의 축이 자신에게로 이동하는 이 민감한 시기에 진왕이 정적들로부터 시해를 당하지 않을까 우려했을 것이다.

한데 진왕은 그들을 이끌고 여정을 크게 바꿔가면서까지 나를 구하러 왔다.

혈영노조와 일곱 명의 호교사자들은 산전수전 다 겪은 노강호들이었다. 그들은 사태가 생각했던 것보다 훨씬 심각함을 깨닫고 표정이 더욱 굳어졌다. 분위기는 그대로 전해져 이천 천마성교도들도 크게 동요하기 시작했다.

한편, 장비가 뒤로 물러나자 진왕이 말을 또각또각 몰아 앞으로 나왔다.

장비를 비롯해 뒤쪽에 있던 진왕의 사병들이 바짝 긴장했다. 상대는 눈 깜짝할 사이에 대여섯 장을 날아가 벼락처럼 칼을 뻗는 무림의 초절정 고수. 까딱하다간 진왕의 목숨이 위태로울 수가 있었다.

나는 나대로 소맷자락 속에 꽂아둔 비격쌍뇌창을 뽑아 손가락 사이에 가만히 쥐었다. 여차하면 암기술과 염동술을 동시에 펼쳐 혈영노조의 뒷목에 있는 천추혈과 아문혈을 뚫을 생각이었다.

거리가 있으니 편복은왕이 그랬던 것처럼 혈영노조 역시 십중팔구 비격쌍뇌창을 피하거나 막아낼 것이다. 대신 그 틈을 타 장비와 사병들이 진왕을 구출할 수가 있다.

특히 진왕의 사병들은 벌써부터 마상에서 솟구칠 준비를 하고 있었다.

그러나 정작 진왕은 조금도 긴장하는 기색이 없었다. 그는 혈영노조와 불과 석 장의 거리를 남겨두고 말을 멈췄다. 이어 오연하게 내려다보며 물었다.

"노인장의 이름이 무엇이오?"

"말씀 올리기 불경스럽습니다만, 강호의 형제들은 혈영노조라 별호를 안겨주었습니다."

"스스로를 노민이라 칭하면서 어찌하여 내게는 무림의 별호를 가르쳐 주는 것이오?"

"소인이 누군지를 가장 잘 설명해 주는 말이기 때문입니다."

"그런 건 관심 없으니 호패에 새긴 이름이나 말해보시오."

혈영노조 역시 무림인이기 이전에 관아로부터 호패를 발급받은 황제의 백성이었다. 진왕은 그 점을 분명히 하려는 것이다.

"호패를 잃어버린 지 오래입니다. 전하."

"호패가 없는 백성도 있소이까?"

"오랜 세월 주유천하를 해온 무림인들은 대부분이 그러하지요."

"무림인이라도 살면서 한 번은 호패를 받았을 것이 아니오."

한때 천하 무림을 질타하던 천마성교의 현 수장과 황태자의 스승인 진왕 사이에 잠시 불꽃 튀는 기 싸움이 펼쳐졌다.

무공을 전혀 익히지 않은 사람이 무림인과 눈을 마주치면 신분의 고하를 따질 겨를도 없이 두려워 피하게 마련이었다. 하물며 상대가 초절정의 고수라면 더 말할 것도 없다. 눈을 마주치는 순간 머리가 하얘지고 심장이 철렁 내려앉으며 오줌을 지린다.

그러나 강렬한 투기를 폭사할 것이 분명한 혈영노조를 상대하면서도 진왕의 눈빛은 조금도 흔들리지 않았다. 그렇다고 해서 잡아먹을 것처럼 노려본다거나, 겁먹은 걸 감추기 위해 과장된 행동을 하지도 않았다. 그저 윗사람이 아랫사람을 취조하듯 가만히 내려다보며 혈영노조가 제대로 된 대답을 내놓기를 기다릴 뿐이었다.

혈영노조는 한참 만에 대답을 내놓았다.

"여불회입니다."

"일족의 선대에 관리가 있으시오?"

"없습니다."

"고향은 어디시오?"

"산동성 제남입니다."

"태어난 해는?"

"그런 건 어찌하여 하문을 하시는 건지요?"

"그런 걸 과인이 일일이 설명해야 하외까?"

"갑신년생입니다."

"전란이 대륙을 휩쓸던 해에 태어나셨구려."

"그렇습니다."

"일곱 번의 크고 작은 전란에 아홉 번의 대흉년과 역병의 창궐까지. 그 모든 질곡을 견디고 넘기며 칠십여 년을 살았으니 일개 황족쯤은 수월하게 보일 수도 있겠구려."

"……?"

"갑신년 산동성 제남에서 태어난 여불회. 네가 감히 황족을 사칭하고도 살기를 바랐더냐. 당장 무릎을 꿇어라."

크게 소리를 지르지도 않았다. 화를 내며 얼굴을 찡그리지도 않았다. 그저 지금까지 이어온 대화의 연장처럼 차분하게 말했을 뿐이었다. 그러나 혈영노조의 두 눈에 자신의 두 눈을 못 박은 듯 꽂아놓고 조용히 질타하는 진왕의 기세는 가히 앞발로 찍어 누른 사냥감을 내려다보며 으르렁거리는 범과도 같았다.

돌변한 진왕의 태도에 좌중이 찬물을 끼얹은 것처럼 고요해졌다. 언덕 위의 구경꾼들과 천마성교도들 그리고 삼천여 관군들까지, 모두가 숨죽여 혈영노조를 지켜보았다.

왕으로까지 책봉된 황족의 명령이었다. 과연 혈영노조는 저 명령을 받아들일까?

간단한 문제가 아니었다. 혈영노조는 장차 마신의 신성한 대리인인 천마교주가 되려고 하는 인간이었다. 이천 천마성교도들이 지켜보는 앞에서 인간의 왕에게 무릎을 꿇으면 특별한 존재로서의 존귀함이 사라져 버린다.

하지만 무릎을 꿇지 않으면 진왕은 전면전도 불사할 기세였다. 그 역시도 왕으로서 수많은 관군과 구경꾼들이 지켜보는 앞에서 방금 한 말을 주워 담지는 못할 테니까.

도검을 뽑아 들고 격돌하지만 않을 뿐이지 전쟁이 벌어지고 있었다. 내 눈엔 전면전보다 더 격렬하고 살벌하게 느껴졌다.

'진왕에게 저런 면이 있었을 줄이야.'

그 순간 나는 알 수 있었다. 호랑이는 태어날 때부터 이미 모든 짐승들 위에 군림하는 기질을 갖고 있다는 걸.

그렇다고 해도 언제나 호랑이가 이기라는 법은 없다. 진왕 역시 그걸 잘 알고 있을 것이다. 그는 지금 자신의 방식으로 이천 천마성교도의 수장인 혈영노조와 건곤일척의 승부를 펼치고 있었다.

진왕은 재촉하지 않았다. 혈영노조가 결정을 내릴 때까지 조용히 인내심을 갖고 기다렸다.

속이 바짝바짝 타들어 가는 사람들은 삼천 관군들과 이천 천마성 교도들이었다. 병장기를 뽑아 든 채 대치하고 있는 그들의 숨죽인 어깨에서 일촉즉발의 팽팽한 긴장감이 그대로 전해졌다.

전면전이 벌어지면 과연 어느 쪽이 이길까?

이 대 삼의 비율이지만 일반적인 경우라면 무림인인 천마성교도들의 압승으로 끝날 것이다. 하지만 관군들은 전부가 중무장한 기마병들이었다. 귀한 말을 아무나 탈 수 없다. 게다가 무장의 수준까지. 장담하건대 저들 역시 최소 십 년 이상씩 마상 무예를 수련한 정예병들이었다.

'무승부!'

내 머릿속에 떠오른 생각은 무승부였다. 다르게 말하면 공멸이었다. 한쪽이 치욕을 무릅쓰고 중간에 도망치지 않으면 이 싸움은 공멸로 끝난다. 그리고 동창과 금의위는 물론이거니와 수만의 군병까지 동원되어 천마성교도들을 상대로 한 대대적인 토벌전이 몇 년이고 이어질 것이다.

심연 같은 침묵이 이어지길 한참, 혈영노조가 결국 털썩 무릎을 꿇더니 양손을 땅에 짚으며 머리까지 조아렸다.

"……!"

언덕 위의 구경꾼들이 다시 한번 크게 술렁이는 가운데 일곱 명의 호교사자들과 이천여 천마성교도들도 천천히 뒤를 이었다.

이윽고 강나루에는 나와 연소교와 호리독사를 제외한 모두가 땅에 엎드려 있었다. 이천여 명이 한 사람을 향해 엎드려 머리를 조아리는 풍경은 장관이 따로 없었다.

그때 혈영노조가 서서히 몸을 일으켰다. 지켜보고 있던 장비가 또다시 일성을 토했다.

"왕야께서 아직 기립을 허락하지 않았느니라!"

"이 정도면 무림인으로서 황족을 대하는 예는 충분히 갖춘 듯하니 일어서고 떠나는 때는 이 몸이 정하도록 하겠습니다. 모두 기립하라!"

그의 일갈에 칠 인의 호교사자들과 이천여 천마성교도들 전부가 철거럭거리는 소리와 함께 일어났다. 혈영노조는 마상의 진왕을 똑바로 올려다보며 제 마음대로 작별의 포권지례를 올렸다.

"그럼 편안한 여정 되시길 바라옵니다."

그러고는 칠 인의 호교사자들과 함께 수하들이 어디선가 끌고 온 말에 올라탔다. 이어 말 머리를 돌려 나를 한차례 흘깃 보고는 쏜살같이 사라졌다.

이천여 천마성교도들이 일사불란하게 뒤를 따랐다.

"무엄한 역도들 같으니라고!"

장비가 다시 한번 일갈하며 진왕의 곁으로 와서 말 머리를 나란히 했다.

"소장에게 한나절만 주시면 저 간악한 것들의 씨를 말리고 오겠습니다."

"그냥 보내주십시오."

"전하!"

"황태자의 부르심을 받고 돌아가는 길입니다. 오늘 과인의 행보가 황태자께 누가 되어서는 곤란할 것입니다."

진왕은 나를 돌아보며 덧붙였다.

"그리고 오늘은 피 냄새보다 술 냄새를 맡으며 오랜만에 만난 벗과 밤새 이야기꽃을 피우고 싶군요."

무시무시한 천마성교도들이 떠나자 이제야말로 회수를 건널 수 있게 된 언덕 위의 구경꾼들이 일제히 환호성을 내질렀다.

"와아아!"

진왕은 육가촌 강나루에 있는 반점 열 곳을 오늘 하루 동안 전세 냈다. 그런 다음 회수를 건너려고 왔다가 발이 묶였던 양민들 전부가 공짜로 먹으며 차례를 기다릴 수 있도록 했다. 삼천여 명에 달하는 군관병들이 회수를 건너려면 동이 튼 지금부터 시작해도 한나절은 걸리기 때문이다.

무시무시한 마교도들에 이어 삼천의 병력 때문에 또다시 도강이 지체되었지만, 단 한 명의 양민조차 몰래라도 불평을 하는 사람이 없었다. 오히려 마교도들을 쫓아주고 밥까지 제공해 주는 진왕을 어진 황족이라며 칭송하기에 바빴다. 세상의 어느 황족이 자신 때문에 백성들이 불편함을 겪는다며 밥을 사주겠냐면서.

진왕의 이런 조치는 혈영노조라는 무시무시한 무림고수를 퇴치한 이야기와 함께 미담으로 크게 부풀려질 것이다. 소문은 고스란히 그가 모시는 황태자를 향한 신망으로 바뀔 것이고.

하지만 내가 아는 진왕은 그렇게 너그럽고 따뜻한 사람이 아니었다. 오히려 매사에 냉철하고 계산이 빠르며 무서운 사람이었다.

그를 향한 황실 종친들과 한림원 학사들의 지지는 덕(德)이 아니라 비상한 두뇌와 한번 입 밖으로 낸 말은 반드시 지키고야 마는 품성 때문이라고 생각했다.

한 마디로 그는 평생을 믿고 따를 만한 사람인 것이다. 덕이 높지만 무능력한 사람보다 냉정하지만 논공행상이 분명하고 능력 있는 지도자가 백배 나은 법이니까.

진왕은 지금 수많은 군중이 모인 때를 이용해 정치를 하고 있었다. 나는 그 모습에서 그동안 만났던 무림의 명숙들과는 또 다른 경지에 이른 어떤 거인을 보았다.

"자네는 만날 때마다 수월한 표행을 하고 있는 법이 없군."

이른 아침 회수를 건너는 나룻배 위에서 탁자를 가운데 두고 맞은 편에 앉은 진왕이 내게 한 말이었다.

배 안에는 진왕과 왕비와 공주와 내 일행과 호위를 위한 오십여 명의 사병들 외에는 아무도 타지 않았다. 대신 군관병들을 새까맣게 태운 삼십여 척의 배들이 우리가 탄 배를 전후좌우에서 겹겹으로 둘러싸고 있었다.

"왕야께 큰 빚을 졌습니다."

"항주에서 자네가 나와 공주의 목숨을 구해준 것에 대한 보답일세."

"그때는 표사로서 당연히 해야 할 일을 했을 뿐입니다."

"당연히 해야 할 일이어도 자네처럼 사명감을 가지고 목숨까지 걸면서 하는 사람은 많지 않지. 내가 황실의 관리였다면 진작 자네를 데려다 중용했을 것이네."

"과찬의 말씀입니다."

"지금이라도 함께 가자면 한번 고려해 볼 텐가? 자네 가문의 선조들 누구도 가져보지 못한 부와 권세를 누릴 수 있도록 해주겠네."

"제가 어찌 감히."

"그냥 해보는 말이 아닐세. 얼마 전 오황자께서 황태자로 책봉되셨 네. 황태자께는 자네처럼 뛰어난 통찰력과 강한 충성심과 불굴의 의지 를 지닌 인재들이 많이 필요하네."

"감축드립니다. 전하."

"자네가 다녀간 이후로 황태자께서도 몇 번이나 자네의 안부를 내게 물으셨지. 풍운비룡이라는 젊은 표사는 지금도 표행을 다니느냐고."

나는 왜국에 볼모로 사로잡혀 있던 황태자비의 어린 동생을 목숨 걸 고 구출해 주었고, 귀국해서는 괴질에 시달리던 황태자에게 납중독의 징후가 보인다며 경고해 준 바 있다. 황태자의 입장에서 나는 진왕의 말처럼 뛰어난 통찰력과 깊은 충성심과 불굴의 의지를 가진 인재처럼 보였을 것이다.

진왕도 그 얘기를 다시 한번 자세히 하고 싶었지만, 연소교와 호리 독사를 비롯해 듣는 귀들이 있다 보니 일부러 자제하는 것 같았다.

한편, 연소교와 호리독사는 내 일행이라는 이유로 얼떨결에 황족들 과의 차담(茶談)에 동석한 상태였다. 하지만 언감생심 한 마디도 끼어들 지 못한 채 숨 쉬는 것조차 눈에 띄지 않도록 조심해서 새근새근 쉬고 있었다. 그러다 자신과 함께 가자는 진왕의 권유를 듣고는 그만 입이 떡 벌어졌다.

놀라기는 나 역시도 매한가지였다. 황태자는 말 그대로 장차 황제가 되어 구주만리를 다스릴 지고한 존재였다. 그의 총애를 얻고 실력을 발휘한다면 확실히 상상도 할 수 없는 부귀영화를 누리게 될 것이다.

하지만 그건 내가 원하는 삶이 아니었다. 돈은 지금도 평생 다 쓰지 못할 만큼 많았고, 권세는 애초부터 관심 밖이었다.

"표정을 보니 아무래도 무례하지 않게 거절할 말을 고민하는 것 같군."

"말씀은 감사합니다만, 일개 표사에 불과한 제겐 분에 넘치는 제안입니다. 전하."

"사람이 사는 곳은 어디나 크게 다르지 않다네. 기왕이면 더 넓은 세상에서 자네의 재주와 뜻을 마음껏 펼치는 게 낫지 않겠나?"

그때였다. 여태 진왕의 곁에서 남편과 나의 대화를 말없이 듣고만 있던 왕비가 꽃송이 같은 두 눈을 깜빡거리며 옆을 돌아보았다.

이어 새가 지저귀는 듯한 음성으로 조용히 진왕을 나무랐다.

"전하, 무를 좋아해도 배를 먹지 않는 사람들이 있는 법입니다. 좋은 권유도 전하께서 거듭하시면 젊은 표사에게는 부담이 될 것입니다."

공주도 한입 보탰다.

"어머니 말씀이 맞습니다. 아바마마. 이제 표사님 그만 괴롭히시고 배가 뭍에 닿기 전에 어서 맛있는 만두를 나눠 먹도록 하시어요."

"갑자기 무슨 만두를 먹자는 것이냐?"

"하 표사님께 들으니 지난 열하루 동안 먹은 거라고는 벽곡단밖에 없었다더라고요. 해서 배를 기다리는 동안 소녀가 서둘러 만두를 좀 빚어보았습니다."

공주가 손수 빚은 만두라는 말에 호리독사와 연소교가 깜짝 놀라며 군침을 꿀꺽 삼켰다. 배도 고프지만 훗날 사람들에게 공주가 직접 빚어준 만두를 먹어보았다고 자랑할 생각에 한껏 들뜬 것이다.

하지만 나와 진왕과 왕비는 빠르게 서로 눈빛을 교환했다. 그리고 앞선 두 사람과는 다른 의미로 마른침을 꼴깍 삼켰다.

진왕은 내게 무얼 운송 중인지, 어떤 자들에게 쫓기고 있는지, 어디로 향하는지 등에 관해 일절 묻지 않았다. 그러면서도 내가 원한다면, 그리고 방향이 비슷하다면 필요한 만큼 자신과 함께 여행을 해도 좋다고 했다.

하지만 나는 한발 더 나아가 회수를 건넌 직후 진왕에게 한 가지 부탁을 했다.

"왕야께 피해가 가지 않게 최대한 빨리 떠나도록 하겠습니다. 다만 당분간은 밤마다 여각에 머물지 말고 노숙을 하시면 안 되겠습니까?"

"자네가 이렇게 부탁할 때는 그만한 이유가 있겠지?"

"사람들이 많은 곳에서 싸움이 벌어지면 혹여라도 양민들이 피해를 볼 수도 있거니와 정탐을 노리고 접근하는 적들을 구별하기도 어려워서 그렇습니다."

"무슨 말을 하려는 건지 알겠네. 그렇게 하세."

"왕비마마와 공주마마께서 많이 불편하실 겁니다."

"자네의 부탁이었다고 하면 기꺼이 감수할 테니 아무 염려 말게."

"감사합니다. 전하."

덕분에 우리는 진왕과 삼천 군병의 보호 아래 당분간 말을 타고 편안하게 남직예성을 가로질러 갈 수 있게 되었다.

노숙이라고는 해도 황족의 노숙은 모닥불 옆에서 나뭇잎을 깔고 털가죽을 덮은 다음 대충 하룻밤을 보내는 표사들의 그것과는 차원이 달랐다.

일단 해가 한 뼘 정도 남으면 이동을 멈추고 군관병들이 일제히 달려들어 수십 개의 간이 막사를 세운다. 그중 세 개를 각각 진왕과 왕비와 공주가 하나씩 차지하고 썼다.

이를 두고 호리독사와 연소교는 진왕이 왜 왕비와 각방을 쓰는지, 부부가 각방을 쓴다면 공주는 왜 왕비와 함께 자지 않는지 등을 두고 갑론을박을 벌였다.

이게 갑론을박을 벌일 정도의 일인지는 모르겠는데, 사실 이유는 간단했다. 귀족들은 부부 사이일지라도 함께 방을 쓰는 법이 없었다. 천룡표국의 이종산도 특별한 날이 아니고서는 세 명의 부인들 누구와도 같은 방을 쓰지 않았다. 이는 귀족들에겐 태어나면서부터 자연스럽게 몸에 밴 습관이었다. 하물며 귀족 중의 귀족인 황족은 어떻겠나.

그런가 하면 세 사람의 막사에는 추위를 막기 위해 숯불을 피운 청동화로도 있었다.

진왕은 밤마다 나를 비롯해 관리들이나 장수들을 불러다 차와 술을 내리며 격려했다. 때문에 막사도 커서 청동화로가 세 개나 들어갔다.

제아무리 따뜻한 막사에서 잔다고 해도 큰 침상이 있고 외풍이 들지 않는 여각보다 나을 수는 없었다. 이런 불편함을 참아주는 진왕과 그의 일족이 나는 감사할 따름이었다.

진왕은 우리에게도 막사 하나를 따로 내주었다. 군관병들과 부딪히지 않고 우리끼리 편안하게 지내라는 배려였다.

우리는 화로 대신 평소 노숙하던 습관대로 돌덩이를 주워다가 둥그렇게 돌리고 모닥불을 피웠다. 그 불에다 군병들이 나눠준 온갖 것들을 삶고, 끓이고, 지져 먹으며 바닥난 체력을 보충했다.

그리고 밤이 깊으면 모닥불 주변에 어느 젊은 장수가 하사한 털가죽 깔고 모(人) 자 모양으로 누워 밀린 잠을 잤다.

당연하게도 천마성교도들은 멀리서 우리를 지켜보며 따랐다. 우리는 우리대로 천마성교도들의 동향을 열심히 살피며 촉각을 곤두세웠다.

일단은 이동 중 높은 언덕이나 산 정상을 오를 때 십리경으로 놈들의 진영을 살피는 일이 기본이었다. 그 정도만으로도 적들의 동향은 어느 정도 파악할 수 있었다. 그리고 밤만 되면 은신술과 잠행술의 달인인 호리독사가 변복에 역용을 하고는 척후를 살피러 나갔다.

처음에는 척후 살피는 일을 겸해 천마성교의 진영으로 들어가 술을 훔쳐 왔다. 그러다 점차 그들과 함께 모닥불 곁에서 술을 마시거나 밥까지 얻어먹고 돌아왔다. 한데도 호리독사가 들고 나는 걸 아무도 알아차리지 못했다.

밤은 그야말로 호리독사의 세상이었다.

호리독사는 그렇게 놈들이 하는 얘기를 열심히 엿들어 두었다가 돌아와서는 내게 보고했다. 대충 이런 내용들이었다.

"적들의 수가 점점 늘어나고 있습니다. 그 바람에 이제는 자기편들끼리도 전부 알아보기 힘들 지경이 되었습니다."

"무림 공적으로 몰려 도망 다니던 흑도와 사파의 고수들이 지남철에 쇳가루 달라붙듯 대거 천마성교도에 투신하고 있습니다."

"천마성교도들의 숫자가 이제 삼천에 육박합니다. 못 보던 노괴들이 돌아다니더라니, 생사를 알 수 없던 전대 고수들의 이름이 계속해서 흘러나오고 있습니다."

"혈영노조에 대해 이런저런 뒷말이 있는 것 같습니다. 애초 천룡표국에서 우리를 놓친 것부터 시작해 표왕과의 전쟁에서 지고 육가촌에서 진왕야께 무릎을 꿇은 것까지. 따지고 보면 결정적인 순간마다 실수를 한다고요."

나흘째 되던 날 호리독사가 엿들은 정보를 가져왔을 때 대번에 든 생각은 '누군가 천마성교 내부에서 공작을 펼치고 있는 것 같다'였다. 숫자가 늘어나는 건 좋지만 하나의 산에 여러 마리의 호랑이가 찾아드니 골짜기가 슬슬 시끄러워지는 모양이었다.

하지만 그렇게 해서 탄생하는 산중의 진짜 제왕은 더욱 무시무시할 힘을 지니게 될 것이다.

닷새째 되는 날이었다. 야영지 인근의 산봉우리에 올라가 십리경으로 적진을 살피는데 무언가 이상했다. 이제는 사천여 명으로까지 늘어난 적들이 동그랗게 둘러 서 있는 것이었다.

커다란 원 안에는 도검을 든 수십 명이 들어가 있었는데, 아무래도 한바탕 살벌한 혈투가 벌어지려는 것 같았다. 하지만 애석하게도 금방 날이 저물어 버려 아무리 안력을 끌어 올려도 더는 볼 수가 없었다.

그날 밤, 여느 때와 다름없이 적진으로 척후를 살피러 갔던 호리독사가 무슨 이유에선지 삼경이 깊도록 돌아오지 않았다.

이 시각이 되면 적들도 경계병들을 제외하고는 모두 잠들기 때문에 제아무리 호리독사라고 해도 함부로 돌아다닐 수가 없다. 마교도들이 삼삼오오 떠들어대질 않으니 구태여 적진을 돌아다닐 이유도 없고. 그러니 진작 돌아왔어야 했다.

문제가 생겼음을 직감한 나는 연소교에게 상황을 설명해 준 다음 곧장 친마성교도의 진영으로 달려가려 했다.

그때 삼천 군병이 머무는 진영의 입구가 살짝 시끌벅적해졌다. 우리 막사의 당번을 맡은 군관이 서둘러 달려와 상황을 전해주었다.

"한 무리의 천마성교도들이 찾아왔습니다. 하나같이 전신에서 뿜어져 나오는 기세가 예사롭지 않았습니다."

"무슨 일로 왔답니까?"

"그게 대범하게도 진왕 전하를 뵙겠답니다. 경계를 책임진 백호장께서 야심한 시각에 이 무슨 수상한 짓거리냐며, 당장 돌아가지 않으면 벌집을 만들어 버리겠다며 엄포를 놓는 중입니다."

"전하께서는 지금 무얼 하고 계십니까?"

"초저녁부터 젊은 장수들을 불러다 술을 나누시더니 한 시진 전에 피곤하다시며 모두 물리고 침소에 드셨습니다."

"불경스러운 일인 줄 압니다만, 전하를 잠시 깨워주십시오."

"무슨 일인데 그러십니까?"

"아무래도 제 일행 중 하나가 저들에게 잡혀 있는 것 같습니다. 전하께서 만나주지 않으시면 그의 목숨이 위태로워질 것입니다."

"침소에 드신 전하를 깨우는 건 언감생심 제가 결정할 수 있는 일이 아닙니다. 일단 십호장께 보고를 올리도록 하겠습니다."

군문의 명령체계는 상상도 할 수 없을 만큼 엄격하다. 잘 훈련되고

기강이 바로 선 곳일수록 더욱 그렇다.

십호장에게 보고를 하면 십호장이 백호장에게 보고를 하고, 백호장이 천호장에게 보고를 하고, 천호장이 첨사에게, 첨사가 동지에게, 동지가 도지휘사에게 보고를 올릴 것이다. 그리고 마침내 도지휘사의 허락이 떨어져야 오늘 밤 막사의 호위를 책임진 백호장이 진왕을 깨울 수 있다.

모든 사람을 깨우고, 상황을 설명하고, 보고가 막사와 막사를 옮겨 다닐 때까지 기다렸다가는 날이 꼬박 샐 것이다. 그전에 놈들이 포기하고 돌아가 버릴 수도 있고.

"시간이 없습니다."

"죄송합니다. 절차가 있다 보니 저도 어쩔 수가 없습니다. 대신 십호장께 상황의 다급함을 최대한 설명해 올리겠습니다."

말과 함께 당번병이 쏜살처럼 사라졌다. 나와 연소교는 막막한 상황 앞에서 어쩔 줄을 몰라 잠시 멍하니 서 있었다.

그때 당번병이 사라진 곳으로부터 십여 명의 호위무사들과 함께 공주가 나타났다.

얼른 포권지례부터 하며 고개를 숙였다.

"공주마마를 뵙습니다."

"공주마마를 뵙습니다."

"볼 때마다 하루에도 몇 번이고 그렇게 깍듯이 인사를 하실 거예요?"

"당연히 그래야지요."

"하여간 쓸데없이 고지식하시다니까."

"공주마마께선 어쩐 일로 아직까지 침소에 들지 않으셨는지요?"

"초저녁에 차를 너무 많이 마셨는지 아무리 누워 있어도 정신이 말똥말똥하지 뭐예요. 그래서 잠시 달구경을 나왔다가 소란이 이는 걸 듣고 표사님께 한번 와봤어요."

"저 때문에 일어난 소란이라는 걸 아셨군요. 여러 가지로 번거롭게 해드려 송구스럽기 짝이 없습니다."

"그게 아니에요. 혹시 아바마마를 급히 깨워야 하는데 방법이 없어 곤란해하고 있지 않으신가 해서 와본 거라고요."

"예?"

"제가 깨워 드릴까요?"

활과 창과 칼로 중무장한 삼천여 명의 군병들이 커다란 모닥불 두 개를 에워쌌다. 모닥불을 잇는 가상의 선을 경계로 이쪽엔 진왕이 여우 가죽을 깐 대나무 의자에 앉아 있었다.

진왕의 뒤쪽 좌우에는 삼천 군병을 통솔하는 대장군 도지휘사와 내가 시립했다.

삼엄한 경계 아래 비무장인 채로 등장한 노인들은 놀랍게도 혈영노조와 명부삼귀였다.

'명부삼귀가 합류를?'

눈이 마주치는 순간 명부삼귀는 애써 태연한 척을 했다. 하지만 주름진 얼굴에 드러난 감정까지 속이진 못했다.

'뭐지? 도살장에 끌려 온 소 같은 저 표정은.'

그리고 처음 보는 장년인이 한 명 더 있었다. 장년이라고 하지만 사실은 나이를 가늠하기가 어려웠다. 어떻게 보면 산전수전 다 겪은 오십 줄의 초로인 같기도 하고, 또 어떻게 보면 무인으로서 한참 왕성히 활동할 서른 줄의 신진고수처럼도 보였다.

몇 살을 먹었건 그는 눈이 번쩍 뜨일 정도로 잘생긴 얼굴에 온몸이 근육으로 똘똘 뭉쳐 있었다. 그리고 눈빛이 있었다. 삼천의 중무장한 군병들에게 둘러싸인 채로 진왕을 마주 보면서도 주눅 든 기색이라곤 찾아볼 수가 없었다.

'평생을 군림해 온 자다.'

이게 말이 되는 건지 모르겠지만, 나는 그에게서 진왕이나 오황자를 처음 보았을 때와 같은 인상을 받았다. 더욱 놀라운 건 혈영노조와 명부삼귀가 바로 그 장년인으로부터 몇 걸음 뒤쪽에서 나란히 멈춰 섰다는 사실이었다. 이는 저 장년인의 신분이 혈영노조와 명부삼귀보다도 높다는 걸 의미했다.

혈영노조와 명부삼귀는 모두 초절정의 고수들이었으며, 천마교주가 되고자 각자의 방식으로 성보를 노렸던 거물들이었다. 특히 명부삼귀는 천마성교도도 아니거니와 중간에서 성보를 가로채려고까지 했었다.

그런 자들이 누군가에게 머리를 숙인다고? 대체 무슨 일이 일어난 걸까? 대관절 저 장년인의 정체가 무엇이관데.

나는 재빨리 연소교에게 전음을 보냈다.

[장년인은 누구요?]

[저도 모르겠어요.]

[처음 보는 자라는 뜻이오?]

[명부삼귀와 편복은왕도 그날 처음 보았어요. 다만 용모를 보고 미루어 짐작했을 뿐. 한데 저 장년인은 도무지 짐작 가는 사람이 없어요.]

"진왕야를 뵙습니다."

역시나 혈영노조와 명부삼귀를 제쳐두고 장년인이 진왕에게 정중히 포권지례를 올렸다.

허리까지 숙였는데도 이상하게 굴복한다는 느낌이 들지 않았다.

내가 장년인에게서 본 걸 진왕도 본 모양이었다. 그는 흥미로운 표정으로 한참이나 수염을 쓸다가 물었다.

"귀하도 이름을 말하지 않을 것이오?"

"요동에서 온 야율극리라고 하옵니다."

"요(遼)나라 왕족의 성씨로군."

"칠성군(七星君)!"

마지막 신음은 연소교의 입에서 터져 나온 것이었다. 가까이 있던 사람들의 시선이 한순간 전부 그녀에게로 향했다.

칠성군이 누구일까를 생각하다가 나도 두 눈을 부릅뜬 채 돌덩이처럼 굳어버렸다.

연소교가 칠성군이라고 부를 사람은 하늘 아래 한 명밖에 없었다.

'설마!'

삼십여 년 전 천마성교가 궤멸할 당시 천마교주에게는 일곱 명의 제자가 있었다. 그중 마지막 제자로 짐작되는 자가 나타난 것이다.

[틀림없소?]

[사부님께 들었던 칠성군의 인적사항과 동일해요.]

[천마의 제자들은 오래전 일곱 개 문파의 합공을 받고 뿔뿔이 흩어

져 도망치다 모두 비참한 최후를 맞은 걸로 아오만.]

[무슨 기구한 속사정이 있는지 모르지만 구태여 우리끼리 맞다 아니다를 논할 필요가 있을까요?]

그러면서 연소교는 장년인의 뒤쪽에 있는 혈영노조와 명부삼귀에게로 시선을 주었다. 연소교는 인적사항을 전해 들은 것에 불과하지만 저들은 칠성군을 오랜 시간 직접 경험한 사람들이었다. 만약 가짜라면 저 무시무시한 노마두들이 머리를 숙였겠나.

'이게 무슨!'

주변엔 도지휘사를 비롯해 포정사와 안찰사 등, 늙은 고위 관리들이 많았다. 아무리 관부의 인물이라고 해도 천마교주와 그의 제자들에 대해서는 다들 알 만큼 알았다. 칠성군이라는 말에 그들 역시 당황해하는 기색이 역력했다.

그러나 진왕만큼은 시종일관 침착함을 잃지 않았다. 그가 차분한 음성으로 말했다.

"알고 보니 무림의 명사께서 방문하셨구려."

"과찬의 말씀이십니다."

"그래서 이 야심한 시각에 나를 찾아온 이유는?"

야율극리는 대답 대신 뒤를 살짝 돌아보았다. 그러자 어느새 책사로 전락(?)해 버린 혈영노조가 비단 보퉁이에 싼 작은 목함 하나를 들고 몇 걸음 앞으로 나왔다.

진왕의 호위장인 장수 연철산이 나아가 보퉁이를 받아 다시 진왕에게로 돌아왔다. 하지만 곧장 건네지 않고 서너 걸음 앞에서 멈춘 다음 보퉁이를 풀기 시작했다. 목함 속에는 푸른 이끼가 잔뜩 깔린 사이로 피처럼 붉은 두꺼비 한 쌍이 숨을 쉬며 앉아 있었다.

갑작스러운 흉물의 등장에 모두가 표정을 굳혔다.

아율극리의 설명이 이어졌다.

"곤륜산에서 잡은 적령사왕(赤靈死王)입니다. 백 종의 독물을 잡아먹고 사는 영물로, 놈이 한번 들어갔다가 나오면 연못 안의 모든 물고기가 죽어버릴 정도로 맹독을 지녔지요."

"그래서요?"

"독과 약은 둘이 아니라고 했습니다. 맹독을 가진 적령사왕이지만 그 간을 생으로 먹으면 백독을 치료할 수 있습니다. 특히 놈이 잡아먹는 독물로부터 추출한 독에 당했을 경우에는 백발백중이지요. 이놈들이 왕야와 왕야께서 모시는 분의 목숨을 한 번은 구해줄 것입니다."

"무엄한지고!"

강인한 인상의 도지휘사가 우렁우렁한 일갈을 터뜨리며 앞으로 나섰다.

황족과 관련해서는 함부로 죽음을 언급해선 안 된다. 특히 황태자는 장차 황제가 될 사람, 야율극리는 방금 진왕과 그가 모시는 오황자에게 큰 무례를 저질렀다. 아무리 보아도 실수가 아니었다.

진왕은 침착했다. 그는 한 손을 들어 도지휘사를 만류한 다음 다시 야율극리에게 물었다.

"이렇게 귀한 영물을 내게 주려는 이유는?"

"야심한 시각에도 불구하고 기꺼이 시간을 내어주신 왕야께 드리는 예물이라고 생각해 주십시오."

"하면 이 야심한 시각에 나를 깨운 이유는?"

"그전에 표사 풍운비룡과 잠시 몇 마디 나누어도 될는지요?"

좌중의 시선이 일제히 내게로 향했다. 진왕 역시 나를 돌아보며 가만히 시간을 끌었다. 어떻게 할지를 묻는 것이다.

나는 진왕을 향해 고개를 끄덕인 후 한 걸음 앞으로 나섰다.

그래도 진왕으로부터 한 걸음 뒤쪽이었다. 황족과 함께 있을 때는 그곳이 어디든 허락이 있기 전까진 함부로 앞서선 안 된다.

이어 야율극리를 향해 지나치지도 모자라지도 않은 태도로 포권지례를 했다.

"풍운비룡입니다."

"도주하느라 고생이 많군."

"늘 있는 일이라 괜찮습니다."

"열하루 동안 눈도 거의 못 붙였다고 하던데."

도주하는 동안 잠을 거의 못 잤다는 것 정도는 추측으로도 얼마든지 알 수 있다. 하지만 그는 확정적으로 말했고, 누구에게서 들었다는 식으로 표현했다. 호리독사가 자신들에게 잡혀 있음을 일부러 내비치는 것이다.

"벽곡단밖에 먹지 못했다고는 하지 않던가요?"

"표사 노릇도 못 할 짓이군."

"그는 무사합니까?"

"정체를 발각당하자 싸울 생각도 않고 바로 투항하더군. 하지만 부상은 피할 수 없었네. 사로잡힌 이후의 대화가 원활하지 못했거든."

"성보와 교환할 생각이라면 그를 데려왔어야 하지 않을까요?"

"표사를 구하기 위해 표물을 그렇게 쉽게 넘기겠다는 말인가?"

"제 의지와 상관없이 그렇게 하도록 만드는 것이 귀하의 능력이겠지요. 보아하니 아직 교단을 완전히 장악하지는 못하셨을 것 같은데."

"좋은 말이군. 참고하지. 한데 성보는 고작 도둑의 목숨 따위를 놓고 함께 저울질할 물건이 아닐세. 그건 성보에 대한 모독이지."

"평범한 도둑이 아닙니다만."

"공령신투의 제자라고 다를 건 없네."

"그는 천룡표국의 표사입니다."

"그리고 내 수중에 있고."

"원하는 게 무엇입니까?"

"듣자 하니 비영문의 무학에다 백포산군의 진전까지 이었다지? 며칠 전에는 편복은왕에게 내상까지 입혔고."

"소문은 늘 과장되게 마련이죠."

"젊은 사람이 너무 겸손한 것도 미덕이 아니라네."

야율극리가 가볍게 미소를 지었다. 모골이 송연해질 정도로 섬뜩한 웃음이었다.

이어 그가 고개를 돌려 진왕에게 말했다.

"왕야께 청이 한 가지 있습니다. 지금 이 자리에서 풍운비룡과 잠시 자웅을 겨루어볼 수 있도록 해주십시오."

야율극리는 다시 나를 돌아보며 말했다.

"나를 이기면 한 식경 안에 그를 다시 볼 수 있을 걸세. 하지만 진다면 영영 돌아오지 못하겠지. 해볼 텐가?"

"이번에야말로 성보를 달라실 줄 알았습니다만."

"그건 때가 되면 알아서 찾아갈 테니 염려 말게."

이 인간, 내가 지금까지 상대해 왔던 어떤 무림인이나 마두들과도 다르다.

장작을 얼마나 던져 넣었는지 일 장 높이까지 치솟는 모닥불 두 개를 양쪽에 둔 상태에서 나는 야율극리와 마주하고 섰다.

"병기는 무엇을 취하시겠습니까?"

"비영문의 무공이 성명절기라고 들었는데."

"구태여 편의를 봐주지 않으셔도 됩니다만."

"굳이 무기를 잡을 이유도 없다고 해두지."

"언제까지 싸우시겠습니까?"

"시간을 정해두어야 할 정도로 오래 싸우게 될까?"

"제가 발이 좀 빠릅니다. 진영 전체를 종횡무진 누비며 싸운다면 동이 터 오를 때까지 싸우게 될 수도 있습니다."

"도망 다니며 시간을 끌겠다?"

"장기인 경공술을 최대한 활용하겠다는 뜻입니다."

"자부심이 대단하군."

"백포산군 선배님을 상대로 그렇게 닷새를 버텼지요."

그제야 야율극리가 고개를 살짝 갸웃했다. 백포산군이 대단하긴 대단한 모양이었다. 천마의 제자조차 놀라게 만든 것을 보면.

"검을 뽑든 독수를 펼치든 개의치 않겠네. 수단과 방법을 가리지 말고 버티게. 내가 십 초식을 모두 펼칠 때까지도 살아 있다면 깨끗이 패배를 인정하고 돌아가지."

"십초지적이라. 저를 너무 과소평가하시는군요."

"백 초식으로 할까나?"

"그렇게까지 한가하진 않습니다."

"삼 초식을 양보하겠네."

"그래야 마음이 편하시다면 얼마든지요."

야율극리는 대화를 하는 중에도 두 다리를 어깨너비로 벌리고 뒷짐을 쥔 채 가만히 서 있기만 했다. 한데도 아름드리 고목과 마주하고 있는 것 같았다.

지금의 내 공력이라면 고목이라고 해도 얼마든지 쓰러뜨릴 수 있다. 크게도 필요 없다. 서너 걸음 정도의 거리를 더 좁힐 만큼의 빈틈이면 충분했다.

하지만 아무리 살펴도 보이질 않았다. 오히려 함부로 들어갔다가는 일장에 나를 쳐 죽일 거라는 확신만 계속해서 들었다.

'완벽하다!'

틈이 없으면 만들면 된다.

나는 오른쪽 발끝을 가만히 바깥으로 돌려놓았다. 이어 신발을 신은 채로 엄지와 검지 발가락을 꼼지락거렸다.

야율극리는 미동도 하지 않는 상태에서 눈동자만 살짝 굴려 내 발끝을 바라보았다.

그 순간, 발끝에 모아둔 공력을 터뜨리며 솟구쳤다. 삼백 년의 공력과 부적의 이능력과 천금풍의 절초가 이 한 동작에 모두 담겼다.

나는 한 줄기 빛으로 변했다.

야율극리와의 거리는 불과 삼 장, 그는 번개 같은 움직임으로 왼발을 살짝 빼며 좌장을 출수하려 했다.

충분히 예상했다.

그의 동작이 완전히 만들어지기 전에 내 우장에서 터져 나간 화염이 어깨에 먼저 닿는다.

'헛!'

그건 나의 착각이었다. 분명 내 귀영무와 구천홍염장이 더 빨랐다. 한데 갑자기 눈앞에서 고리 모양의 시퍼런 벼락이 쳤다.

쫘앙!

정신이 번쩍 들었다. 머리로 생각하기도 전에 먼저 좌장이 알아서 뻗어 나갔다.

붉은 화염이 다시 그를 덮쳐갔다.

세상의 모든 공격은 필연적으로 틈을 만들어내는 법이다. 그가 좌장을 떨치는 바람에 찰나의 순간 빈틈이 생긴 오른쪽 어깨를 노린 임기응변의 한 수였다.

한데 이번에 그의 오른쪽 허공에서 또다시 벼락이 쳤다. 벼락같은 기세가 아니라 정말 고리 모양에 번갯불처럼 시퍼런 벼락이었다.

쫘앙!

또다시 터지는 굉음과 함께 손목을 타고 들어와 척추를 짜르르 울리는 반탄력을 고스란히 감당해야 했다.

'이 무슨 엄청난 인간이란 말인가!'

몸속에 이미 삼백 년의 공력이 있었기에 망정이지, 이백 년 정도의 공력만 되었어도 온몸의 뼈가 터져 나갔을 것 같았다.

충격을 받았는지 단전 속에 웅크리고 있던 부적의 영기가 튀어나와 마치 청룡과 황룡이 뒤엉켜 싸우는 것처럼 기경팔맥을 타고 달렸다.

나는 할 수 있는 모든 힘과 속도와 초식을 동원해 맹공을 퍼부었다. 그러나 내 주먹과 장과 발이 뻗어 나가는 그 모든 방향의 허공에서 벼락이 쳤다.

'대체 이게 무슨 무공이지?'

번갯불은 치치고서라도 그의 권장각은 어떤 벽을 넘어 더는 형(形)이 필요치 않은 무초의 경지에 이른 것 같았다. 초식의 오묘함으로는 당연히 나보다 한참 윗줄이었고, 내공으로도 결코 내 아래가 아니었다. 문득, 이자가 만약 설산신검이나 남궁유룡이나 백포산군 등의 거물들과 싸우면 어떻게 될까 하는 생각이 들었다.

누가 이길지는 알 수 없다. 그러나 장담하건대 개방과 하오문은 천하십대고수의 명단을 다시 써야 할 것이다. 최소한 한 명은 그에게 패할 테니까.

"본격적으로 놀아볼까?"

서늘한 일갈과 함께 그가 돌연 반격을 시작해 왔다.

한순간 허공이 고리 모양의 번개들로 가득 차버렸다.

그때부터는 무얼 어떻게 싸웠는지도 모른다. 죽음의 공포를 느낀 나는 그야말로 무아의 경지에서 오직 본능에 의지해서만 보법을 펼치고 권장을 뻗었다. 그럴 수밖에 없었다. 머리로 무언가를 계산하기 전에 그의 주먹이, 주먹에 어린 강기가 닥쳐왔으니까.

나는 나를 초월했다. 그리고 알 수 있었다. 극초절정의 고수를 맞아 나 역시도 지금까지 가보지 못한 어떤 경지에 한 발을 내디뎠음을.

그러나 거기까지가 내 한계였다.

뻐엉!

접장의 순간 나는 누적된 반탄력을 감당하지 못하고 대여섯 장 밖으로 튕겨 날아갔다.

마치 일부러 그런 것처럼 체공 상태에서 멋지게 공중제비를 돌고는 바닥에 두 손을 찍으며 착지했다. 그리고 아무렇지도 않게 일어서려는데 별안간 입에서 붉은 피가 쭉 뿜어져 나왔다. 격돌의 순간마다 그가 쏘아 보낸 암경, 즉 내가중수법에 당한 것이다.

순간, 현기증이 돌며 나도 모르게 픽 쓰러졌다.

"당주님!"

연소교가 황급히 나를 부르며 전장으로 달려 나오려고 했다.

나는 쓰러지는 동작 그대로 몸을 뒤집으며 다시 벌떡 일어났다. 이어 한 손을 뻗어 연소교를 제지했다. 그리고 까무룩해지려는 정신을 필사적으로 붙잡으며 주변을 살폈다. 한바탕의 격돌이 지나가고 난 공터는 그야말로 난장판이었다. 어쩐지 주변이 깜깜해졌더라니, 양쪽에 있던 모닥불이 격돌의 순간 터져 나오는 경파를 맞고 죄다 날아가 버린 상태였다.

삼천 군병들 사이로 어지럽게 떨어진 장작 조각들의 불이 아직도 꺼지지 않은 가운데 모두가 숨죽이고 나와 야율극리를 번갈아 보았다.

"소문으로 듣던 것보다 훨씬 대단한걸."

"열한 번째입니다. 귀하가 마지막에 펼친 초식 말입니다."

"내가 확실히 졌군."

"표정은 전혀 진 사람 같지가 않군요."

"자네도 이긴 사람 같은 모습은 아니군."

[내일 아침까지 진왕의 행렬에서 벗어나게. 그렇지 않으면 명부삼귀

를 보내 진왕의 목숨을 거둘 것이네. 이미 한차례 손속을 나누었다고 하니 저들이 한때 염왕부의 암살단을 이끌던 사신들이라는 건 알고 있겠지?]

갑자기 야율극리가 내게 전음을 보내왔다. 한데 그 내용이 너무나 광오한 것이었다. 미치지 않고서야 어찌 감히.

[그게 무얼 의미하는지 아십니까?]

[알고 보니 오황자에게 정적들이 많더군. 뒷일을 묻는 것이라면 내가 그들을 만나 수습할 방법을 찾을 수도 있을 것 같은데. 자네 생각은 어떤가?]

[……!]

야율극리가 그때까지 쥐고 있던 주먹을 펼쳤다. 그러자 비격쌍뇌창한 쌍이 손바닥을 반쯤 관통한 채로 모습을 드러냈다.

숨 가쁘게 공방을 주고받는 사이 야율극리의 마혈을 노리고 비격쌍뇌창을 출수했었다.

팔 하나 뻗을 정도의 거리에서 벼락처럼 쏘아 보냈기 때문에 당연히 명중할 거라고 믿었다. 한데 그는 귀신같이 알아차리고는 상상도 할 수 없는 속도로 잡아채 버렸다. 그마저도 나의 십초박을 막아내는 와중에.

다만 완벽하지는 않아서 손바닥을 그대로 뚫렸다. 나는 내상을 입었지만, 그 역시도 지금쯤 뼈가 욱신거릴 정도의 고통을 느낄 것이다.

"귀물을 손에 넣었군."

"목숨을 여러 번 살려주었죠."

"암기술은 더욱 훌륭했고."

"독을 좀 발라둘 걸 그랬습니다."

야율극리는 비격쌍뇌창을 뽑아 손가락으로 튕겨 보냈다. 그보다 먼저 나는 발아래 떨어져 있던 불 장작 끄트머리를 재빨리 밟아 '탁!' 하고 솟구치게 했다. 이어 다른 쪽 끄트머리를 잡아채며 힘차게 휘둘렀다.

따당!

작은 불꽃들을 흩날리며 비격쌍뇌창 한 쌍이 머리가 보이지 않을 정도로 깊숙이 박혔다.

당연히 빼앗을 줄 알았는데 뜻밖에도 순순히 돌려준다. 도무지 예측을 할 수 없는 인간이었다.

누구도 따를 수 없는 고강한 무예와 비상한 두뇌, 그리고 감히 황족의 목숨을 도모하겠다는 광오함까지. 그제야 혈영노조와 명부삼귀가 아율극리의 수하로 들어갈 수밖에 없었던 사정을 알 것 같았다.

"그럼 또 보자고."

야율극리는 진왕에게도 포권지례를 올린 후 이제는 수하가 되어 버린 혈영노조와 명부삼귀를 이끌고 돌아서 갔다.

나는 어둠 속으로 사라지는 그들을 멍한 표정으로 지켜보았다.

한 식경 후, 호리독사는 초주검이 된 채 들것에 실려 돌아왔다. 막사 안에 그를 눕혀놓고 연소교가 열심히 부상을 치료했다.

나는 옆에서 조용히 운기행공을 하며 내상을 치료했다. 다행히 상태가 심각하지는 않다. 호리독사 역시 만신창이가 된 얼굴과 달리 생각보다 부상이 깊지 않았다.

한차례 운기행공을 끝낸 내가 물었다.

"용케도 두 군데밖에 안 부러졌소. 머리도 멀쩡하고."

"맞을 때 깍지 낀 두 손으로 머리를 최대한 감싼 다음 몸을 애벌레처럼 마는 것이 요령입니다."

"놈들이 이것저것 캐물었을 텐데."

"원하는 대로 순순히 다 부는데도 죽으라고 패더라고요."

"잘했소."

"죄다 불었는데도요?"

"딱히 아는 것도 없잖소."

"그건 그렇지요."

그때 바깥에서 인기척과 함께 당번병이 들어왔다.

"방금 자신들을 무림맹의 전령이라고 밝힌 사람들이 도착했습니다. 급히 표사님을 만나러 왔다고 합니다."

"이 새벽에요?"

"그렇습니다."

"지금 어딨습니까?"

"이리로 오고 있는 중입니다."

"누군지도 모르고 막 들여보냈단 말입니까?"

"공주마마께서 이미 신분을 확인해 주셨습니다."

그 순간 검은 피풍의에 죽립을 쓰고 한 손에는 도검을 든 무림인 대여섯 명이 막사 안으로 들이닥쳤다. 낯선 인물들의 갑작스러운 등장에 나도, 호리독사도, 연소교도 움찔 놀랐다. 호리독사는 부상도 잊은 채 벌떡 일어나 앉기까지 했다.

"누구요?"

내가 따지듯 묻자 사람들이 천천히 죽립을 벗었다.

그중에 남장을 한 젊은 여자가 한 명 있었다.

믿을 수 없게도 내가 아주 잘 아는 사람이었다.

"남궁소소?"

남궁소소와 함께 온 사람들은 나도 잘 아는 용봉지회의 후기지수들이었다. 황보세가의 황보중악을 필두로 청성의 두소부, 점창의 양조광, 산동악가의 악도광과 일일이 인사를 나누었다.

대충 인사가 끝나자 황보중악이 내게 말했다.

"고생이 많군."

"어떻게 된 겁니까?"

"총군사님께서 급히 자네를 만나보라고 우리를 보내셨네."

"총군사님께서요?"

아무래도 총군사 사마옥이 내게 보내는 전언을 가지고 온 모양이었다. 한데 황보중악은 선뜻 말을 하지 않고 연소교를 가만히 돌아보았다.

작년에 무림맹의 죽간을 운송하면서 생사고비를 함께 넘긴 사이여서 호리독사는 모두가 잘 알고 있었다. 하지만 연소교는 조금 달랐다. 남궁소소를 제외하면 다른 네 명의 후기지수들은 연소교를 오늘 처음 보았다.

다만 누구의 제자인지, 무슨 사정으로 나와 함께 있는지는 충분히 알았다. 그래서 황보중악이 말을 멈추고 연소교를 바라본 것이다. 믿어도 좋을지 몰라서.

"전쟁을 막기 위해 삼뇌 뇌천자의 목을 가지고 온 사람입니다. 지금은 제 등을 지켜주는 일행이고요. 믿고 말씀하셔도 됩니다."

내가 안심을 시켰지만 황보중악은 여전히 입을 열지 않았다. 그때 남궁소소가 연소교에게 아는 척을 했다.

"오랜만이군요."

"오랜만이에요."

"처음 만났을 때는 같은 편이었다가 마지막에는 서로 칼을 겨누는 적으로, 그리고 지금은 또 일행이 되었네요. 만약 다음번에 또 만난다면 그땐 어떤 사이일지 궁금하군요."

"사과를 원하는 건가요?"

"사과할 일을 했었나요?"

"전혀요."

"알고 싶지 않아요."

"이미 대답을 했는데요."

"안 들은 걸로 하겠어요."

"왜죠?"

"당신 생각은 중요하지 않으니까요."

"……!"

나를 비롯해 남자들은 당최 무슨 말을 하는 건지 몰라 두 여자가 말을 할 때마다 이쪽저쪽을 번갈아 보았다. 어떻게 된 건지 모르지만 연소교의 표정이 조금 더 굳어지는 것으로 미루어 남궁소소가 이긴 것 같았다.

순식간에 대화를 끝내 버린 남궁소소가 황보중악을 돌아보며 말했다.

"그녀는 지금 의뢰인이에요. 풍운비룡은 표행에 관한 한 고지식하기 짝이 없어서 무슨 일이 있어도 의뢰인을 믿고 정보를 나누려 할 거예요. 그러니 둘을 나누는 건 의미가 없어요."

막사 안의 모닥불이 다른 때보다 옆으로 두 배나 커졌다.

나와 연소교와 호리독사와 용봉지회의 후기지수들은 모닥불을 가운데 놓고 빙 둘러앉았다. 막사가 있고 사람이 바뀌어서 그렇지 표행을 할 때면 흔히 있는 풍경이었다. 한데도 나는 앉은 자리가 불편하기 짝이 없었다.

왜 그런고 했더니 평소와 달리 내 옆에 남궁소소가 아니라 연소교가 앉아 있기 때문이었다. 모닥불 너머 남궁소소의 곁에는 내가 아닌 황보중악이 앉아 있었고.

"무림맹에 의해 공적으로 몰려 도망 다니던 흑도와 사파의 고수들이 대거 유입됐네. 심산에 은거해 있던 마교의 전대 고수들과 악명 높은 흉신악살들도 속속들이 가세하는 중이고. 이참에 아예 판을 갈아치워 버리자는 생각인 것 같아."

"잘 알고 있습니다. 몇 명은 만난 적도 있고요."

"명부삼귀와 편복은왕을 물리친 얘긴 들었네. 하마터면 큰일 날 뻔했더군."

"그걸 어떻게 아셨습니까?"

"전쟁은 자네만 하고 있는 게 아닐세. 무림맹의 모든 정보력이 동원되어 자네와 마교도들의 움직임을 들여다보고 있지."

"천마의 제자가 나타났다는 것도 아십니까?"

"맹의 가장 뛰어난 추적자들이 은밀히 명부삼귀를 쫓고 있었는데, 닷새 전 갑자기 누군가 나타나 세 명을 혼자서 한 식경 만에 모두 쓰러뜨려 버렸다더군. 나중에야 그가 칠성군이었다는 게 밝혀졌지. 그 바람에 맹이 발칵 뒤집혔네."

"그가 천마성교를 완전히 장악했습니다. 삼뇌의 서거 이후 천마성교를 이끌던 혈영노조와 명부삼귀는 그의 수하로 전락해 버렸고요."

"당연히 그랬겠지. 제아무리 혈영노조라고 해도 천마의 진전을 이은 제자를 감당할 수는 없었을 걸세. 명분으로나 무공으로나. 한데 자네는 그런 것들을 어떻게 알았나?"

"반 시진 전 그가 다녀갔습니다."

"이곳 진왕야께서 계신 진영을 말인가?"

"그렇습니다."

"그가 왜?"

"믿으실지 모르겠지만, 제게 도전을 해왔습니다. 자신이 십 초식을 펼칠 때까지 죽지 않고 버티면 조용히 물러겠다고요."

"그래서?"

"마지막 순간에 비겁함을 무릅쓰고 암기를 출수하지 않았거나 오 초식만 더 연장했더라면 여러분은 아마 저의 조문객이 되었을 겁니다."

"……!"

진왕과 삼천 군병이 지켜보는 앞에서 칠성군과 싸웠다는 말에 모두가 화들짝 놀랐다.

나는 그동안 있었던 대해 간략히 설명해 주었다.

용봉지회의 후기지수들은 내가 칠성군과 자웅을 겨루었다는 데서 처음 놀라고, 명부삼귀도 버티지 못한 십 초식을 견뎠다는 말에 두 번째로 놀라고, 내상을 입는 바람에 피를 토하며 쓰러질 뻔했다는 대목에서 세 번째로 놀랐다.

  누구보다 남궁소소가 놀랐다. 하지만 상황을 복잡하게 만들지 않으려는 듯 주먹을 말아쥐고 꾹 참으며 아무것도 묻지 않았다.

  그리고 마지막으로 칠성군이 진왕의 목숨을 인질로 삼고 아침까지 여길 떠나라 경고했다는 대목에선 막사 안이 발칵 뒤집혔다.

  이건 호리독사와 연소교도 까맣게 몰랐던 내용인지라 두 사람 모두 눈을 부릅뜬 채 나를 돌아보았다.

  "힘든 줄 알지만 부디 용기를 잃지 말게. 자네는 혼자가 아닐세. 중원 전역에 흩어져 있는 일흔두 개 문파에서 일만여 명에 달하는 정도 무림인들이 달려오고 있네."

  "어디로 말입니까?"

  "그거야 당연히 자네들이 향하는 곳이지."

  "우리가 어디로 향하는 줄 알고요."

  "어디로 가든 사천여 명으로까지 늘어난 마교도들을 따라가면 자네들 있겠지. 놈들의 숫자가 얼마까지 늘어나게 될지 모르지만."

  "그게 전부가 아니시죠?"

  "……!"

  황보중악은 허를 찔린 사람처럼 표정을 굳혔다.

  나는 황보중악과 동갑이자 그의 친구인 두소부를 돌아보며 물었다.

  "무슨 일이 벌어지고 있는 겁니까?"

"……."

"일전에 제게 주신 보은패라도 쓸까요? 물론 지금은 갖고 있지 않지만 외상으로라도. 정녕 그렇게까지 해야겠습니까?"

아무리 동갑이라고 해도 지금은 조(組)를 이루어 움직이는 상황. 조장의 허락 없이는 함부로 말을 할 수 없다. 두소부는 가만히 황보중악을 돌아보며 눈빛으로 허락을 구했다.

황보중악이 고개를 끄덕이자 그제서야 두소부의 입이 열렸다.

"맹에서는 자네가 표행을 성공하지 못할 거라 생각하고 있네. 해서 성보 세 개를 칠성군에게 빼앗기기 전에 천마성교를 칠 생각이네."

"그건 원점으로 돌아가자는 얘기가 아닙니까? 연 소저가 수하들을 제물로 바쳐가면서까지 삼뇌의 목을 베어 천룡표국을 찾아온 것도, 제가 그녀와 함께 목숨 걸고 북쪽으로 가고 있는 것도 모두 전쟁을 막기 위해서입니다!"

"무림맹은 천마성교처럼 한 사람의 절대자가 모든 걸 좌지우지하는 곳이 아닐세. 십삼 개 성(省)에 기반을 둔 일흔두 맹방의 의사가 절대적이지. 지난 정마대전 당시 수많은 제자를 잃었던 기억을 가진 맹방 장문인들의 우려를 종식시킬 수가 없었네."

"그래서 이러는 겁니다. 맹방의 장문인들께서 그런 주장을 하시는데도 맹주님과 총군사님께서는 가만히 듣고만 계셨다는 겁니까?"

"이건 총군사님께서 맹방의 장문인들께 제안한 작전일세. 최종적으로 맹주님께서 장로회의에서 재가를 하셨고."

"그럴 리가요. 제게 무림맹이 소유하고 있던 죽간본의 내용을 필사해 주시며 함께 봉인하라고 하신 분이 바로 총군사님이십니다."

"맹주님과 총군사님께서 왜 당주님만 믿고 무조건 기다려야 하는 거죠?"

날카로운 음성과 함께 갑자기 끼어든 사람은 남궁소소였다. 모두의 시선이 그녀를 향했다.

남궁소소는 나를 똑바로 노려보며 말을 이어갔다.

"맹주님과 총군사님께는 두 분의 입장과 의무가 있어요. 그분들께서 책임진 것들이 지금 당주님께서 어깨에 짊어지고 계신 것보다 가벼울 거라고 생각하는 건가요?"

맹주 장초풍과 총군사 사마옥에게는 언제 어디서 어떻게 발호해 강호를 피로 물들일지 모르는 마교로부터 정도무림을 지켜야 할 임무가 있다. 그들이 말하는 정도무림은 제자백가만큼이나 많은 무학의 유파들일 수도 있고, 각자의 문파가 가진 신념일 수도 있고, 협의를 숭상하는 가치일 수도 있고, 수많은 사람의 목숨일 수도 있고, 이 모든 것들일 수도 있다.

반면에 내가 지키려는 건 사람들의 목숨이었다. 나와 연소교는 단지 정마를 초월해 수천 명이 죽는 걸 막고 싶었다. 더불어 그들의 남겨진 아내와 자식들이 미망인과 고아가 되어 힘든 삶을 사는 걸 막고 싶었을 뿐이다.

내가 지키려는 것이 결코 더 작다고 할 수는 없었다. 맹주나 총군사가 지키려고 하는 것과 다르다고 할 수도 없었다. 그러나 최소한 두 사람이 어깨에 짊어지고 있는 책임과 의무보다 무겁지 않은 것만은 틀림없는 사실이었다.

정곡을 찌르는 남궁소소의 일침에 나는 잠시 할 말을 잃었다. 그렇다고 해서 내 행보를 멈출 수는 없었다.

"이제부턴 우리가 알아서 행동해야겠군요. 어차피 그동안 맹의 지원을 받은 것도 아니니 딱히 달라질 것도 없지만 말입니다."

"무언가 오해를 하고 있군. 총군사님께선 자네만 믿고 있을 수 없다고 했지, 자네를 믿지 않는다고는 하지 않으셨네."

황보중악이 다시 끼어들며 한 말이었다.

내가 그를 보며 물었다.

"무슨 뜻입니까?"

"맹방의 장문인들께선 원래 회수에서 마교도들을 치자고 강하게 주장하셨네. 한데 맹주님께서 재가해 주지 않으셨지. 때마침 남경에 머물고 계시던 진왕야께서 삼천 군병을 이끌고 회수로 향하신다는 보고를 받으셨거든."

"그래서요?"

"총군사님께서는 자네가 이곳 부양(阜陽) 땅에 이르러 십중팔구 진왕야와 헤어질 수밖에 없을 거라고 예상하셨지. 이에 만약 자네가 진왕야의 보호를 벗어난 후 사흘이 지나도 황하를 건너지 못하면, 그때 황하에서 마교도들을 치자고 맹방의 장문인들을 설득하셨네."

"그 사이 적들은 지금보다 훨씬 더 늘어날 겁니다."

"당연히 그렇겠지."

"저희를 미끼로 쓸 생각이시군요."

"총군사님께서도 맹방의 장문인들을 설득할 구실이 필요하시지 않겠나. 다행히 맹의 대장로이신 남궁세가주께서 강력하게 힘을 실어주신 덕택에 맹주님께서도 총군사님의 계획을 큰 무리 없이 관철할 수 있으셨다고 들었네."

"무슨 말씀인지 잘 알겠습니다."

"그리고 천룡표국에서 후방 보급을 책임져 주기로 했네."

"우리 표국에서요?"

"그렇네."

맹주와 총군사에게 자신들만의 책임과 의무가 있었던 것처럼, 이종산에게도 천룡표국주로서 그가 해야 할 일이 있었을 것이다.

어느 순간이 되면 모든 책임을 어깨에 짊어지고 오롯이 혼자서 결단을 내려야 하는 수장들의 고독함을 조금은 알 것도 같았다.

"한데 선배님들께선 어떻게 적들의 눈을 속이고 여기까지 들어오신 겁니까? 천마성교의 척후병들이 삼천 군병을 둘러싸고 이중 삼중의 천라지망을 펼친 것으로 압니다만."

"웬걸. 놈들에게 들킬 걸 뻔히 알면서 온 것이네."

"막아서거나 공격을 하지 않던가요?"

"말을 탄 채 죽립을 뒤로 젖히고 척후병들이 숨어 있는 곳을 보란 듯이 지났네. 총군사님께서 말씀하시길, 성보를 손에 넣기 전에는 저쪽에서도 먼저 섣불리 전쟁의 불씨를 댕기지 못할 거라시더군. 그 예상이 맞았네. 아마 나갈 때도 그럴 것이고."

"그렇군요."

"이제 어떻게 할 셈인가?"

"달라질 건 없습니다. 가던 길을 계속 가야지요."

"하면?"

"총군사님께 전해주십시오. 무슨 일이 있어도 사흘 안에 황하를 건널 테니 그때까지 개전을 최대한 막아달라고요."

한순간 좌중의 분위기가 숙연해졌다.

바깥에는 무려 사천에 달하는 마교도들이 중무장을 한 채 지키고 있다. 당장 저들을 뚫고 나가는 것조차 불가능해 보이는 상황에서 추적을 피해 황하까지 사흘 안에 달려가야 한다. 그리고 또 황하를 건너야 하고. 회수를 건널 때의 아찔한 상황을 생각하면 이건 누가 봐도 불가능한 일이었다.

그걸 알기에 누구도 선뜻 말을 하지 못했다. 어떤 말도 위로나 격려가 되지 못할 거라는 걸 아니까.

"말씀을 모두 전했으니 이제 우린 그만 날이 밝기 전에 돌아가 봐야겠네. 무림의 선배로서 이런 말은 좀 염치없지만, 꼭 살아서 다시 보세."

"살펴 가십시오."

황보중악을 필두로 용봉지회의 후기지수들 전부가 자리에서 일어났다.

그러자 황보중악이 남궁소소를 돌아보며 말했다.

"밖에서 기다리겠다."

황보중악은 이어 연소교와 호리독사를 힐끗 바라본 후 막사 문을 들치고 나갔다. 눈치 빠른 호리독사가 얼른 연소교의 손을 잡아끌고 후기지수들의 뒤를 따랐다.

잠시 후, 막사 안에는 나와 남궁소소만 남게 되었다.

"기분 탓인가. 왜 사람들이 우리 사이를 다 알고 있는 것처럼 느껴지지?"

"난 아무 얘기도 안 했어요."

"그런 뜻으로 한 말은 아니오."

"어쨌든 내가 소문을 낸 건 정말 아니에요. 이건 확실히 해두고 싶어요."

"소문까지 났소?"

"무림맹에 모르는 사람이 없더라고요. 특히 구대문파를 비롯한 맹방의 장문인들께서. 대체 어떤 인간이 퍼뜨리고 다녔는지."

말을 하면서도 남궁소소는 타닥타닥 타오르는 모닥불만 응시할 뿐, 한 번도 고개를 들어 나를 보지 않았다. 조금 전 후기지수들과 회의를 할 때는 잘도 노려보며 쏘아붙이더니.

"항주에선 약속을 하고도 배웅을 나가지 못해 미안했소. 짐작하다시피 소저가 천룡표국을 다녀가고 난 뒤에 상황이 매우 급박하게 돌아갔소. 나로서는 비밀을 유지해야……."

"설명하지 않아도 돼요."

"음?"

"나 어린애 아니라고요."

"알고 있소. 나보다도 두 살 많은 거."

"살면서 갑자기 누군가를 죽이고 싶거나 그럴 때는 지금을 한번 떠올려 줘요. 그때 남궁소소가 이런 기분이었겠구나 하면서."

"많이 기다렸소?"

"실은 나도 정신이 없었어요. 깜빡하고 늦잠을 자는 바람에 제대로 씻지도 못하고, 옷도 대충 걸친 채 헐레벌떡 세옥 오라버니를 따라나섰거든요. 안 나오길 정말 잘했어요. 그런 모습 보여주면 어쩔 뻔했어요."

"이미 다 봤소."

"예?"

"세옥 형님과 함께 나란히 말을 타고 가는 걸 봤다고. 지금 말한 것과는 많이 다르던데."

남궁소소가 처음으로 고개를 들어 나를 보았다.

이어 가자미눈까지 뜨고는 못 믿겠다는 듯 말했다.

"사기 치지 말아요."

"꽃과 나비를 은은하게 수놓은 새하얀 비단 궁장을 입고, 보옥으로 요란하게 장식한 술을 요대에 매달아 살짝 멋을 부렸으며, 머리카락은 한올 한올 참빗으로 곱게 빗어 올린 다음 내가 사준 목련잠으로 쪽을 지고, 거기다 꽃 모양의 작은 노리개를 꽂아……"

"그만!"

"본인 맞소?"

"대체 어디서 보고 있었던 거죠?"

"수로에서 배를 타고 가다가."

"그런데 왜 아는 척을 안 했어요?"

"뒤에 마교 놈들 몇 명이 따라붙어 있었소. 소저가 나와 접선할지도 모른다고 생각했던 모양이오."

"그럼 그때?"

"알고 있었소?"

"알다마다요. 세옥 오라버니가 항주 외곽까지 조용히 달고 가서는 모조리 때려눕혔죠. 그런 다음 놈들의 이빨을 잡고 흔들면서 고문하다가 천룡표국에서 벌어진 일들을 알게 됐고요."

"역시 세옥 형님이시군."

"고문은 내가 했어요."

"……!"

"그래서 어땠는데요?"

"뭐가 말이오?"

"나 어땠냐고요."

"돈이 엄청 많은 여자 같았소."

"고상하고 기품이 있으면서 귀태가 났다라. 하여튼 눈썰미는 있어가지고."

"그렇게 들렸소?"

"쑥떡같이 말해도 찰떡같이 알아들으니 얼마나 다행이에요. 안 그래요?"

"연륜이 느껴지는 표현이오."

남궁소소의 얼굴이 처음 막사 안으로 들어왔을 때보다 훨씬 밝아졌다. 이제는 모닥불 대신 나를 똑바로 보고 있었고.

그녀가 무언가 생각난 듯 갑자기 등에 메고 있던 행낭을 풀더니 통째로 내게 내밀었다.

"무엇이오?"

"육포랑 이것저것 좀 쌌어요. 가다가 배고플 때 먹어요. 금창약을 비롯해 비상시에 쓸 약도 몇 가지 넣었어요."

"그게 이렇게 많다고?"

"용린신갑도 들었고요."

"용린신갑을 왜?"

"나보다는 아무래도 당주님이 더 필요하실 것 같아서 드리는 거예요. 잘 쓰고 깨끗하게 빨아서 다시 돌려줘요."

"이거 원래 내 것이잖소."

"언제는 '우리가 영원히 헤어지지 않을 텐데 누구의 것인지가 왜 중요하겠소. 필요하면 말을 할 테니 그때 소저가 내게 다시 빌려주시오'라고 했잖아요."

"도로 가져가시오. 무림맹이 천마성교를 공격해 전면전이 벌어지면 나보다 소저에게 더 필요할 거요."

나는 행낭 속에서 용린신갑만 쏙 뺀 다음 남궁소소에게로 밀어놓았다.

남궁소소가 그걸 다시 내게로 밀어주며 말했다.

"전쟁은 일어나지 않을 거예요."

"날 믿는 거요?"

"아뇨."

"그런데 왜?"

"내 촉을 믿기 때문에 그래요. 왠지 표행이 꼭 성공할 것 같아요."

"같은 말 아니오?"

"달라요."

"같은 말 같은데."

"달라요."

"그래도 갖고 가시오. 내가 가지고 있으면 연소소에게 빌려줄 수도 있소. 아직 내상을 완전히 회복하지 못해서 동작이 좀 굼뜨거든."

"연소소라고요?"

"미안하오. 말이 헛나왔소."

"괜찮아요. 날 남궁소교라고만 부르지 않으면 그런 실수는 얼마든지 해도 돼요. 연소교한테 직접 해주면 더 좋고요."

"……?"

"그리고 용린신갑을 빌려줘야 한다는 게 당주님의 판단이라면 그렇게 하세요. 난 상관없어요. 그 여자가 살아야 당신도 살아서 내게 돌아올 테니까."

남궁소소가 떠나자 나는 눈을 붙일 사이도 없이 곧장 진왕의 막사를 찾았다. 혹시라도 침소에 들지 않았을까 염려했었는데, 놀랍게도 그는 그때까지 나를 기다리고 있었다.

"그만 작별 인사를 올려야 할 것 같습니다. 전하."

"그자가 내 목숨을 인질로 삼고 자네를 협박하던가?"

"그걸 어떻게!"

"태어나면서부터 귀계와 암투가 전부인 세상에서 지금까지 살아남았네. 그 정도도 눈치를 채지 못해서야 어찌 오황자께서 나를 신뢰하시겠나."

"송구스럽기 짝이 없습니다."

"나를 위해서라면 가지 않아도 되네. 어떤 고수들이 찾아올지는 모르나 내 한목숨 지킬 힘은 충분히 있으니. 자네도 내 곁에 있을 테고."

"당연히 그들은 전하의 털끝 하나 건드리지 못할 것입니다. 하지만 소생의 처지가 아무리 궁하기로 전하의 안위를 걸고 놈들과 싸울 수는 없는 일이옵니다."

"이번에도 고집을 꺾지 않을 기세로군."

"지난 며칠간 베풀어주신 은혜는 잊지 않겠습니다. 남은 여정은 부디 안전하고 편하게 지내십시오. 전하."

그러면서 나는 땅바닥에 엎드리며 대례를 올렸다.

귓전으로 진왕의 나직한 읊조림이 들려왔다.

"이런 충신을 어디서 구할꼬."

막사로 돌아왔을 때는 놀라운 일이 벌어지고 있었다. 호리독사와 연소교가 서로를 향해 시퍼런 도검을 겨누고 있었던 것이다.

"이게 무슨 짓들이야!"

"저 마녀가 성보를 훔쳐서 혼자 몰래 도망치려고 했습니다."

호리독사의 말이었다.

나는 얼른 연소교를 돌아보았다. 과연 그녀의 등에 행낭이 매달려 있었다.

황급히 내 품속 주머니를 뒤져보았다. 사마옥 총군사로부터 받았던 필사본까지도 감쪽같이 사라지고 없었다. 운기행공을 할 때 웃통을 모두 벗고 막사의 벽을 바라보며 앉아 삼매에 빠졌었다. 아무래도 그때 쏙싹한 모양이었다.

"왜 그런 거요?"

"그동안 고마웠어요."

"왜 그런 거냐고 물었소."

연소교가 갑자기 하얗고 탱탱한 볼 위로 닭똥 같은 눈물을 흘리기 시작했다. 소리 내어 울지도 않고 얼굴을 찡그리지도 않았다. 그저 말 없이 눈물만 뚝뚝 흘릴 뿐이었다. 호리독사와 검을 겨누며 대치하느라 손으로 눈물을 훔치지도 못했다.

갑작스러운 상황에 호리독사는 어쩔 줄을 몰라 했다. 나와 연소교를 번갈아 보며 눈치만 실실 살폈다.

연소교가 왜 그랬는지 충분히 알 것 같았다. 그녀는 나와 진왕에게 더는 폐를 끼치고 싶지 않았던 것이다. 눈물을 흘리는 건 무섭고 외롭고 슬퍼서였다.

더불어 죽은 수하들 생각도 났을 것이다. 눈 위의 칼자국 설표, 곱사등이 산노, 말라깽이 우숙, 거대 원숭이 야차곤. 이럴 때 오랜 세월 생사를 함께한 그들이 곁에 있었다면 얼마나 든든하고 위안이 되었겠나.

"하 표사."

"하명하십시오."

"그동안 고생이 많았소. 이제 여기서 헤어집시다."

"갑자기요?"

"위험한 표행인 줄 알면서도 빼지 않고 함께해 줘서 고마웠소."

"저는 지금까지 약점을 잡혀서 끌려온 줄 알았는데요. 어쨌거나 기왕 시작한 거 마지막까지 함께 가겠습니다."

"부러진 왼팔을 목에 걸고?"

"오른팔만 있어도 먹는 데는 아무 지장 없습니다. 다리는 두 개 모두 멀쩡하고요. 척후를 살필 사람이 꼭 필요합니다. 그 방면에 저보다 뛰어난 사람이 있습니까?"

"이제부턴 천살마녀와 내가 번갈아 할 것이오."

"당주님!"

"명령이오."

아침이 밝아오자 진왕은 삼천 군병의 호위를 받으며 다시 북경으로 떠났다.

그러자 한 식경 정도 지난 후 백여 명의 무림인이 나타나 삼천 군병이 머물렀던 공터와 숲과 계곡을 샅샅이 뒤졌다. 나뭇잎이 쌓인 곳들부터 시작해 바위 아래와 물속까지. 사람이 숨을 만한 장소들은 하나도 빼놓지 않고 전부 살폈다. 심지어 젖은 흙이 있거나 다른 곳에 비해 살짝 도드라진 곳은 반 장 길이의 쇠꼬챙이로 땅을 푹푹 찔러 보기까지 했다. 무려 한 시진 동안이나.

그들은 칠성군 야율극리의 명령을 받고 온 천마성교의 특무조였다. 그중에서도 십여 명은 추종술과 은신술에 관한 한 타의 추종을 불허하는 전문가들이었다. 수색은 그들 위주로 이루어졌다. 주둔지는 깨끗했고 일백의 특무조는 이내 조용히 그곳을 떠났다.

그리고 한나절이 지난 후 또 한 무리의 무림인들이 말을 타고 나타났다. 이번엔 무려 이백여 명이나 되었다.

그들은 삼천 군병이 주둔했던 장소를 또다시 처음부터 이 잡듯이 뒤지고 다녔다. 하지만 이번에도 누군가 숨었다가 나중에라도 튀어나온 흔적 따윈 없었다.

"처음과 똑같습니다."

"이 쥐새끼들이 대체 어떻게 빠져나간 거지?"

"멀리 가진 못했을 겁니다. 북쪽으로 가려면 일단 탑하림(塔河林)을 지나야 하니 숲과 협곡을 봉쇄하면 오늘이 가기 전에 꼬리를 잡을 수 있습니다."

천마성교도들은 결국 이번에도 아무런 소득을 얻지 못한 채 주둔지를 떠났다.

그런 다음 해가 지고 어둠이 깔리기 시작할 무렵이었다. 막사 안의 불 땐 자리에서 모닥불을 둘러싼 돌덩어리 하나가 까딱까딱 움직이다가 옆으로 툭 굴렀다.

돌덩어리가 가렸던 자리에는 어른 손가락 굵기의 대나무 줄기 두 개가 불쑥 솟아올라 있었다.

잠시 후에는 땅거죽이 쑥 올라오고 갈라지면서 시커먼 남자가 머리를 쏙 내밀었다.

그는 좌우를 한참이나 둘러본 다음 아무도 없는 것을 확인한 후에야 밖으로 기어 나왔다. 그리고 자신이 나온 땅속으로 손을 밀어 넣어 함께 묻혀 있던 여자를 꺼냈다.

"고생 많았소."

"정말 성공했군요."

"내가 될 거라고 했잖소."

"어떻게 이런 생각을 했죠?"

"표행을 다니다 보면 강도들에게 당해 죽은 타 표국 표사들의 주검을 발견하는 일이 가끔 있소. 그때 쓰는 방법이오."

"왜요?"

"표행 중에 갑자기 목적지를 바꿀 수 없으니 짐승들이 뜯어 먹지 못하도록 이렇게 땅속에 묻어두는 거요. 위에다 모닥불을 피우는 건 표시를 해두기 위한 것이고. 그리고 돌아가는 길에 다시 주검을 수습한 다음 해당 표국에 인계해 주면 되오. 만약 해당표국이 멀거나 다른 방향에 있다면 사람을 보내 가묘의 위치를 알려주든가."

"지둔공은 또 언제 배웠어요?"

"잠백지둔이라는 도화곡의 무공이오. 장문 사저께서 내게 이걸 전수해 주시며 말씀하시길, 열심히 익혀두면 언젠가 한 번은 네 목숨을 구해줄 거라시더니. 이렇게 써먹을 줄이야."

"표사들의 지혜와 사문의 무공 덕분에 천라지망을 무사히 뚫었……."

"쉿!"

나는 등에 가로질러 멘 월인소야검을 재빨리 비스듬하게 눕혔다. 이어 어둠이 깔린 공터를 노려보며 서늘한 음성으로 말했다.

"어떤 고인들께서 왕림하셨는지요?"

그제야 상황을 깨달은 연소교가 허리에 찬 협봉검을 돌려세우며 내 옆에 나란히 섰다.

잠시 후, 저만치 어둠 속에서 다섯 필의 시커먼 말이 천천히 모습을 드러냈다.

또각 또각 또각.

한데 말을 탄 사람은 모두 셋이었고 두 필은 주인이 없었다.

세 사람은 칠흑처럼 검은 피풍의에 죽립을 썼으며 안장과 등에는 활과 화살과 도검을 묶거나 멘 상태였다.

이윽고 말이 멈추었고 세 사람 전부 죽립을 벗어 올렸다.

한 사람은 떡 벌어진 어깨에 기둥뿌리 같은 다리를 지닌 사십 줄의 사내였고, 한 사람은 곰처럼 퉁퉁한 체구에 보옥이 화려하게 박힌 패검을 찬 오십 줄의 장년인 이었다. 마지막으로 상투를 튼 사람은 큰 키에 수려한 용모를 자랑하는 서른 후반의 사내였다.

어처구니없게도 그들은 하나같이 내가 너무나 잘 아는 사람들이었다.

"당신들은!"

흑의인들은 풍운표검 설인탁과 황금장표 석불원과 남궁세가의 뇌옥에서 처음 만났던 왜인 무사 미나모토였다.

하마터면 놀라서 까무러칠 뻔했다.

영문을 모르는 연소교는 검파를 잡고는 잔뜩 긴장한 채 내 명령이 떨어지기만을 기다렸다.

가운데 있던 석불원이 파헤쳐진 모닥불 자리를 힐끗 보고는 말했다.

"역시 모닥불 밑에 강시처럼 숨어 있을 것 같더라니."

"대체 여긴 어떻게 오신 겁니까?"

"이런 버르장머리 없는 후배를 보게. 업계의 까마득한 선배들을 뵈었으면 응당 포권지례부터 올리는 것이 예의지."

석불원의 농담에 설인탁이 가볍게 웃고는 내게 물었다.

"혹시 황하를 건널 생각인가?"

"그렇습니다만."

"주어진 시간은?"

"오늘부터 사흘입니다."

"그 정도면 충분할 것 같군. 우리가 건너게 해주겠네."

"예?"

"……!"

나도 연소교도 놀란 나머지 눈을 동그랗게 떴다. 특히 연소교는 갑자기 나타난 괴인들이 적이 아님을 알아차리고는 더욱 놀란 얼굴이 되었다.

설인탁의 말이 이어졌다.

"알다시피 산동성, 하남성, 남직예성은 여기 계신 황금장표 선배님과 내가 평생 표행을 다닌 터전일세. 사람들이 찾지 않는 숲속 오솔길은 물론이거니와 뱀들이 기어 다니는 절벽 사잇길까지 손금 보듯 들여다보고 있지."

"선배님들께서 왜요?"

"금사강에서 죽은 유성표 한백경의 명예를 지켜준 것에 대한 보답이라고 생각하게. 자네의 부친만큼은 아니겠지만 우리도 그가 사주는 술을 제법 얻어 마셨다네."

강호인들은 표왕 이종산, 황금장표 석불원, 풍운표검 설인탁, 유성표 한백경을 일컬어 사대명표라고 불렀다. 이종산은 여기서 다시 표왕으로 불리면서 그야말로 독보적인 위치에까지 올랐고.

사대명표들끼리 교류가 있는 것은 너무나 당연한 일이었다. 그리고 친하고 친하지 않고를 떠나 다른 표사들은 알 수 없는 그들만의 유대감이 있을 것이다.

"그건 풍운표검의 생각이고, 나는 아무리 어렵고 특별한 표행이라도 황금을 손에 쥐여주지 않으면 절대로 의뢰를 받지 않는 것을 평생의 규칙으로 삼았지. 금전 일천 냥에 나를 고용하겠나?"

"아니요."

"그럴 것 같아서 이번만 예외로 하기로 했네."

"한데 저 왜구는 왜 데리고 오신 겁니까?"

"어쩌다 보니 그리되었네. 자네처럼 명표가 되고 싶다며 졸졸 따라다니기에 한번 데리고 다녀보는 중일세."

"제가 언제 그랬습니까?"

미야모토가 옆에서 발끈했다. 아직 어눌한 구석이 있지만 예전보다 훨씬 능숙하게 한족 말을 구사했다. 게다가 예전처럼 안하무인이 아니라 곁눈질까지 하며 석불원의 눈치를 실실 보았다.

나는 다시 석불원을 돌아보며 말했다.

"전 아직 명표가 아닙니다만."

석불원은 옆을 돌아보며 설인탁과 잠시 눈을 맞추었다.

그러자 설인탁이 가볍게 웃고는 나를 내려다보며 말했다.

"아직 소문을 못 들었나 보군. 이번 표행의 성공 여부와 상관없이 강호의 많은 표사들이 이미 자네를 새로운 명표라 부르기 시작했네."

2장
황하를 건너다

삼경에 다다랐을 무렵, 우리는 달빛 아래로 끝없이 펼쳐진 어느 숲과 맞닥뜨렸다. 탑하림(塔河林)이었다.

황하로 가려면 반드시 이곳을 지나야 했다. 천마성교들은 회수에서 그랬던 것처럼 탑하림에서도 함정을 파놓고 기다릴 것이다. 한데도 석불원은 아무렇지 않게 앞장을 섰다. 심지어 다섯 명 모두 말까지 탄 상태였다.

나와 연소교만 좌불안석일 뿐 설인탁은 석불원에게 길잡이를 맡긴 채 아무런 신경도 쓰지 않았다. 미나모토는 아예 우리가 지금 어떤 자들에게 쫓기고 있으며 어디를 향해 가고 있는지조차도 모르는 눈치였고.

나는 조금 속도를 내어 석불원과 말 머리를 나란히 한 다음 작은 목소리로 물었다.

"괜찮겠습니까?"

"무얼 말인가?"

"장담하건대 지금 이 숲엔 사천여 명에 달하는 마교도들이 포진해 있을 겁니다. 우리가 숲으로 들어오기만을 눈에 불을 켜고 기다리면서요."

"여길 와본 적이 있나?"

"처음입니다."

"탑하림은 이름 그대로 탑처럼 높이 솟구친 기암괴석들과 그 사이로 구불구불 흐르는 강과 끝없이 펼쳐진 전나무 숲이 한데 어우러진 곳이네."

"그렇다고 하더라고요."

"덕분에 대낮에도 볕이 잘 들지 않거니와 함부로 길을 벗어났다가는 천연의 미로에 갇혀 몇 날 며칠을 헤매기 십상이지. 거기다 지금은 깜깜한 밤이기까지 하군."

광활한 데다 복잡하고 어두운 만큼 적들이 우리를 발견하기가 쉽지 않을 거라는 뜻이다. 심지어 우리는 지금 길이 아닌 곳으로 가고 있었다. 한데도 석불원은 울창한 전나무 가지들을 뚫고 들어온 희미한 달빛에 의지해 척척 잘만 나아갔다.

그는 절정고수이니 작은 불빛만으로도 안력을 끌어 올려 웬만큼은 어둠 속을 식별할 수 있을 것이다. 하지만 그것보다는 이 숲을 구석구석 아주 잘 아는 것 같았다. 덕분에 우리는 한눈팔지 않고 그의 꽁무니만 따라가면 되었다.

어느 순간 석불원이 말을 멈추었다. 이어 저 멀리 더욱 짙은 어둠에 잠긴 숲속을 한참이나 뚫어지게 보았다.

지금까지는 숲의 초입에 불과했을 뿐 이제부터가 진짜였다.

나는 다시 그에게 다가가 조심스럽게 제안을 해보았다.

"이쯤에서 말을 버리고 잠행술을 펼치며 가는 게 어떻겠습니까? 그 편이 훨씬 빠르고 안전할 것 같습니다만."

"나는 정말 다급한 경우가 아니면 말 없이 십 리 이상을 가본 적이 없네. 한데 황하까지는 앞으로도 수백 리를 가야 하지."

"커다란 덩치는 그렇다고 쳐도, 말발굽 소리가 날 겁니다. 선배님께서도 잘 아시다시피 밤중에는 소리가 멀리까지 퍼지고요."

"모두 말에 제혜(蹄鞋)를 씌우도록."

제혜란 가죽과 가죽 사이에 천을 여러 겹 덧대어 만든 것으로, 편자가 박힌 말발굽에 씌우는 발싸개를 말한다. 이걸 씌우고 가면 또각또각하는 말발굽 소리를 절반으로 줄일 수 있었다. 하지만 갑자기 제혜를 어디서 구한단 말인가.

그때 석불원이 말에서 내린 다음 안장에 묶어놓은 행낭을 뒤져 제혜를 잔뜩 꺼냈다. 이어 모두에게 골고루 나누어주었다.

석불원은 다섯 필의 말에 제혜를 씌우는 것만으로 만족하지 않았다. 한발 더 나아가 돌이나 바위가 없는 흙 지대를 귀신같이 찾아내 그리로만 움직였다. 그래서인지 이따금 왼쪽으로 야트막한 강이 나타났다가 사라지기를 반복했다.

다행히 강은 북에서 남으로 흘러 우리가 도강을 해야 할 일은 없었다. 다만 강이 나타나면 아무리 깜깜한 밤이라고 해도 숲속과 달리 시야가 트이기 때문에 적들의 눈에 띄지 않도록 각별히 조심해야 했다.

문제는 갑자기 나타나 앞을 막아서는 수십 장 높이의 기암괴석들이었다. 사실은 둘레를 짐작할 수 없을 만큼 거대한 돌기둥이라고 하는 편이 더 정확했다. 돌기둥을 피하려면 당연히 돌아가야 하는데, 그곳엔 다른 돌기둥과의 사이에 짧게나마 협곡이 형성되어 있었다. 이런 형태의 지형이 반복적으로 계속해서 펼쳐졌다. 우리는 그사이를 요리조리 통과하며 지났고.

만약 이런 식으로 탑하림에 길을 낸다고 가정하면 수만 가지 경우의 수가 있을 것 같았다. 한데 저런 협곡 중 어딘가에 천마성교의 눈 밝은 척후병이 매복해 있다면?

"숫자가 사천여 명에 달하니 적 진영에도 탑하림을 손금 보듯 들여다보는 자들이 분명 여럿 있을 겁니다."

"당연히 그렇겠지."

"그자들이 요소요소에 척후병들을 심어두었을 겁니다. 우리를 발견하면 곧장 본대로 연락을 취할 것이고요."

"많이 불안한가 보군."

"선배님의 실력을 의심하는 건 아닙니다. 다만, 계속해서 상리를 벗어난 방식으로 움직이시니 조금 걱정이 되긴 합니다."

"자네도 그닥 상식적으로 움직이는 표사는 아니었던 것 같은데. 아무튼 우린 척후병들을 하나씩 솎아내며 놈들의 턱밑에다가 도둑 길을 만들 것이네."

석불원이 돌연 말(馬)을 멈추고 뒤쪽을 향해 손가락을 까딱거렸다. 그러자 미나모토가 말에서 훌쩍 뛰어내려서는 쏜살같이 달려왔다. 이어 모기만 한 소리로 물었다.

"부르셨습니까? 사부님."

"누가 네 사부야. 표사님이라고 부르라니까. 석불원 표사님."

"그건 발음이 어렵스므니다."

"갑자기 왜 서툰 척이야?"

"제자로 삼기 싫으시면 돈을 주시든가요. 표사님께선 원래 의뢰가 들어오면 최고 적임자를 찾아 돈을 아끼지 않고 고용하는 방식으로 표행을 하셨잖습니까."

"그래서 네가 최고 적임자다?"

"저만한 칼잡이 보셨습니까?"

"표사 일이 어디 칼싸움만 잘한다고 된다더냐?"

"그러면서 지금 저를 부르신 건 바로 그 칼 솜씨 때문이겠지요?"

"누가 왜구 아니랄까 봐 눈치는 빨라 가지고."

"왜구와 눈치 빠른 게 무슨 상관있습니까?"

"됐고. 묘시 방향으로 오십여 장 정도 가면 황소만 한 바위가 하나 있다. 협곡 전제를 조망하기에 최적의 매복 장소지. 최소 두 명, 처리할 수 있겠어?"

"두 당 금전 한 냥씩입니다."

"죽이진 말고 기절만 시켜."

"기절시키는 건 두 냥이고요."

"나중에 풍운비룡에게 받아."

갑작스러운 상황에 나와 미나모토는 잠시 서로를 응시했다.

미나모토가 다시 석불원을 돌아보며 말했다.

"그에게 돈을 받건 말건 알아서 하시고요. 저는 무조건 표사님께 받겠습니다. 두 명이니까 넉 냥입니다."

"왜?"

"저 인간과는 돈으로 엮이고 싶지 않습니다. 십중팔구 못 받을 테니까요."

"약탈을 일삼던 왜구가 열 살이나 어린 표사에게 돈 받아내는 걸 두려워한다고?"

"약속하신 줄로 알겠습니다."

일방적으로 말을 끝낸 미나모토가 갑자기 어둠 속을 향해 달려갔다. 한데 불과 서너 걸음도 옮기지 않아 그의 신형이 연기처럼 사라져 버렸다.

'인자술(忍者術)!'

인자는 요인 암살과 정탐을 전문으로 하는 왜국의 살수들을 일컫는 말이었다. 살수비기와 접목한 그들의 은신술은 대륙의 공부보다 한 수 위라는 말이 있을 지경이었다.

석불원의 작전은 간단했다. 어차피 놈들의 눈에 전혀 띄지 않고 탑하림을 가로질러 가는 건 불가능하다. 해서 우리가 먼저 저들의 눈이 되는 척후병들을 찾아 하나씩 제거한 후 조용히 숲을 빠져나가자는 거였다. 우리를 찾기 위해 매복해 둔 척후병들을 잇는 가상의 선이 역설적이게도 탑하림을 빠져나가는 길이 되어주는 셈이었다.

과연 이게 통할까 했는데, 어처구니없게도 통했다. 대신 미나모토와 설인탁과 내가 번갈아 가며 단내가 나도록 뛰어다녀야 했다.

가끔은 세 명 모두가 동시에 출동해야 하는 경우도 있었다.

나는 도화곡으로부터 천금풍과 잠백지둔 외에도 잠백비행이라는 은잠술을 전수받아 익혔다. 해서 석불원이 찍어주는 장소로 은밀히 접근한 다음 마혈을 짚어 척후병을 쓰러뜨리는 건 일도 아니었다.

한데 이런 일에 관해서만큼은 미나모토의 실력이 우리 셋 중 가장 뛰어났다. 석불원이 그를 데려온 데는 다 이유가 있었던 것이다.

그렇게 한 시진 정도를 이동했다. 느리기 짝이 없는 속도였다. 지금은 빨리 가는 게 아니라 적들의 눈에 띄지 않는 게 중요했기 때문에 꾹 참았다.

한데 그마저도 불가능한 돌발 상황이 발생했다. 몇 번째인지 모를 협곡을 코앞에 두고 우리가 지나온 뒤쪽 어느 한 지점에서 갑자기 신호용 폭죽이 솟구친 것이다.

슈슈슈슉 펑!

"풍운비룡이 맡았던 곳입니다!"

"무슨 근거로 내가 맡았던 곳이라는 거요?"

"나는 실수를 했을 리 없으니까. 제대로 기절을 시키지 못할 것 같으면 아예 숨통을 끊어놓았어야지. 나약하긴."

미나모토와 내가 나눈 말이었다. 기껏 도와주러 온 사람에게 화를 낼 수도 없고, 나는 얼굴만 시뻘게졌다.

그러자 옆에 있던 설인탁이 석불원을 보며 말했다.

"다른 척후병이 교대를 하러 왔다가 쓰러져 있는 동료들을 발견한 모양입니다."

"아직 두 곳을 더 통과해야 하는데 생각보다 빨리 들켜 버렸군. 할 수 없지. 지금부터는 전속력으로 달린다. 모두 내게서 오 장 이상 떨어지지 않도록!"

말과 함께 석불원이 어둠 속을 향해 쏜살같이 말을 달렸다. 나와 연소교와 미나모토와 설인탁도 뒤를 이었다.

그 사이 뒤쪽에서는 우리가 지나온 협곡을 따라 계속해서 신호용 폭죽이 솟구치고 있었다. 저 폭죽을 가상의 선으로 이으면 정확히 우리가 나아가는 방향이 된다. 탑하림 어딘가에 있을 사천여 명의 천마성 교도들이 저걸 보고는 벌 떼처럼 달려오기 시작할 것이다.

목전에 두었던 협곡을 전속력으로 달려서 통과할 때였다. 오른쪽 석벽 아래에 형성된 작은 관목숲으로부터 세 쌍의 파란 불빛들이 보였다. 척후병들이었다.

우리가 지나치는 순간 바로 폭죽을 쏘아 올려 위치를 알릴 게 분명했다. 하지만 미처 말에서 내려 처리를 하고 갈 시간이 없었다.

그때였다.

쒝! 쒝! 쒝!

내 뒤쪽으로부터 세 번의 무시무시한 파공성이 울렸다. 그와 동시에 관목숲에 매복해 있던 척후병들이 몸을 뒤집으며 쓰러지는 게 보였다. 설인탁이 달리는 마상에서 활을 쏜 것이었다. 놀라운 수준의 기마궁술이었다.

그의 활약으로 목전의 협곡은 무사히 통과했다. 하지만 놈들이 추적해 오는 속도를 조금 늦출 수 있을 뿐, 근본적인 해결이 될 수는 없었다. 만약 내가 야율극리라면 백 명씩 독자적인 작전이 가능한 별동대(別動隊)를 편성해 모두 마흔 곳에 나누어 포진시켰을 것이다. 그래야 어느 쪽에서 접근을 해오든 가장 가까운 곳에 있는 별동대가 출동해 발목부터 잡을 수 있을 테니까. 그사이 다른 곳에 포진해 있던 별동대들이 신호를 받고 몰려오면 된다. 그때부터는 독 안에 든 쥐를 잡은 것처럼 쉽다.

어느 순간 빽빽하던 나무가 사라지면서 다시 강변이 나타났다.

장애물이 사라지자 석불원은 더욱 속도를 높였다. 바로 그때 오른쪽의 숲으로부터 시커먼 그림자들이 쏟아져 나오기 시작했다. 숫자는 백여 명, 가장 가까이 포진해 있던 적 별동대가 마침내 출동한 것이다.

천만다행인 것은 간발의 차이로 놈들이 우리를 막아서지 못했다는 사실이었다. 그 바람에 우리는 다시 도주하는 입장이 되었고, 반대로 놈들은 말을 달리거나 경신공을 펼치며 추적하는 입장이 되었다.

"풍운표검!"

"말씀하십시오!"

"우리의 존재감을 확실히 드러낼 수 있겠나?"

"물론이죠!"

조용히 도망쳐도 모자랄 판에 존재감을 확실히 드러내자고?

알 수 없는 말을 주고받더니 설인탁이 또다시 달리는 마상에서 뒤쪽의 적들을 향해 활을 쏘기 시작했다.

쒝! 쒝! 쒝!

파공성이 울릴 때마다 적 선두에서 달리던 말들이 화살을 맞고 픽픽 고꾸라졌다. 죄 없는 말이 쓰러지는 것은 안타까운 일이지만, 사람을 쏘아 맞혔을 때보다 효과는 훨씬 컸다. 커다란 덩치의 말이 쓰러지면서 주변을 난장판으로 만들어 버렸기 때문이다.

그 와중에도 적들은 우리가 달려가는 한참 앞쪽 허공에다 쉬지 않고 폭죽을 쏘아댔다. 덕분에 강변이 대낮처럼 밝아졌다 어두워지기를 반복했다.

그러던 어느 순간, 어둠 속에 숨어 있던 또 하나의 협곡이 모습을 드러냈다. 지금까지 만났던 협곡들 중 가장 크고 넓었다. 왼쪽 절반은 절벽에 붙어서 흐르는 강이었는데, 나머지 절반인 오른쪽 강변에 중무장한 수백 명의 적들이 기다리고 있었다.

"모두 정신 바짝 차리도록!"

석불원은 일갈을 내지른 후 더욱 속도를 냈다. 아예 그대로 돌진하기라도 할 기세였다.

나는 한순간 그가 미친 게 아닐까 하는 생각이 들었다.

"발도!"

거리가 가까워지자 누군가의 외침을 시작으로 협곡을 막아선 적들이 일제히 도검을 뽑아 들었다. 번쩍이는 수백 자루의 도검은 살벌함을 넘어 비현실적이게까지 느껴졌다.

협곡을 이십여 장 정도 앞두고 석불원이 돌연 방향을 꺾었다. 이어한 마디 예고도 없이 오른쪽 숲속으로 뛰어들었다.

이건 또 뭐지?

"놈들을 쫓아라!"

"폭죽을 쏴라!"

당황한 수백 명의 적들이 서둘러 숲으로 달려들어 오는 게 느껴졌다.

머리 위 까마득한 허공에서는 계속 폭죽이 터졌다. 그러나 빽빽하게까지 자란 전나무 때문에 우리는 폭죽을 볼 수 있어도, 뒤따라 오는 적들은 우리를 발견하기가 쉽지 않았다. 덕분에 지금 당장은 놈들과 맞닥뜨리는 최악의 상황을 피할 수 있었다.

하지만 이대로 계속 가면 숲을 벗어나는 게 아니라 오히려 깊이 들

어가게 된다. 내가 가장 우려한, 미로에 갇힌 물고기가 우왕좌왕하다
가 더 깊은 그물 속으로 헤엄쳐 들어가는 상황이 벌어지는 것이다.

"계획이 다 있으신 거죠?"

"전속력으로 도망친다!"

"그게 계획입니까?"

"다른 더 좋은 계획이 있나?"

그때 앞쪽 저 멀리 어둠 속으로부터 수백 개의 횃불이 나타났다. 횃
불은 숲을 대낮처럼 밝히며 우리를 향해 빠른 속도로 달려오는 중이
었다. 앞과 뒤 모두에서 수백의 적들이 달려오고 있는 상황이었다.

석불원이 지금까지와 달리 착 가라앉은 음성으로 말했다.

"행낭과 무기들을 챙기도록!"

뭐가 어떻게 되어가는 줄도 모르고 일단 시키는 대로 했다. 이윽고
준비를 마쳤을 때, 석불원이 달리는 마상에서 몸을 날리더니 왼쪽 숲
으로 냅다 도망쳤다.

'말 없이 십 리 이상을 가지 않으니 어쩌니 하더니만!'

나와 연소교와 미나모토와 설인탁도 재빨리 뒤를 따랐다. 그 바람
에 주인 잃은 다섯 필의 말만 자기들끼리 어두운 숲속을 질주했다. 뒤
에서 추적해 오던 수백의 적들은 그 소리를 듣고 당분간 빈 말을 쫓아
갈 것이다. 그사이 우리는 계속해서 왼쪽 숲으로 들어갔다.

한참을 달리자 눈앞에 백여 장 높이로 우뚝 솟은 절벽이 나타났다. 조
금 전 수백의 적들이 포진하고 있던 협곡 오른쪽 절벽의 연장인 것 같
았다.

석불원은 그 절벽의 갈라진 어느 틈으로 쏙 들어갔다.

절벽 안쪽은 좁은 입구와 달리 점점 넓어지더니 마침내 마차 한 대가 달릴 수 있을 정도까지 되었다.

그 위치에 이르러 석불원이 도주를 멈추고 말했다.

"절벽 전체가 폐산암(敝散巖)으로 이루어져 있네. 때문에 중간에 멈춰서 무언가를 잡으려 하면 제아무리 고수라도 그대로 곤두박질치고 말지. 무조건 한 번에 끝까지 쉬지 않고 올라가야 한다는 걸 명심하도록!"

폐산암은 말 그대로 깨지고 부서져 내리는 바위를 말한다. 말이 좋아 바위지, 굵은 모래와 돌 조각들이 알 수 없는 어떤 힘에 의해 단단하게 뭉쳐진 것이라고 보면 된다.

당연히 벽호공을 펼쳐서 올라갈 수가 없다. 보기에는 뭐가 삐죽삐죽 튀어나와 있는 것 같아도 발끝이나 손가락에 몸무게를 싣는 순간 우수수 부서져 버리기 때문이다.

"여길 올라간다고요?"

"그렇네."

"설마, 돌기둥 꼭대기로 올라가서 수성전을 펼치려는 건 아니시겠지요?"

"이건 지금까지 보았던 것 같은 돌기둥이 아닐세. 꼭대기가 다른 땅과 연결되는 진짜 절벽이지."

"……!"

석불원은 까마득한 절벽 넘어 별이 반짝이는 밤하늘을 잠시 응시했다. 그러다 갑자기 왼쪽 석벽으로 뛰어올랐다. 이어 두어 걸음을 타다닥 오르다가 다시 석벽을 박차며 오른쪽 석벽으로 옮겨 탔다. 거기서 다시 두 걸음을 오른 후 왼쪽 석벽으로, 다시 오른쪽 석벽으로. 그가 원숭이처럼 석벽을 이쪽저쪽으로 박차고 오를 때마다 돌 조각들이 우수수 떨어져 내렸다. 하지만 속도는 벽호공을 펼치는 것보다 훨씬 빨라서 잠깐 사이에 십여 장이나 올라갔다.

"이런 건 처음 봐요."

연소교가 넋 나간 표정으로 석불원을 올려다보며 말했다.

그제야 나는 이 모든 게 석불원의 머릿속에 들어 있던 계획이라는 걸 깨달았다. 심지어 불리함을 감수하면서까지 말을 타고 숲으로 들어온 것까지도.

설인탁이 나를 재촉하며 말했다.

"서두르게. 지금쯤이면 놈들이 빈 말임을 알아차리고 주변을 이 잡듯이 뒤지고 있을 걸세. 길어야 반 각이네."

"반 각이라고요?"

"빈틈은 공간이 아니라 시간에도 있는 법이지. 반 각이면 천마성교 도들을 피해 탑하림을 벗어나기에 충분히 큰 빈틈이고."

그 말과 함께 설인탁도 앞서 석불원과 똑같은 방법으로 신법인지 벽호공인지 모를 기예를 펼치며 오르기 시작했다.

탑하림을 지나서부터는 석불원은 뒤로 빠지고 줄곧 후미를 맡았던 설인탁이 선두에 서서 길을 잡았다. 그는 곧장 경공술을 펼치며 절벽과 연결된 산속으로 우리를 이끌었다.

한밤중 달과 별을 머리에 이고 가파른 산길을 한 식경 쯤 달리다 보니 공력의 고하가 적나라하게 드러났다. 미나모토의 숨소리가 가장 먼저 그리고 빠르게 거칠어지기 시작한 것이다. 하지만 중원의 무림인들에게 지기 싫었는지 개처럼 헐떡대면서도 죽으라고 달렸다.

미나모토만큼은 아니어도 연소교 역시 매우 힘들어했다. 어딜 가서도 고수 소리를 듣는 그녀였지만, 삼백 년 공력을 가진 나와 절정고수인 두 명표들 사이에서는 어린아이나 다름없었다.

곰처럼 크고 뚱뚱한 체구 탓에 다른 사람들보다 체력 소모가 극심한 석불원은 생각보다 잘 버티었다. 말 없이는 십 리 이상을 가지 않는다고 투덜댔던 것과 달리 상황이 닥치자 잘만 달렸다. 역시 본신 실력은 어딜 가지 않는 법이다.

설인탁은 한 줄기 바람 그 자체였다. 깜깜한 데다 길도 없는 산속을 달리면서도 그는 한 번도 머뭇거리거나 주저하는 법이 없었다. 그가 발을 딛고 달려간 곳 자체가 뒤를 따르는 사람들에겐 그대로 길이 되었다.

그 모습이 신기했던지 연소교가 전음으로 내게 물었다.

[앞서 탑하림에서 황금장표께서도 그렇고, 길도 없는 숲길을 어떻게 저토록 빨리 달릴 수 있는 거죠?]

[숲에는 길이 없어도 저분들의 머릿속에는 대로가 뚫려 있을 것이오.]

능선 세 개를 쉬지 않고 넘은 후 다시 어느 평지의 좁디좁은 외길로 접어들었을 때였다. 갑자기 앞쪽에서 한 무리의 무림인들이 또각또각 말을 타고 나타났다.

숫자는 모두 다섯, 달빛에 비친 그림자의 형태로 미루어 죽립을 썼고 등에는 행낭과 도검을 한 자루씩 가로질러 멘 상태였다. 삼경을 넘긴 밤중에 이런 오지의 산길에서 말 탄 무림인들을 만나는 건 아무리 양보해도 우연일 수가 없었다.

'숨 돌릴 틈을 안 주는군!'

등에 멘 월인소야검을 언제라도 뽑을 수 있도록 비스듬히 눕혀놓았다. 고작 다섯 명이 성보를 노리고 왔다면 엄청난 고수들일 게 분명했기 때문에 나도 모르게 바짝 긴장됐다.

연소교도 나를 따라서 협봉검의 검파를 가만히 쥐었다. 성질 급한 미나모토는 왜도를 이미 반쯤 뽑은 채로 놈들을 죽일 듯이 노려 보며 기다렸다.

한데 석불원과 설인탁은 전혀 긴장한 기색이 아니었다.

"딱 맞춰서 오는군."

"우리가 맞춰 온 것이지요."

잠시 후, 기마인들이 코앞에까지 이르렀다. 그러자 시비를 걸어오기는커녕 말을 멈추고 모두 훌쩍 뛰어내리더니 설인탁에게 포권지례를 올렸다.

"대표두님을 뵙습니다."

"고생들이 많군."

"천만의 말씀을요."

"길은?"

"방산협로(防山狹路)로 가십시오."

"식수와 건량은?"

"안장 옆 행낭에 충분히 넣어두었습니다."

"뒷일을 부탁하네."

"염려 마십시오."

대답을 꼬박꼬박하던 자가 고삐를 설인탁에게 넘겼다. 나머지 네 명은 각각 나와 연소교와 미나모토와 석불원에게 넘겼고.

냉큼 고삐를 받아쥐는 석불원과 달리 어리둥절해하는 나와 연소교와 미나모토에게 설인탁이 말했다.

"내 동료들이니 안심하시게."

아무래도 유성표국(流星鏢局)의 표사들인 것 같았다.

유성표국은 하남성에서 가장 큰 표국이자 풍운표검 설인탁이 대표 두로 있는 곳이었다. 단순히 연중 운송하는 물동량이나 거느리는 표사들의 숫자로만 보자면 일 년 전의 천룡표국보다도 훨씬 컸다.

구태여 '일 년 전'이라고 단서를 다는 것은 내가 장강에 범선 일곱 척을 띄우고 운행하면서부터 판도가 바뀌어 버렸기 때문이다. 물동량으로도 그렇고, 거느리고 있는 표사와 쟁자수들의 숫자로도 그렇고. 이제 대륙에서 천룡표국보다 크거나 어깨를 견줄 만한 표국은 단 두 곳밖에 없었다. 하나는 황궁이 있는 북경에 자리 잡은 경원표국(京元鏢局)이었고, 다른 하나는 고대의 교역로가 시작되는 천년고도 장안에 뿌리내린 북성표국(北星鏢局)이었다.

"다들 서두릅시다!"

설인탁의 재촉에 석불원은 깃털처럼 가벼운 동작으로 말에 올라탔다.

나는 유성표국의 이름 모를 표사들을 향해 포권지례부터 했다.

"알고 보니 유성표국의 선배님들이셨군요. 오늘 일은 절대 잊지 않겠습니다."

"의뢰를 따낼 때는 치열하게 경쟁해도 길 위에서 만나면 모두 형제가 되는 것이 표사들의 오랜 전통 아니겠습니까? 부디 표행에 성공하시길 바랍니다."

덕분에 우리는 다시 말을 타고 편하게 달릴 수 있었다. 아직 탑하림을 뒤지고 있을 사천여 천마성교도들보다 한 걸음 빠른 행보였다.

한데 설인탁의 안배는 그것으로 끝이 아니었다. 오십여 리를 쉬지 않고 달려 어느 산기슭 아래로 난 길에 다다랐을 때였다. 이번에도 다섯 명의 무림인들이 젊고 건강한 말 다섯 필을 탄 채 맞은편에서 천천히 걸어오는 게 보였다. 우리를 발견하자 그들은 길을 막아선 채 말 머리를 돌려세운 다음 훌쩍 뛰어내렸다.

그들의 앞에 이르러 설인탁이 말에서 내리자 자연스럽게 대화가 시작되었다.

"대표두님을 뵙습니다."

"고생들이 많군."

"천만의 말씀을요."

"길은?"

"형강고도(滎江古道)로 가십시오."

"뒷일을 부탁하네."

"염려 마십시오."

대화를 끝낸 설인탁은 땀을 비 오듯 흘리는 말을 사내에게 건네고, 그가 끌고 온 새로운 말에 올라탔다. 그런 다음 이번에는 가타부타 설명도 없이 혼자서 그냥 내빼 버렸다.

진작부터 말에 타고 있던 석불원과 그를 따라서 역시나 말에 타고 있던 미나모토가 뒤를 따랐다.

나는 짧게라도 표사들에게 인사를 한 후에야 말에 올랐다.

"고맙습니다. 신세는 꼭 갚겠습니다!"

"건승을 빕니다!"

새 말로 갈아타고 일각쯤 달렸을 때였다. 강변을 오른쪽에 끼고 광활하게 펼쳐진 갈대숲이 나타났다. 설인탁이 갈대숲 속으로 뛰어들어가자 놀랍게도 없던 길이 생겨났다.

그렇게 오십여 리를 달려 어느 작은 마을 어귀에 이르렀을 쯤이었다. 이번에도 맞은편에서 오고 있는 다섯 명의 기마인들과 맞닥뜨렸다. 설인탁은 똑같은 방식으로 말을 갈아탔고 그중 한 명과 똑같은 대화를 나누었다.

"길은?"

"죽평암로(竹平暗路)로 가십시오."

"뒷일을 부탁하네."

"염려 마십시오."

나도 얼른 끼어들었다.

"고맙습니다. 신세는 꼭 갚겠습니다!"

"건승을 빕니다!"

설인탁은 표사들에게 다시 묻거나 무언가를 추가로 묻는 법 따윈 없었다. 설인탁을 기다린 표사들 역시 일절 무언가를 묻지 않았다. 마치 한마디면 충분하다는 듯 그들은 서로가 서로를 철저히 믿었다.

표사들은 정확히 오십 리마다 한 번씩 다섯 필의 말과 함께 나타났고, 그때마다 가장 안전한 길을 알려주었다. 내게도 천룡표국에서 쓰는 하남성의 지도가 있어서 이따금 꺼내 살펴보았다. 하지만 유성표국의 표사들이 말한 이름을 가진 길은 없었다.

심지어 실제로 우리가 말을 달려간 길도 천룡표국의 지도상에는 표시가 되어 있지 않았다. 짐작하건대 유성표국 하고도 설인탁과 그가 이끄는 직속 수하들끼리만 아는 길인 것 같았다. 이 모든 걸 준비한 설인탁의 안배가 실로 놀라울 뿐이었다.

덕분에 우리는 동이 트고 다시 해가 질 때까지 꼬박 하루나 말을 달렸지만 단 한 번도 무림인들과 마주치지 않았다. 그렇게 이틀을 더 달린 끝에 마침내 누런 황톳빛의 거대한 강과 맞닥뜨렸다. 그건 장강과 더불어 대륙에서 가장 큰 두 개의 강 중 하나인 대황하(大黃河)였다. 안개에 잠겨 묵직하게 흐르는 황하는 마치 바다를 보는 듯했다.

대자연의 장엄한 풍경을 감상할 사이도 없이 설인탁은 황하로 흘러드는 어느 샛강변 소나무 숲으로 우리를 이끌었다. 그곳에서도 다섯 명의 유성표국 표사들이 기다리고 있었다. 하지만 이번에 그들이 준비한 것은 말이 아니라 길고 뾰족한 비조선이었다.

설인탁도 간단한 인사가 끝나자 처음으로 평소와 다른 걸 물었다.

"언제 출발하면 되겠나?"

"반 시진 후 해가 지면 도하를 하십시오. 섭가촌 옆 송림에 닿으시면 말 다섯 필이 준비되어 있을 것입니다."

"적들은 어디쯤 오고 있지?"

"정오 무렵 탕산(陽山)을 지났다는 소식을 받았습니다."

"사흘 동안 밤잠을 설쳐가며 쉬지 않고 달렸는데도 고작 하루 정도밖에 거리를 벌리지 못했단 말이지."

나와 연소교는 속으로 깜짝 놀랐다. 눈치를 보아하니 칠성군이 이끄는 천마성교의 본대가 오늘 정오 무렵 탕산이라는 지역을 지난 모양이었다. 그들과 맞닥뜨리지 않고 황하를 건너게 된 것도 기적 같은 일인데, 설인탁은 하루의 거리밖에 벌리지 못했다며 아쉬워했다.

그러나 우리가 황하를 건너는 순간 거리는 더욱 벌어질 것이다. 진왕이 삼천 군병들을 이끌고 회수를 건널 때도 그랬지만, 사천여 명이나 되는 인원이 전부 황하를 건너려면 배를 징발하는 일부터 시작해 한나절은 꼬박 걸릴 테니까.

"그래서 천마성교도들의 숫자는 얼마나 불었나?"

"오늘을 기점으로 칠천에 육박한 것을 확인했습니다."

순간, 모두가 깜짝 놀라 잠시 할 말을 잃었다. 누구보다 놀란 나는 얼른 중년의 표사에게 다시 물었다.

"무언가 잘못된 보고를 받으신 게 아닙니까? 마지막으로 보았을 때만 해도 사천여 명이었던 병력이 고작 사흘 만에 칠천으로까지 불어났을 리가 없습니다."

"사황련(邪皇聯), 흑수회(黑手會), 사자맹(獅子盟) 등을 비롯해 북무림의 흑도와 사파 연합 세력 다섯 곳이 천마성교와 동맹을 맺었습니다."

"대체 그들이 왜!"

"신뢰할 만한 소식통에 따르면 마도천하 이후 각 성(省)에 대한 패권을 보장받았다고 합니다."

"마도천하라고요?"

"그렇습니다."

표사의 입에서 예고도 없이 튀어나온 한마디에 좌중의 공기가 싸늘

하게 얼어붙었다.

맙소사. 마도천하라니.

"칠성군의 솜씨로군요."

"혈영노조라는 그 늙은이가 열심히 뛰어다녔을 것이고."

놀라서 입이 쩍 벌어진 나와 연소교를 뒤로하고 설인탁과 석불원이 번갈아 나눈 말이었다.

환생을 한 이후 수많은 노강호들을 만났고 때로는 싸우기까지 했다. 한데 칠성군 야율극리처럼 막막하게 느껴지는 인간은 처음이었다.

마지막 천마의 진전을 이었다는 그 무시무시한 무공뿐만이 아니라 천하를 그리는 눈과 용병술까지. 지금도 과연 상대할 만한 사람이 있을까 싶을 정도인데, 성보를 손에 넣어 천마교주까지 된다면 정말로 세상을 마도천하로 만들어 버릴 수도 있을 것 같았다.

우리는 짙은 송림에서 유성표국의 표사들이 준비한 술과 돼지고기를 나눠 먹으며 어두워지기를 기다렸다.

마침내 해가 지고 어둠이 깔리자 비조선을 타고 샛강으로 나갔다. 삿대를 찍으며 샛강을 따라 내려가길 한 식경, 넘실대는 물소리부터 다른 황하가 나타났다.

그때부턴 모두가 양노를 저으면서 나아갔다. 파도가 높고 물살이 거셀수록 노를 빨리 저어야 온전히 배를 통제할 수 있기 때문이다. 나와 설인탁과 석불원은 말 한마디 섞지 않고도 손발이 척척 맞았다.

그리고 다시 한 식경 후 우리는 마침내 황하를 무사히 건넜다. 항주를 떠난 지 열아흐레째 되는 날 밤의 일이었다.

배를 타기 직전 나는 유성표국의 표사에게 한 가지 부탁을 했었다. 지금쯤 일만의 정도무림들인과 함께 달려오고 있을 총군사 사마옥을 찾아간 다음 성보가 무사히 황하를 건넜음을 알려달라는 것이었다.

이로써 최소한 지금 당장은 정마대전이 발발하지 않을 수 있게 되었다.

탑하림에서는 석불원이, 황하까지는 설인탁이 길을 잡았다면 황하를 건넌 이후로는 연소교가 선두에 섰다. 천마대총의 위치는 오직 연소교만 알기 때문이었다.

다만 설인탁과 석불원이 이따금 이런저런 조언을 해주었다. 아무리 최종 목적지를 연소교만 안다고 해도 시시각각으로 변하는 주변의 지형과 지리에 대해서는 이곳으로의 표행 경험이 풍부한 두 명표보다 나을 수가 없었다.

그리고 또 하나, 황하를 넘어서부터는 우리가 어디로 향할지 몰랐기 때문에 유성표국으로부터의 지원도 더는 없었다. 해서 한 시진마다 일각 정도 말을 쉬게 해주어야 했다.

그렇게 서북으로 말을 타고 달리길 사흘째 되던 날 오후였다. 나는 전생에서조차 본 적 없는 거대하고 기이한 경관과 맞닥뜨렸다. 황토가 굳어서 만들어진 것처럼 보이는 누런 석벽들 사이로 수만 마리의 용이 구불구불 지나간 것 같은 대협곡지대. 소문으로만 들었던 황토고원이었다.

해 질 무렵 광활한 협곡이 내려다보이는 어느 석벽의 꼭대기에서 대자연의 경이로움을 다시 한번 느꼈다. 미나모토도 놀랐는지 입이 떡 벌어져서는 숨도 제대로 쉬지 못했다.

설인탁은 이런 지형이 무려 두 개 성(省)에 걸쳐 끝도 없이 펼쳐진다고 했다. 북무림의 표사들은 이런 곳들을 가로지르며 표행을 다닐 게 아닌가. 상상만으로도 현기증이 날 것 같았다.

그런가 하면 연소교는 아까부터 저 멀리 보이는 어느 산에 시선을 고정한 채 아무 말도 하지 않고 있었다.

이십 리 정도나 될까? 황토고원 한가운데서 홀로 우뚝 솟아오른 산은 꼭대기가 하얀 눈으로 덮여 있어 어딘지 모르게 신령한 느낌을 주었다.

나는 목적지가 멀지 않았음을 직감했다.

"무슨 생각을 그리 골똘히 하시오?"

"만약 표행을 성공적으로 끝내고 정마대전도 막아낸다면 이후에 표사님은 무얼 하실 건가요?"

"또 다른 의뢰를 찾아서 표행을 시작해야지. 이제부터는 제발 돈 되는 걸로다가. 그러는 소저는 무얼 할 거요?"

"잘 모르겠어요. 무얼 해야 할지도 모르겠고 어디로 가야 할지도 모르겠어요. 이 일을 끝내고 나면 나를 둘러싸고 있던 모든 것들이 사라질 것만 같아요. 이미 사라져 버렸는지도 모르지만."

"……?"

황토고원 속 미로와 같은 석림협곡으로 들어간 우리는 다시 말을 달렸다.

연소교는 분명 이곳을 태어나서 처음 와본다고 했다. 한데도 가야할 길을 귀신같이 알고서 사람들을 이끌었다. 이에 관해 어떤 설명도 해준 적 없지만, 나나 설인탁이나 석불원으로서는 절대 발견할 수 없는 어떤 표지가 있는 것 같았다.

나무라고는 단 한 그루도 보이지 않는 황토색의 기기묘묘한 협곡지대를 한 식경 정도 달려갔을 무렵이었다.

모퉁이를 돌아 갑자기 넓어진 협곡으로 들어서는 순간, 한 사람이 길을 막고 앉아 있는 게 보였다. 예상치 못한 상황에 누가 먼저랄 것도 없이 고삐를 잡아당기며 말부터 멈추었다.

이히히힝!

놀란 다섯 필의 말들이 앞발을 치켜들며 크게 울부짖었다.

은발에 칠흑처럼 시커먼 장포를 입고 검은 죽립을 쓴 노인은 놀랍게도 나와 연소교가 잘 아는 자였다.

"편복은왕!"

노인은 장강을 건넌 직후 야산에서 처음 만났던 편복은왕이었다.

편복은왕이라는 말에 석불원과 설인탁의 안색이 대번에 변했다.

석불원과 설인탁은 이미 구순을 넘긴 편복은왕보다도 많게는 사십년 이상 젊었다. 사대명표로 불릴 정도인 그들에게도 편복은왕은 까마득한 전대의 고수였던 것이다. 그것도 천마성교의 팔대호교사자 중 하나로 불릴 정도로 전설적인.

처음 보았을 때 그는 무림고수들이 메는 상여를 타고 있었다. 한데 지금은 무림고수들도 상여도 보이지 않았다. 대신 어디서 땔감을 구했는지 혼자 협곡 한복판에 모닥불까지 피워놓고 앉아서는 무언가를 열심히 구워대는 중이었다. 아무리 보아도 저러고 있은 지 꽤 오래된 것 같았다.

나는 서둘러 주변을 둘러보았다. 편복은왕은 괴이한 마공을 익힌 탓에 햇볕을 쬐면 살이 타들어 간다. 아니나 다를까, 좌우로 높이 솟은 석벽들 때문에 이곳은 대낮에도 볕이 제대로 들지 않을 것 같았다. 게다가 지금은 해까지 저물어가는 중이어서 빛이라고는 동쪽 석벽의 꼭대기 일부에만 비치는 중이었다.

"읍!"

연소교가 갑자기 한 손으로 입을 틀어막으며 구역질을 했다. 편복은왕이 쇠꼬챙이에 끼워서 굽고 있는 고기 때문이다. 작은 몸통에 머리는 없고 팔다리만 달린 그것은 얼핏 보기에 서너 살 정도의 아이 같았다.

하지만 자세히 보면 사지의 비율이 사람은 아니었다.

"다들 여기서 기다려 주십시오."

나는 외람스럽게도 명표들에게 지시를 한 후 말에서 내려 앞으로 걸어갔다. 모닥불을 대여섯 장 정도 앞두고 걸음을 멈췄다. 이어 짧게 포권지례를 했다. 욕을 하며 싸울 때는 싸우더라도 안면 있는 전대의 거물을 다시 만났으니 대우는 해주어야지 않겠나.

"저녁 식사치곤 좀 이른 것 같습니다만."

"노정에 끼니때가 따로 있다더냐. 앉아서 쉬면 곧 끼니때인 것이지. 이런 건 나보다 네놈이 더 잘 알 터인데."

"여긴 어쩐 일이십니까?"

"도둑맞은 물건을 찾으러 왔느니라."

"저희가 이리로 올 줄은 어떻게 아시고요?"

"잘 모르나 본데 나도 팔대호교사자 중 한 명이었다."

연소교는 천마성교가 건재하던 시절 세 명의 군사와 팔대호교사자들 정도만 천마대총의 위치를 알 거라고 했다. 연소교가 아는 건 그의 사부인 백골시마가 바로 그 팔대호교사자들 중 한 명이었던 덕분이었다.

편복은왕은 우리의 최종 목적지가 천마대총임을 알고 미리 온 다음 반드시 지나갈 수밖에 없는 길목에서 기다린 것 같았다.

솔직히 이건 예상을 못 했다. 성보를 노리는 수많은 고수들을 전부 뚫고 내가 여기까지 온다는 보장이 없었을 텐데, 그는 대체 무얼 믿고 이런 파격적인 작전을 감행한 걸까?

"오늘은 상여도, 상여꾼들도 보이지 않는군요."

"상여꾼들은 어떤 젊은 표사 놈과 그 일당이 죄다 때려눕혔고, 상여는 상여꾼이 없어서 타고 오질 못했느니라. 대신 저놈을 타고 왔지."

편복은왕이 눈짓으로 힐끗 가리키는 곳에는 보통의 말들보다 몸집이 훨씬 큰 두 필이 버섯처럼 생긴 돌기둥에 묶여 있었다. 황하 인근의 드넓은 초원에서 가끔 태어난다는 용마(龍馬)였다. 대체 저런 귀물은 또 어디서 구한 걸까?

"용케도 여기까지 타고 오셨군요."

"낮엔 땅을 파고 들어가 자고, 밤이 되면 말을 타고 다시 해가 뜰 때까지 달렸다. 덕분에 한 번은 내가 잠든 사이 말을 훔쳐 간 놈들을 쫓느라 한나절을 허비하기도 했지."

"고생이 많으셨군요."

"하늘에 설응이 보이지 않아 택한 고육지책이었느니라. 대체 무슨 짓을 한 것이더냐?"

"저도 지금 열흘 가까이 보지 못하고 있습니다. 아무래도 야생으로 돌아가 버린 것 같습니다. 이럴 줄 알았으면 털을 뽑고 구워 먹을 것을."

"전화위복이란 바로 이런 경우를 두고 하는 말이겠지? 회수에서는 혈영노조에게, 황하에서는 칠성군에게 잡혀 네놈을 빼앗기는 줄 알았느니라."

그러면 그렇지. 그는 처음부터 이럴 작정이 아니었다. 다만 설응을 통해 나를 추적할 수 없게 되자 어쩔 수 없는 선택을 했을 뿐.

"선배 표사님들께서 많은 도움을 주셨습니다."

편복은왕은 고개를 들어 내 뒤쪽에 있던 설인탁과 석불원을 힐끗 바라보았다. 이어 마음에 들지 않는지 혀를 끌끌 차며 말했다.

"온 천지에 표사 놈들이 설치고 다니는군."

"온 강호에 마구니가 들끓는 것만 하겠습니까?"

"그 많은 마구니가 표사 놈 하나를 어쩌지 못해 이러고 있으니 답답할 노릇이군. 이제는 끝이 나겠지만 말이지. 클클클."

"제 뒤에 있는 두 분 선배님들께선 이른바 사대명표라 불리시는 전설적인 표사들이십니다. 허리에 왜도를 차고 있는 족제비 상의 검객은 왜국 고수이고요. 거기에 저와 천살마녀도 있습니다. 감당하실 수 있겠습니까?"

"흥, 구천홍염장을 믿고 큰소리치는 모양이구나. 급습이 아니었다면 아직 오성의 경지조차 밟지 못한 수준으로 나를 한걸음이라도 밀어낼 수 있었을 것 같으냐?"

"피도 뽑으셨습니다만."

"걱정하지 마라. 오늘 하늘 밖에 또 다른 하늘이 있음을 확실히 가르쳐 줄 것인즉. 하지만 함께 온 표사 나부랭이들을 지옥으로 인도해 줄 저승사자들은 있어야겠지."

투두두둥.

멀리서 갑자기 수백 개의 북이 동시에 울리는 것 같은 소리가 미세하게 들려왔다.

이런 소리는 난생처음 들어보는 것이었다. 게다가 어디서 들려오는 것인지도 알 수가 없었다. 그나마 상대적으로 공력이 약한 연소교와 미나모토는 듣지도 못했다.

노련한 설인탁이 재빨리 말에서 내린 다음 땅바닥에 귀를 대고 청음을 시작했다. 천리지청술(千里地聽術)이다. 표사들이라면 정도의 차이는 있을지언정 다들 익히고 펼칠 수 있는 공부였다. 하지만 안타깝게도 나는 먼저 익혀야 할 다른 무공들이 워낙 많아서 아직 제대로 배우지를 못했다.

설인탁은 금방 일어나더니 가타부타 설명도 없이 나와 편복은왕 너머의 협곡을 뚫어지게 노려보았다. 한데 그의 표정이 어느 때보다 굳어 있었다. 다른 사람들도 모두가 설인탁을 따라서 앞쪽의 협곡을 응시했다.

소리는 매우 빠른 속도로 커졌다. 잠시 후 이백여 명의 중무장한 기마인들이 협곡을 가득 메운 채 뿌연 먼지를 일으키며 나타났다. 그 모습이 흡사 모래 폭풍이라도 불어 닥치는 것 같았다.

북소리처럼 들렸던 건 이백여 필의 말이 땅을 두들기며 내는 말발굽 소리였다. 낯설게 들렸던 것은 이곳의 지형이 미로처럼 깊고 복잡한 탓에 소리들이 서로 울리고 부딪히고 증폭되면서 생긴 현상이었고.

그런가 하면 기마인들은 하나같이 검은 피풍의에 검은 초립을 쓰고, 검은 수건으로 입과 코를 가리고, 검은 말을 탄 상태였다.

그들은 편복은왕으로부터 십여 장 밖 뒤쪽에 이르자 선두에 선 한 사람의 손짓을 신호로 갑자기 말을 세웠다. 전속력으로 질주해 오던 이백여 기의 말이 절벽이라도 만난 것처럼 동시에 멈춰 서는 모습은 신기하다 못해 기가 질릴 지경이었다.

그러고는 고삐를 이리저리 당겨 흥분한 말들을 진정시키는 한편 번뜩이는 눈빛으로 우리를 노려보았다. 기마술도, 복장도, 기세도 모두가 예사롭지 않았다. 특히 이백여 명이 마치 한 사람인 것처럼 펼치는 상승의 기마술은 전생과 현생을 통틀어 처음 보는 것이었다.

"흑풍사(黑風沙)!"

석불원의 입에서 신음 같은 한마디가 나직하게 흘러나왔다.

천리지청술을 펼쳐 땅의 소리를 들은 설인탁이 그렇게 굳었던 이유를 알 것 같았다.

흑풍사는 대형 상단이나 표행단을 상대로 약탈을 일삼는다는 전설적인 마적단이었다. 한 시대에 나타났다가 사라지는 보통의 마적단들과 달리 흑풍사는 무려 이백여 년의 역사를 가지고 있었다. 한곳에 뿌리를 내리지 않았다 뿐, 숫제 무림방파나 마찬가지였다. 이곳 황토고원이 그들의 활동 무대였고.

소문에 따르면 현 흑풍사의 두령인 북두혈성(北斗血星)은 황토고원 일대에서는 적수가 없다고 알려진 초절정 고수로 도법의 달인이었다. 별호에 혈성이라는 두 글자가 붙은 것은 살인을 밥 먹듯이 하기 때문이라고도 했다.

장대한 체구를 지닌 자가 또각또각 말을 타고 나왔다. 앞서 손짓 한 번으로 질주하는 이백여 기의 말을 칼로 토막 치듯 멈추게 한 장본인이었다. 이윽고 편복은왕과 나란히 선 그는 초립을 살짝 들어 올리고 코와 입을 가린 수건도 당겨서 내렸다. 그러자 뜻밖에도 제법 준수한 용모를 지닌 마흔 중반의 장년인이 모습을 드러냈다.

"인사들 하지. 이쪽은……."

"오랜만이오. 풍운표검!"

편복은왕의 말이 시작되려는 순간 북두혈성이 알아서 먼저 인사를 건넸다. 한데 인사를 건넨 대상이 앞에 있는 내가 아니라 훨씬 뒤쪽에 있는 설인탁이었다.

"오랜만입니다."

설인탁도 건조하게 인사를 했다.

"우리가 이곳 황토고원에서 오랜 세월 마주쳤어도 얼굴을 붉힌 적이 없었는데, 오늘은 어떨지 모르겠구려."

"어울리시는 인물을 보아하니 피차 웃으며 헤어지기는 어려울 듯하군요. 사정을 여쭤도 되겠습니까?"

"원하는 걸 손에 넣도록 도와주면 천마대총에 있는 황금을 전부 주시겠다고 했소이다. 알다시피 우리야 돈이 된다면 정사마를 따지지 않으니까."

"과연 아주 큰 액수로군요. 무람맹주께서 일흔두 맹방에 동원령을 내린 걸 알면서도 이런 위험한 도박을 시도할 만큼 말입니다."

"우리야 황토고원을 나갈 생각이 없으니 두려울 것도 없지. 황토고원 안에서는 더욱 그렇고 말이오."

"세상일은 누구도 알 수가 없는 법이지요."

"그럼이 이상하기로 따지자면 그쪽도 만만치 않구려. 옆에 귀티가 좔 좔 흐르는 분께선 횡금장표이신 듯한데, 어찌하여 두 명의 명표들께서 뒤로 빠지고 저런 애송이를 앞세우는 것이외까?"

북두혈성의 관심이 돌고 돌아서 결국 내게로 향했다. 처음부터 기를 죽여놓으려는 수작이었다. 새파랗게 어린 내가 만만해 보이기도 했을 것이고.

"그 애송이 하나를 잡으려고 천마성교의 전대고인께서 귀하를 끌어들이신 것 같군요. 부디 조심하십시오. 그에게 당해 패가망신한 노강호가 한둘이 아닙니다."

북두혈성은 피식 웃더니 그제야 나를 돌아보며 물었다.

"그래서 이름이 뭐라고?"

나는 북두혈성에게서 시선을 거둔 후 다시 편복은왕을 돌아보며 말했다.

"원하는 게 무엇입니까?"

"그가 이름을 묻는 것 같은데."

"마적단 두령과도 일일이 인사를 나눌 필요 있겠습니까? 추후 표행단을 이끌고 황토고원을 오갈 것도 아니고요."

"과연 호쾌한지고. 음하하하!"

편복은왕이 갑자기 앙천광소를 터뜨렸다. 자신이 했던 그대로 모욕을 돌려받은 북두혈성은 마상에서 가볍게 실소를 지으며 나를 내려다

볼 뿐이었다.

얼굴이 시뻘게지면서 콧김을 펑펑 뿜어댈 줄 알았는데, 저 정도로 대범한 걸 보면 그도 확실히 보통 인간은 아니었다.

이윽고 편복은왕이 광소를 멈춘 후 말했다.

"성보를 모두 내놓고 가거라."

"지난번과 똑같은 말씀을 하시는군요."

"이번엔 천살마녀도 함께 살려 보내주지."

"거절한다면요?"

"너희 다섯 모두 타고 있는 말들과 함께 수백 개의 고기 조각으로 도륙될 것이니라. 그편도 내 입장에선 나쁘지 않지."

편복은왕의 목소리가 서늘하게 변했다. 동시에 흑풍사의 마적 이백여 명이 일제히 초승달처럼 굽은 만곡도(蠻曲刀)를 뽑아 들었다.

채채채채채채채챙!

달리는 마상에서 저 커다란 칼로 사람의 목을 치면 머리가 그대로 허공에 둥실 떠오른다는 말을 들었다.

그에 대응하여 석불원, 설인탁, 미나모토, 연소교도 일제히 각자의 병장기를 뽑아 들었다. 이어 석불원과 설인탁은 말을 탄 채 각자 일 장씩 앞으로 나왔다. 전면전이 벌어지면 자신들이 선두에 섬으로써 표물과 의뢰인을 보호하려는 표사의 오랜 습관이 발동된 것이다.

사실 성보도 연소교가 갖고 있었다.

나는 소맷자락을 천천히 만지작거렸다. 이번에야말로 편복은왕의 마혈에 비격쌍뇌창을 박아 넣는 한편 구천홍염장으로 배 속의 내장을 진탕 시켜 버릴 작정이었다. 눈치를 보아하니 북두혈성은 성보에는 관심도 없고, 오로지 천마대총에 있다는 황금에만 눈독을 들이는 것 같다. 나는 황금을 줄 생각이 없으니 편복은왕을 인질로 잡고 북두혈성을 위협해 여길 빠져나가는 것만이 살길이었다.

백전노장인 편복은왕은 이런 내 속셈을 너무나 잘 알고 있을 것이다. 요는 내가 먼저 편복은왕을 쓰러뜨리느냐, 흑풍사가 석불원, 설인탁, 미나모토를 뚫고 연소교를 잡느냐 하는 것이었다.

각자의 역할이 다 중요하다. 나는 최대한 빨리 편복은왕을 쓰러뜨려야 하고, 세 사람은 반대로 최대한 시간을 끌어야 한다. 연소교는 연소교대로 잘 버텨주어야 하고.

어느 모로 보아도 우리 쪽이 훨씬 불리했다. 다른 사람 핑계를 댈 것도 없이 일단 나부터 편복은왕을 꺾는다는 보장이 없었다. 구천홍염장이 투골음풍장의 상극이라고는 하나 편복은왕의 말처럼 아직은 완전하질 못했다. 그리고 상대가 전혀 알지 못하는 상태에서 기습적인 일격을 가했던 첫 번째 격돌과는 상황이 많이 다를 것이다.

"아무래도 순순히 내놓을 생각이 없는 것 같군."

"표사가 표물을 포기하는 법은 없다고 말씀드린 것 같습니다만."

"표사들의 명이 짧은 데는 이유가 있는 법이지."

"보통은 표사 하나에 노상강도 열 명이 죽지요."

퍼엉!

굉음과 함께 모닥불이 수백 개의 불덩어리로 변해 덮쳐왔다. 덕분에 나는 간발의 차이로 비격쌍뢰창을 출수할 기회를 놓쳐 버렸다. 대신 양손을 난상으로 휘두르며 재빨리 두 걸음을 물러났다.

그 순간, 불덩어리들이 사라진 허공에서 편복은왕의 신형과 함께 은빛 구체가 벼락 치듯 떨어졌다. 구천홍염장을 정면으로 맞서지 않기 위한 꼼수였다.

편복은왕의 이런 임기응변은 오히려 나로 하여금 자신감을 갖게 했다.

'그렇단 말이지!'

나는 귀영무의 보법을 펼치며 재빨리 벼락을 피했다. 살짝 스치는 것만으로도 옆구리가 하얗게 변하면서 뼛속까지 얼려 버릴 정도의 한기가 전해졌다. 그때쯤엔 바깥으로 크게 휘둘러진 내 오른손이 눈앞으로 뚝 떨어진 편복은왕의 왼쪽 측두부를 향하고 있었다.

편복은왕은 노련하기 짝이 없었다. 첫 번째 일격을 피하는 순간 내가 구천홍염장으로 반격할 것을 알고는 상체를 착 가라앉으며 또다시 장력을 떨쳤다.

퍼엉!

은빛 구체의 벼락은 간발의 차이로 앞서 튀어 오른 내 발아래 허공을 헛되이 때리고 지나갔다. 그사이 나는 편복은왕의 코앞까지 날아갔다. 이어 구천홍염장을 펼치는 대신 금나수의 수법으로 편복은왕의 은발 머리카락을 덥석 잡아채는 데 성공했다.

'이게 된다고?'

오히려 내가 더 놀랐다. 몸을 바깥으로 뒤집으며 편복은왕을 무 뽑듯 땅에서 통째로 쑥 뽑아 올렸다.

대경실색한 편복은왕이 내 가슴을 향해 일지(一指)를 뻗었다. 그대로 심장을 뚫어 일격에 숨통을 끊어버리려는 것이다.

"헛!"

심장을 뚫기는커녕 옷자락도 뚫지 못하고 그의 손가락이 뚝 부러졌다. 미안하지만 나는 아직 용린신갑을 연소교에게 빌려주지 않은 상태였다.

편복은왕의 역습이 수포로 돌아가는 사이, 그를 허공에 거꾸로 띄우는 것까지 성공한 나는 다시 사력을 다해 끌어당기며 땅바닥에다 메다꽂았다. 초식도 뭐도 없는, 순전히 시간을 느리게 보는 이능력과 가공할 공력만을 이용한 임기응변의 일격이었다.

쿵!

편복은왕은 내게 머리채를 잡혀 자기 몸에 대한 통제력을 상실한 상태에서도 양손을 뻗어 땅을 치는 신기를 보였다. 덕분에 개구리처럼 패대기쳐지는 수모만큼은 피할 수 있었다.

나도 놀고만 있지는 않아서 오른쪽 발로 그의 엎어진 머리통을 냅다 걷어찼다.

편복은왕은 반탄력을 이용해 벌떡 일어나며 발길질을 아슬아슬하게 피했다. 그러곤 황급히 뒷걸음질을 쳤다.

나는 승기를 놓치지 않기 위해 그림자처럼 따라붙으며 월인소야검을 뽑아 휘둘렀다.

"죽엇!"

편복은왕은 황망한 와중에도 투골음풍장으로 반격하는 노련함을 보였다. 이번에야말로 나는 가슴에 일격을 당하고 말았다.

퍼엉!

격장의 순간 호신강기를 잔뜩 끌어 올린 데다가 용린신갑까지 입고 있었는데도 불구하고 배 속의 내장이 통째로 얼어붙는 것 같았다.

하지만 딱 거기까지였다. 뼈를 뚫고 들어간다는 투골음풍장의 한기는 이미 잠에서 깨어나 폭주하고 있던 영기의 상대가 되질 않았다. 다만 내 신체가 막강한 장력을 감당하지 못해 삼 장이나 튕겨 날아갔을 뿐. 그리고 그곳에 하필 북두혈성이 말을 탄 채 서 있었다.

그는 내가 반쯤 시체가 되어 날아오는 줄 알았던 것 같았다. 내가 땅에 떨어지기도 전에 두 동강 내버릴 기세로 휘둘러 오는 그의 만곡도에는 전력이 담겨 있지 않았다.

사자가 토끼를 사냥할 때도 최선을 다하는 법이거늘.

'한번 죽어봐라!'

나는 체공 상태에서 다시 한번 몸을 벼락처럼 뒤집으며 그의 만곡도를 피했다. 동시에 사력을 다해 월인소야검을 깊숙이 횡으로 휘둘렀다.

핏!

예상은 했었지만 북두혈성 역시 만만한 인간이 아니었다. 절체절명의 순간, 그는 이번에야말로 전력을 다해 고개를 꺾으며 검을 피했다. 그러나 검 끝이 목덜미를 스치는 것만은 어쩌질 못했다. 새끼손가락 길이의 칼자국과 함께 붉은 피가 주르륵 쏟아져 내렸다.

놀란 그가 말과 함께 황망히 뒷걸음질 치며 손으로 자신의 목을 덮었다. 그럼에도 불구하고 피는 손바닥 사이로 줄줄 흘러내렸다.

"이런 망할!"

북두혈성은 새파란 애송이로 보았던 내게 검을 맞았다는 사실이 믿어지지 않는 모양이었다. 그것도 옆에서 구경을 하고 있다가 날벼락 맞듯이.

조금 떨어진 곳에서는 편복은왕이 눈동자에서 화염을 쏟아내며 나를 노려보는 중이었다. 손자뻘인 내게 머리채를 잡혀 패대기쳐질 뻔했으니 얼마나 울화통이 터지겠나. 그나마 구천홍염장도 아닌 개싸움식 잡기에. 하지만 이건 나로서도 용린신갑이라는 기물과 운에 기댄 측면이 컸다.

'이거 괜히 성질만 돋운 거 아냐?'

한편, 내가 두 명(?)의 초절정 고수들과 싸우는 사이 흑풍사의 마적 이백여 명은 네 명을 상대로 차륜전을 펼치며 파상적인 공세를 퍼붓고 있었다. 석불원, 설인탁, 미나모토, 연소교는 설인탁의 주도하에 석벽을 등지고 반원 모양의 검진을 펼치며 사력을 다해 버티는 중이었다.

앞에는 벌써 대여섯 명의 마적들이 피를 흘리며 쓰러져 있었다. 십중팔구 석불원, 설인탁, 미나모토의 솜씨일 것이다. 정말 대단한 인간들이 아닐 수 없다. 그러나 흑풍사의 마적 이백여 명을 상대하기에는 역부족이었다. 엎친 데 덮친 격으로 화가 정수리 끝까지 솟구친 편복은왕과 북두혈성이 나를 상대로 합공을 펼치려 했다. 체면이고 뭐고 생각할 때가 아닌 것이다.

"에라 모르겠다. 씨발!"

나는 나대로 월인소야검을 고쳐 잡았다. 이렇게 된 이상 이판사판이었다.

그때였다. 마지막 남은 햇볕 한 줌이 비추고 있는 석벽 꼭대기로부터 시커먼 그림자 하나가 흑풍사의 진영으로 뚝 떨어졌다.

뻐벅!

쇠몽둥이로 사람 머리를 치면 이런 소리가 날까? 한 번도 들어본 적 없는 타격음과 함께 마상에 있던 마적 두 명이 벼락이라도 맞은 것처럼 뚝 떨어졌다. 그러곤 두 눈을 부릅뜬 채 꼼짝도 하지 않았다. 목이 비정상적으로 꺾인 채 널브러진 것이 아무래도 즉사한 것 같았다.

도대체 무엇에 어떻게 당했기에 눈을 감을 사이도 없이 숨통이 끊어진 것일까?

흉수는 흑풍사의 진영을 돌풍처럼 휘젓고 다니며 닥치는 대로 때려눕히고 있는 작은 체구의 괴인이었다.

뻑! 뻐버벅! 뻑뻑!

"으악!"

"아악!"

"크악!"

뻐버버벅! 뻑!뻑!뻑!

"뒤로 물러나라!"

"방원진을 펼쳐라!"

"전열을 재정비하라!"

중간 간부쯤 되는 놈들이 앞다투어 고래고래 악을 써댔다. 마적들은 말을 탄 채 우왕좌왕하면서도 진을 크게 벌려갔다.

그 와중에도 괴인은 동에 번쩍 서에 번쩍했다. 타격음이 요란하게 울릴 때마다 마적들은 낫 맞은 풀 모가지처럼 뚝뚝 떨어졌다.

잠시 후, 놈들이 절벽으로부터 한참이나 멀어지고 군집의 밀도 또한 성글어지자 그제야 괴인의 정체가 드러났다.

잠깐 사이 혼자서 무려 십수 명의 말 탄 마적들을 땅바닥에 때려눕힌 후 옷자락에 묻은 먼지를 펑펑 털고 있는 괴인은 놀랍게도 늙고 빼빼 마른 거지였다. 그리고 내가 잘 아는 사람이었다.

"사부님!"

갑작스러운 내 외침에 적아를 구분할 것 없이 모두가 그 자리에서 얼어붙어 버렸다. 특히 석불원, 설인탁, 미나모토, 연소교는 눈이 튀어나올 것처럼 커졌다.

"누가 네 사부님이야?"

"대체 여긴 어떻게 오신 겁니까!"

"어떤 천하의 꼴통 같은 표사 놈이 온 강호를 휘젓고 다니는 바람에 시끄러워서 잠을 잘 수가 있어야지."

"곤륜산으로 가신 게 아니었습니까?"

"네놈은 표행 중에는 잠을 안 자느냐?"

"사부님……."

"내 이래서 사승의 관계를 맺지 않으려 했거늘. 그놈의 오향장육 때문에."

늙은 거지는 내가 준 보은패를 들고 청해성 곤륜산으로 떠났던 북해투왕 혁방세였다.

위기의 순간 생각지도 않은 지원군을 만난 나는 가슴이 벅차올랐다. 반면 여전히 그가 누군지를 모르는 사람들은 모두가 그저 어리둥절해할 뿐이었다. 다만 내가 사부라고 부르는 걸 보고 막강한 아군이 나타났음을 깨달은 석불원과, 설인탁, 연소교, 미나모토의 표정이 급격하게 밝아졌다.

그때 편복은왕이 북해투왕에게 아는 체를 했다.

"풍운비룡에게 비영문의 비기를 전수해 준 늙은이가 나타난 모양이로군. 별호가 북해투왕이라고 했던가?"

북해투왕이라는 말에 석불원과 설인탁이 흠칫 놀랐다. 천하십대 권사 중 한 명인 북해투왕이 나타난 것도 놀랍지만, 그와 내가 사승의 관계라는 게 더욱 놀라웠을 것이다.

"노인장께서는 투골음풍장으로 유명한 은박쥐인지 금박쥐인지 하는 분이시고요."

"대단한 무공이오만, 대세를 바꿀 수는 없을 것이오. 지금이라도 저 고집불통의 제자 놈을 달래보는 게 어떻겠소이까?"

"늙어서 그런지 아무래도 머리 돌아가는 게 좀 느리시군. 내가 어떻게 여길 알고서 찾아왔다고 생각하시오?"

그 순간, 우리가 달려온 뒤쪽 협곡으로부터 흑풍사가 나타났을 때와 똑같은 말발굽 소리가 들려오기 시작했다.

잠시 후, 뿌연 먼지를 일으키며 나타난 것은 오십여 명의 중무장한 기마인들이었다. 가장 앞줄에는 장검을 등에 가로질러 멘 노인이 백마를 탄 채 위풍당당하게 달리고 있었다.

"국주님!"

흡사 산이 협곡을 밀고 들어오는 것 같은 기세의 주인공들은 이종산을 필두로 그를 그림자처럼 따르는 표왕부의 호위무사들이었다. 물론 표왕부의 호위장인 흑살객 가뢰압도 있었다. 살면서 저 저승사자 같은 양반이 이렇게까지 반가웠던 적은 없었다.

북해투왕에 이어 이종산까지 나타나자 석불원과 설인탁과 연소교는 미소를 감추지 못했다. 특히 연소교는 그야말로 날아갈 것 같은 얼굴이었다. 영문을 모르는 미나모토는 연소교의 설명을 듣고서야 얼굴이 활짝 피었다.

"표왕!"

국주님이라는 한마디에 새로 등장한 고수의 정체를 알아차린 흑풍사의 단주 북두혈성이 나지막하게 읊조렸다. 편복은왕의 얼굴도 그제야 서서히 굳어갔다.

북두혈성은 아예 낭패한 기색이 역력했다. 북해투왕의 놀라운 신위를 눈앞에서 목격한 데다가 천하십검 중 한 명이 휘하의 정예고수 오십까지 이끌고 왔으니 당혹스러울밖에.

이윽고 말들이 질주를 멈추었다. 앞서 흑풍사가 등장할 때처럼 신기막측한 기마술을 선보이진 않았다. 하지만 표왕이라는 이름만으로 이미 좌중의 공기를 묵직하게 짓눌렀다.

이종산은 천천히 사방을 둘러 보았다. 쓰러진 자들이 전부 흑풍사의 마적들임을 확인한 그가 내게 물었다.

"다친 곳은 없느냐?"

"국주님께서는 또 어떻게!"

"생사를 장담할 수 없는 표행을 아들에게 맡기며 추적의 실마리 하나 남기지 않을 비정한 아비로 보았더냐?"

"천리추향!"

강호의 모든 표국들은 표물을 잃어버렸을 때에 대비해 자신들만의 비법으로 만든 미세한 향을 뿌려놓는 경우가 많았다.

천룡표국에도 당연히 그런 향이 있었고, 추적을 위해 향서(香鼠)도 길렀다. 다만 향도, 그 향을 맡고 추적할 수 있는 향서도 귀하기 짝이 없기 때문에 중요한 표물에만 사용했다.

"제가 떠나고 난 뒤 마교도들이 천룡표국을 습격했다고 들었습니다. 다들 큰 피해는 없는지요?"

"지금은 전시다. 지나간 일에 마음을 빼앗기지 말고 목전의 싸움과 똑바로 마주하거라. 누가 뭐래도 너는 이 표행을 책임진 표두다."

"명심하겠습니다."

나는 꼭 다문 입술로 포권지례를 올린 후 편복은왕과 북두혈성 그리고 그가 이끄는 흑풍사의 마적단을 다시 돌아보았다.

내가 편복은왕과 못다 한 승부를 벌이고, 이종산이 북두혈성을 맡고, 북해투왕과 표왕부의 고수 오십이 흑풍사의 마적단을 쓸어버리면 된다. 모든 면에서 불리했던 좀 전의 상황과 달리 지금은 모든 면에서 유리했다.

그때였다. 갑자기 북해투왕이 떨어져 내린 반대쪽 석벽 위에서 우렁우렁한 일갈이 들려왔다.

"부자간의 해후가 눈물겹군!"

섬뜩한 목소리와 함께 이십여 장 높이의 석벽으로부터 백여 개의 그림자가 뚝뚝 떨어지기 시작했다. 그 장소가 대범하게도 양 진영이 대치한 가운데였다. 흑풍사들은 흑풍사들대로, 표왕부의 고수들은 표왕부의 고수들대로 말과 함께 십여 장씩 물러날 수밖에 없었다.

잠시 후, 마침내 도검으로 중무장한 백 개의 그림자가 모두 떨어져 내렸다. 그리고 가장 앞줄에 선 네 사람이 천천히 몸을 일으켰다.

그들의 면면을 확인하는 순간 나는 하마터면 까무러칠 뻔했다.

"당신들은!"

그들은 칠성군과 명부삼귀였다. 칠천여 명으로까지 불어났다는 병력과 함께 하루 하고도 한나절쯤은 떨어져 있을 거라 생각한 그들이 나타난 것이다. 칠천여 명 전부와 함께 오려니 너무나 느려서 본대는 혈영노조에게 맡긴 후 소수의 고수들만 이끌고 서둘러 달려온 모양이었다.

연소교는 한 번도 언급한 적 없지만, 칠성군인 야율극리 역시 천마대충이 있는 장소를 얼마든지 알 만한 위치였다.

칠성군을 알아본 편복은왕의 얼굴이 돌덩어리처럼 굳어졌다. 그는 나보다도 더 놀란 것 같았다. 연소교로부터 설명을 들은 석불원, 설인탁, 이종산, 북해투왕도 얼어붙기는 매한가지였다.

그런가 하면 처음부터 이 자리에 있었던 북두혈성과 흑풍사의 마적들은 시시각각으로 변하는 상황에 정신이 하나도 없는 듯했다.

'이 무슨 미친 상황이란 말인가!'

정말 난감하고 또 난감한 상황이었다. 크게 곤란할 뻔했다가 곤륜산으로 간 줄 알았던 북해투왕과 지금쯤 한창 후방 지원을 하고 있을 줄 알았던 이종산의 등장에 쾌재를 불렀다. 한데 이번엔 칠성군과 명부삼귀가 일백의 마병들을 이끌고 나타날 줄이야. 이렇게 되면 세 개의 세력이 성보를 놓고 싸워야 한다.

한데 칠성군은 그럴 생각조차도 없는 듯했다.

"오랜만입니다. 장로님."

칠성군이 편복은왕을 돌아보더니 뜻밖에도 공손히 포권지례를 올렸다. 편복은왕 역시 낭패스러운 기색이 역력한 중에도 자신보다 삼십 년은 젊어 보이는 야율극리를 향해 마주 포권지례를 했다.

"칠성군을 뵙습니다."

"한두 마디 말로 지난 삼십 년간의 적조(積阻)를 어떻게 메울 수 있겠습니까? 상황도 그렇고 하니 지금은 딱 두 말씀만 올리지요."

"……?"

"성교의 재건을 위해 생사도 숨긴 채 사부님으로부터 전수받은 무공을 삼십 년간이나 홀로 외롭게 수련했습니다. 일인지하 만인지상의 자리에서 성교를 다시 한번 이끌어주십시오."

그러면서 칠성군은 두 손을 포개어 쥐고 깊숙이 허리까지 숙였다. 그는 방금 편복은왕에게 태상장로의 자리를 약속했다. 편복은왕이 얼마나 그 역할을 충실히 해낼지는 모른다. 다만 우리 쪽에 이종산과 북해투왕이라는 걸출한 두 명의 초절정 고수가 있는 지금 이 순간만큼은 편복은왕과 그를 따르는 흑풍사가 칠성군에게는 꼭 필요했다.

편복은왕 역시 그 사실을 너무나 잘 알고 있을 것이다. 더불어 칠성군의 제안을 거절하면 죽음이 기다리고 있다는 것도. 한때 모두 천마교주의 자리를 노렸던 혈영노조와 명부삼귀가 칠성군에게 투신한 것만 보아도 알 수 있다.

편복은왕은 자신에게 주어졌던 마지막 기회를 안타깝게도 놓쳐 버렸다.

"견마지로를 다하겠습니다."

"감사합니다. 태상장로님."

좌중의 공기가 크게 출렁였다.

판세가 또다시 바뀌었다. 이제 오십여 명에 불과한 우리 쪽 사람들은 삼백여 명에 가까운 적들과 생사결전을 펼쳐야 했다. 그중에는 과연 하

늘 아래 적수가 있을까 싶은 칠성군과 초절정고수들인 편복은왕, 명부
삼귀, 북두혈성이 있었다.

나와 연소교가 칠성군을, 이종산이 편복은왕을, 북해투왕이 북두혈
성을, 석불원과 설인탁과 미나모토가 명부삼귀를 상대한다고 치자. 장
담하건대 북해투왕은 백 초식 안에 북두혈성을 때려눕힐 것이다. 반면
석불원과 설인탁과 미나모토는 안타깝지만 명부삼귀에 비해 한 수 아
래라고 봐야 했다.

그나마 다행인 건 명부삼귀 중 셋째가 지난번 편복은왕의 투골음풍
장에 맞아 한쪽 팔을 못 쓴다는 사실이었다. 그걸 감안하면 동수 정도
는 충분히 바라볼 수 있었다.

역시 편복은왕과 칠성군이 문제였다. 이종산과 편복은왕의 승부는
강호의 식견이 짧은 나로서는 한 치 앞을 예상할 수가 없었다.

반면 나와 연소교는 칠성군에게 확실히 질 것이다.

표왕부의 고수들 또한 아무리 뛰어나다고 해도 오십으로 무려 삼백
으로까지 늘어난 적들을 상대할 수는 없었다. 게다가 흑풍사는 물론
이거니와 칠성군이 이끌고 온 백여 명의 마병들 또한 고르고 고른 고
수들이 분명했다.

"또 보는군."

편복은왕이 뒤로 빠지고 칠성군이 내게 말했다.

"항상 예측을 뛰어넘으시는군요."

"내가 자네에게 해주고 싶은 말이네. 그토록 조심을 했건만 진왕의
품에서 용케도 빠져나갔더군. 덕분에 쓸데없는 곳을 뒤지느라 고생을
좀 했지."

"말은 이미 편복은왕 선배님과 단내가 나도록 섞었으니 그만 본론으로 들어가시죠."

그러면서 나는 양손으로 검파를 쥐고 허공에다 반원을 한차례 가볍게 그린 다음 두 다리를 어깨너비로 벌리며 섰다. 천무십검의 기수식이었다.

"나를 직접 상대하려고?"

"못다 한 승부를 봐야지 않겠습니까?"

"감당할 수 있겠나?"

어차피 피할 수 없는 싸움이었다. 대상을 편복은왕에서 칠성군으로 바꾸어 기적을 기대해 보는 수밖에. 그도 인간인 이상 싸우다 보면 반드시 틈이 보이지 않겠나.

그때였다.

"귀하는 이 몸이 상대해 주겠소!"

천지가 떵떵 울리는 사자후와 함께 북해투왕이 뛰어내린 석벽 쪽에서 삼백여 개의 그림자가 모습을 드러냈다. 그러고는 하나같이 강궁에 화살을 재고 협곡 아래를 겨누었다.

그들 사이로 낯익은 얼굴들이 보였다.

가장 먼저 눈에 들어온 사람은 무림맹주인 설산신검 장초풍과 뇌검 남궁유룡이었다. 사자후를 내지른 사람은 목소리로 미루어 설산신검이 분명했다. 좌우에는 총군사 사마옥과 남궁세옥 그리고 잔뜩 상기된 남궁소소도 보였다.

'이건 또 무슨 상황이야!'

무림맹주를 비롯한 정도무림인들의 갑작스러운 등장으로 말미암아 석림협곡엔 또다시 한 줄기 광풍이 휘몰아쳤다.

정도무림인들 중에는 중장년인들은 물론이거니와 머리가 하얗게 센 노강호들도 적지 않았다. 맹의 타격대뿐만 아니라 각파의 최고수들이 대거 동원되었다는 걸 의미했다. 그리고 놀랍게도 구대문파의 장문인들까지 여럿 보였다.

이는 칠성군 야율극리가 이끌고 온 일백의 마교 쪽 고수들 역시 마찬가지였다. 마공을 익히면 다 저렇게 되는지, 온갖 기괴한 용모와 복장을 한 노마두들 천지였다. 장담하건대 은거를 깨고 나타나는 것만으로도 강호를 떨쳐 울릴 대마두가 적지 않을 것이다.

하지만 단순한 머릿수로나 고수들의 숫자로나 위치로나, 우리와 무림맹 쪽의 우세가 확실해 보였다.

"서문룡, 남궁세옥."

"하명하십시오!"

"하명하십시오!"

"한 명이라도 수상한 움직임을 보이면 그 즉시 강전을 쏟아붓도록."

"존명!"

"존명!"

설산신검 장초풍의 명령에 한목소리로 대답하는 서문룡과 남궁세옥이었다.

서문룡은 원래 무림맹 최강 타격대 중 하나인 묵혼귀갑대의 대주였다. 그의 친구인 남궁세옥은 용봉지회의 수장 출신으로, 옛 실력을 살려 후기지수들이 포함된 별동대를 임시로 맡은 모양이었다.

장초풍은 이어 구대문파의 장문인들이 포함된 십수 명의 수뇌부와 함께 이십여 장 높이의 절벽에서 아무렇지도 않게 몸을 던졌다. 한 사람 한 사람의 존재감이 남다르다 보니 흡사 하늘에서 무슨 유성우가 떨어지는 것 같았다.

특히 천하십검의 수좌를 다투는 장초풍과 남궁유룡은 등에 장검을 한 자루씩 가로질러 메고 있었는데, 그 모습이 더할 나위 없이 든든했다. 실제로 본 적은 없지만 아마도 젊은 시절 두 사람이 강호를 종횡할 때도 저런 모습이지 않았을까 싶었다.

한편, 서문룡과 남궁세옥이 이끄는 타격대와 그들을 중심으로 한 나머지 병력은 명령에 따라 모두 절벽 위에서 아래를 향해 강궁을 겨눈 채 대기했다. 그 바람에 편복은왕이 이끌고 온 흑풍사의 마적 이백과 야율극리가 이끌고 온 마군 일백은 순식간에 발이 묶여 버렸다.

이윽고 우리 쪽 진영 바로 앞으로 떨어진 장초풍 등은 내가 야율극리와 대치한 곳으로 다가와서 섰다.

나는 황망한 얼굴이 되어 포권지례부터 올렸다.

"표사 이정룡, 맹주님과 여러 노선배님들을 뵙습니다."

"고생이 많군."

"대체 여긴 어떻게 아시고……."

"나야 총군사께서 하자시는 대로 했을 뿐이네."

장초풍은 공(功)은 사마옥에게 넘기고 자신은 낮추었다.

물론 나는 곧이곧대로 믿지는 않았다. 다만 사마옥에게로 시선을 옮겼다.

"전쟁을 시작할 때는 마지막 결전의 순간을 염두에 두고 작은 계획들을 차곡차곡 쌓아 올려야 한다네. 그래야 돌발 상황이 발생해도 길을 잃지 않고 해야 할 일을 정확히 알 수 있지.”

“혹시 저희를 미끼로 천마성교의 최고수들만 따로 유인해 낸 것입니까?”

“그 역시 계획 속에 있었네. 다만 자네들이 이렇게까지 완벽하게 제 역할을 해줄 줄은 몰랐지. 덕분에 일이 아주 수월해졌고.”

“도움이 됐다니 다행입니다.”

“이해해 줘서 고맙네.”

나는 조금도 화가 나지 않았다. 남궁소소가 말한 것처럼 사마옥에게는 무림맹 총군사로서 그가 해야 할 일이 있었다. 그리고 이 일은 애초부터 누가 등 떠밀어 시작한 게 아니었다. 순전히 내가 자원한 일이었다. 사마옥은 단지 그 기회를 이중 삼중으로 이용했을 뿐.

“사실 여기까지 오는 동안 저와 천살마녀가 한 일이라곤 별로 없습니다. 회수를 앞두고는 진왕야의 신세를 졌고, 탑하림과 황하를 지날 때 두 분의 선배 표사님들께서 찾아와 이끌어주셨고요.”

“진왕야와 명표들께서 위험을 무릅쓰고 나선 것 역시 지난날 자네가 했던 일들이 초래한 결과일세. 지나치게 겸양할 필요 없네.”

“그거야말로 너무나 민망한 말씀입니다.”

“그냥 하는 말이 아닐세. 다만 명성이 자자한 북해투왕을 여기서 뵙게 될 거라고는 생각지 못했네. 더욱이 그가 자네의 사부님이셨을 줄은.”

그러면서 사마옥은 북해투왕 혁방세에게로 시선을 옮겼다. 이어 눈이 마주치자 가볍게 묵례까지 보냈다. 혁방세는 불편한 기색이 역력한 와중에도 고개를 살짝 숙이는 것으로 답례를 했다.

'왜 하필 지금 저런 얘길!'

내가 혁방세의 제자라는 건 밝혀져도 아무 상관이 없다. 하지만 적들과 대치한 상황에서 혁방세의 존재가 부각되는 건 조금 다른 문제였다. 공교롭게도 지금 이 자리에는 곤륜파의 장문인인 운학진인도 와 있었다. 그리고 무림 사정에 밝은 이들은 모두가 곤륜파와 혁방세 사이의 은원을 알았다. 모를 수가 없었다. 오랜 세월 강호에 파다하게 퍼진 소문이었으니까.

아니나 다를까, 장내에 있던 사람들 전부가 혁방세와 운학진인을 번갈아 보았다. 불공대천지수(不共戴天之讎). 옛말에 이르길 부모를 죽인 원수와는 한 하늘 아래 살지 않는다고 했다. 무림문파에서는 사부가 곧 부모다. 제자는 사부에게 자식과도 같고.

만약 어느 부모가 자식을 죽인 원수를 오랜 세월 찾아다니다가 생각지도 않은 장소에서 갑자기 맞닥뜨린다면 어떻게 할까? 전해 들은 바에 따르면 혁방세의 손에 죽은 곤륜파의 도사는 운학진인이 직접 데려다 키우고 가르친 다섯 번째 제자였다. 혁방세가 사형을 죽이자 충격에 빠진 나머지 동굴로 들어가 십 년간이나 면벽 수련을 한 여도사는 운학진인의 여섯 번째 제자였고.

과연 운학진인이 어떻게 나올지 나 역시도 초조하기 짝이 없는 마음으로 지켜보았다.

물론 지금 혁방세에게는 내가 준 보은패가 들려 있기는 했다. 당연히 그건 옛날 곤륜파의 장로가 해남파에 준 것이었고.

한편, 우연히 눈에 들어온 남궁유룡의 눈동자가 다른 누구보다 더 반짝거리는 게 보였다. 혁방세가 내게 사부라면 남궁유룡에게는 의제였다. 나 못지않게 그도 혁방세를 걱정하고 있는 것이다.

한데 어찌 된 영문인지 남궁유룡은 사마옥이 혁방세를 걸고넘어지는 것에 대해서는 전혀 의아해하거나 화가 난 표정이 아니었다.

순간, 머릿속에서 번쩍하고 떠오르는 생각이 있었다.

'혹시!'

전날 무림맹에서 해남파의 소년 장문인은 내게 술을 가르쳐 달라며 그 대가로 곤륜파의 보은패를 주었다. 술자리에서 왜 하필 곤륜파의 보은패를 주는 것이냐고 물었었다. 우연이라고 하기에는 너무나 공교로웠으니까. 하지만 소년 장문인은 무슨 이유에선지 절대 가르쳐 주지 않았다.

어떻게 된 상황인지 이제야 대충 알 것 같았다. 소년 장문인은 남궁소소를 찾아가 내게 감사 인사를 표하고 싶다며 어떻게 했으면 좋겠냐고 조언을 구했을 것이다.

우연히 그 사실을 알게 된 남궁유룡은 이때다 싶어 곤륜파의 보은패를 제시하도록 했다. 곤륜파의 보은패가 내 수중으로 들어가면 자연스럽게 혁방세에게 전해질 것을 짐작했고.

그리고 지금에 이르러 사마옥이 갑자기 혁방세를 걸고넘어지는 건 그때의 일이 초래한 결과였다.

정도무림의 모든 정보를 다루는 무림맹 총군사답게 그는 남궁유룡과 혁방세의 관계를 진작부터 눈치챘을 것이다. 그리고 혁방세가 나의 사부라는 것까지 알게 된 지금, 전쟁을 앞두고 혹시라도 있을지 모르는 내분의 불씨를 확실하게 매듭짓고 가려는 것이다.

만약 운학진인이 연대 의식이 강한 구대문파의 장문인들과 함께 혁방세를 징치하려 하고, 이에 대응하여 나와 남궁유룡과 이종산이 공동 전선을 펼치는 불상사가 벌어지면 안 되니까. 설사 지금 당장 격돌하지 않더라도 서로를 완전히 신뢰하고, 그로 말미암아 전력을 최대한 끌어내기 위해서는 꼭 필요한 일일 수도 있었다.

수많은 사람들이 각자의 입장에서 각자의 시각으로 상황을 지켜보는 가운데 혁방세가 먼저 운학진인을 향해 포권지례를 올렸다.

"그간 강녕하셨습니까?"

"못 본 사이 많이 초췌해지셨구려."

"장문진인께선 그때보다 더 늙으셨고요."

서로의 변한 모습을 말하는데 공격적이라기보다는 어쩐지 세월의 무상함을 말하는 노인들의 애처로움이 느껴졌다.

"새로운 인연도 많이 쌓으신 것 같고."

"세상 가장 낮은 곳에서 존재하지 않는 사람처럼 살겠다고 다짐했었는데, 아무래도 저의 노력이 부족했던 모양입니다."

"무량수불. 인연이란 본디 전생에 다 정해진 것. 억지로 구한다고 구해지는 것도, 피한다고 피해지는 것도 아니외다. 오늘 귀하와 내가 이렇게 만난 것처럼 말이오."

"그때 일은……."

"혹시 청해성으로 돌아가는 길이었소이까?"

"그걸 어찌?"

"그렇다면 시간을 내어 본파에도 한번 들러주시겠소?"

"예?"

"오래전 서녘에서 비명횡사한 제자의 영전에 향불이 꺼진 지 오래라오. 귀하가 찾아와 한 대 살라주시면 감사하겠소이다."

"……!"

비명횡사란 뜻밖의 재앙이나 사고로 말미암아 제 명대로 살지 못하고 간 죽음을 이르는 말이었다. 운학진인은 방금 제자의 죽음을 살해당한 것이 아니라 사고라고 말한 것이다. 향을 살라달라는 건 진심 어린 사과와 함께 죽은 혼령을 위로해 달라는 뜻이고.

생각지도 못한 운학진인의 반응에 혁방세는 큰 충격을 받은 듯했다. 지켜보는 사람들 모두가 그와 똑같았다.

혁방세도 혁방세지만 나는 운학진인 역시 상처가 어느 정도 치유되었음을 알 수 있었다. 한데 운학진인은 혁방세가 청해성으로 돌아가는 중이었다는 걸 어떻게 알았을까?

그의 말이 다시 이어졌다.

"곤륜파의 오래된 물건 하나가 귀하의 제자인 풍운비룡의 손에 들어갔음을 알고 있소이다. 풍운비룡이 무림맹을 떠나기 전날 밤, 해남파의 소년 장문인께서 나를 찾아와 양해를 구하시더군. 이미 결정한 일이지만 말씀을 드리는 것이 도리일 것 같다고."

이건 또 무슨 소리인가. 혁방세에게 보은패가 있다는 걸 운학진인이 진작부터 알았다고? 이건 사마옥과 남궁유룡은 물론이거니와 구대문파의 다른 장문인들도 까맣게 몰랐던 눈치였다.

더불어 나는 소년 장문인의 사려 깊음에 한편으로는 놀라고 한편으로는 부끄러웠다. 그는 보은패를 내게 그냥 넘길 수도 있으나 기왕이면 본래의 주인에게 양해를 구하는 것이 예의라고 생각한 것 같았다.

어쨌거나 운학진인은 혁방세를 곤륜파로 초대하면서 그와 지난날의 은원에 대해 더는 따질 생각이 없음을 분명히 했다. 사마옥의 고심 어린 질문에 자신의 방식으로 대답을 해준 것이다.

사마옥과 남궁유룡은 어려운 결단을 내려준 운학진인에게 말없이 묵례를 보내는 것으로 감사 인사를 대신했다. 잠깐 눈이 마주치는 틈을 타 나와 이종산도 묵례를 올렸다.

혁방세는 겉으로 보기엔 아무런 표정의 변화가 없었다. 하지만 복받치는 감정을 억누르는 중임을 모를 사람은 없었다.

한편, 볼일을 끝낸 운학진인은 맹주 장초풍을 향해 가만히 고개를 끄덕였다.

장초풍은 그제야 야율극리와 그가 이끌고 온 일백 마군들을 천천히 돌아보았다.

"귀하가 그 유명한 칠성군이시로군."

"저를 아시는지요?"

"적룡마제(赤龍魔帝)의 일곱 제자들 중에 요나라 왕족 출신이 있다는 얘긴 들었소. 다만 그들은 지난 정마대전 당시 뿔뿔이 흩어져 도망치다 모두 비참한 최후를 맞은 걸로 알았는데 한 명이 용케도 살아 있었을 줄이야."

천마는 무림맹주처럼 천마성교주로서의 직책을 말하는 것이다.

천마에게도 교주이기 이전에 강호인으로서의 별호가 있었다. 그게 적룡마제였다. 하지만 어찌 된 영문인지 그의 본래 이름은 강호에 알려진 바가 없었다.

"타인의 판단에 내 운명을 맡기면 우물에서 나와 바닷속으로 걸어 들어가는 수가 있지요. 위기일수록 상식을 의심하는 것이 저의 방식입니다."

"일곱 제자들 중엔 어린 칠성군이 가장 용맹하고 지혜롭다는 소문이 돌더니만, 과연 명불허전이었나 보구려."

"맹주께서도 여전하시군요."

"우리가 만난 적이 있소이까?"

"설산신검, 아니, 그 시절엔 설산검객으로 불렸지요. 명성이야 천둥소리 듣듯 익히 들었었고 실제로 뵌 적도 있습니다."

"이 몸은 기억에 없소만."

"사부님께서 천하십대고수들 중 정도무림 쪽의 여섯 고인과 일왕봉(一王峰)에서 홀로 생사대전을 치르실 때 멀리서 지켜보던 설산검객의 모습이 떠오르는군요. 온몸에 피 칠갑을 한 채 피가 뚝뚝 떨어지는 검을 아래로 늘어뜨렸는데, 그야말로 사신을 보는 듯했습니다."

"……!"

"그러고 보니 그때 나이가 지금의 저와 비슷하셨겠군요. 평생을 독보강호 하는 협객으로만 사실 줄 알았는데, 이렇게 무림맹주가 되어 정도무림을 호령하실 줄은 몰랐습니다."

"귀하가 그 자리에 있었단 말이오?"

장초풍은 진심으로 놀란 것 같았다.

눈치를 보아하니 야율극리는 어딘가에 숨어서 천마의 마지막 싸움을 지켜본 모양이었다. 대체 그날 무슨 일이 있었기에.

"자정 무렵부터 시작된 생사대전은 다음 날 아침이 되어서야 비로소 끝났지요. 홀로 다섯 고인을 쓰러뜨린 후 당신께서도 치명상을 입고 절 벽 아래로 뛰어내리시던 사부님의 모습이 아직도 생생하게 기억납니다."

천마의 죽음에 관해 수많은 설이 존재했다. 그러나 어느 것 하나 확실한 것이 없었다. 전생에서도 무림 사정에 정통한 표사들에게 수없이 물어보았으나 누구도 정확히 알지 못했다. 한데 그가 일왕봉이라 불리는 어느 산봉우리에서 혼자 천하십대고수들 중 정도무림 쪽의 여섯 명과 생사대전을 치렀다고?

다른 건 전부 제쳐두고서라도 혼자 천하십대고수들 중 여섯 명의 협공을 받으면서 그중 다섯을 쓰러뜨렸다니. 그런 압도적인 격차가 현실에 존재할 수 있다는 게 잘 믿어지지 않았다. 그게 정녕 인간으로서 도달할 수 있는 경지란 말인가.

무림맹이 왜 그토록 천마성교의 발호를 두려워하는지, 명부삼귀, 편복은왕, 혈영노조, 칠성군 등이 왜 죽음을 무릅쓰고 성보를 노리는지, 마도천하라는 말이 왜 나왔는지 그제야 확실히 이해가 되었다.

한편 야율극리가 말한 천하십대고수들은 지금은 모두 죽어서 전설이 되어버린 전 시대의 인물들이었다. 천마와 전대 천하십대고수들의 죽음에 얽힌 비사가 야율극리의 입을 통해 밝혀지자 사람들은 적아를 막론하고 모두가 큰 충격을 받은 듯했다.

그리고 지금 이 순간, 삼십여 년 후 또 다른 전설로 불리게 될 생사대전이 황토고원 속 어느 석림협곡에서 펼쳐지려 하고 있었다.

그 전설 속에는 나도 등장하게 된다.

또한 삼십 년 후 강호무림의 주인이 누구냐에 따라 나에 대한 평가는 달라진다. 만약 마도천하라면 나는 배교자와 함께 성보를 훔쳐 달아

나다 비참하게 죽임을 당한 표사 출신의 도적으로 기록될 것이다. 그렇게 되도록 내버려 둘 수는 없었다.

천만다행으로 든든한 지원군들이 대거 달려와 준 덕분에 그럴 일은 없을 것 같았다.

한데 낭패한 기색이 역력한 흑풍사의 두령 북두혈성과 달리 야율극리는 무슨 이유에선지 전혀 초조한 기색이 아니었다.

'뭐지?'

천마와 천하십대고수들의 생사대전에 얽힌 비사로 말미암아 사람들이 받은 충격은 좀처럼 가시질 않았다. 특히 천하십대고수 여섯이 협공을 하고도 다섯이나 쓰러졌다는 말에 정도무림인들은 격동하는 기색이 역력했다.

여기 모인 정도무림인들 중 백여 명 정도는 쉰 살 이상의 노강호이자 일파를 대표하는 무림 명숙들이었다. 그들이 과연 수십 년 전 일왕봉에서 펼쳐졌다는 천마와 천하십대고수와의 생사대전을 몰랐을까? 어느 날 갑자기 천하십대고수들 중 정도무림 쪽 오 인의 신변에도 큰 문제가 생겼는데?

천만의 말씀, 당연히 알고 있었을 것이다. 그럼에도 불구하고 이렇게 놀라고 당황한 기색을 보이는 건 뼛속까지 새겨진 천마에 대한 두려움 때문이었다. 그리고 적개심이 있었다.

지난 정마대전 당시 수천에 달하는 정도무림인들이 목숨을 잃었다고 들었다. 그들 중에는 지금 이 자리에 모인 노강호들의 사부나 사형제들도 있었을 것이다.

그건 아율극리가 이끄는 일백의 마군들 역시 마찬가지였다. 천마교주가 되고자 하는 건 일부 수뇌부의 얘기일 뿐, 나머지는 모두 마신을 섬기는 광신도들이었다. 그들은 정마대전에서 죽은 형제들의 원혼을 잊지 않고 있을 것이 분명했다. 성보가 나타났다는 소문을 듣자마자 심산유곡에서 튀어나온 것도 모두 그 때문이고.

그런 배경 속에서 장초풍이 착 가라앉은 음성으로 말했다.

"통성명은 이쯤 하면 된 것 같으니 본론을 말하리다. 황하를 건넌 칠천교도들에게 사흘 내로 해산을 명하고, 귀하들 역시 살던 곳으로 돌아가 조용히 남은 생을 보내시오. 하면 아무 일 없을 것이오."

"목숨을 잃는 것이 두려웠다면 다들 심산유곡에서 나오지도 않았을 겁니다. 그리고 황하를 건너 진군해 오고 있는 병력은 이미 구천을 넘겼습니다. 이곳에 도착할 때쯤엔 일만이 되지 않을까 싶습니다만."

단순히 신분을 숨긴 채 숨어 살던 마교도들이 가세하는 것만으로는 이렇게 빠른 속도로 불어날 수 없다. 앞서 유성표국의 표사에게 들은 것처럼 흑도와 사파인들이 대거 가세하는 모양이었다.

천마성교를 중심으로 한 거병의 기세가 예사롭지 않자 그동안 무림맹의 추살대에게 쫓기거나 핍박받던 자들이 '이때다' 하고 세상을 바꾸려는 것이다. 이렇게 되면 이곳으로 달려오고 있을 정도무림의 일만 병력과 비슷한 숫자였다.

애초 전쟁을 막기 위해 시작한 표행이었는데, 목적지를 눈앞에 두고 일이 걷잡을 수 없이 커져 버렸다.

"무림맹의 정예고수 삼백이 이십여 장 높이의 절벽 위에서 뇌성궁으로 귀하들 한 명 한 명의 심장을 겨누고 있소. 아무리 정예의 고수라고 해도 초전(初箭)이 발사되는 그 즉시 일 할은 족히 쓰러질 것이오."

뇌성궁은 무림맹의 타격대들이 쓰는 특수한 활을 말한다. 뇌성이라는 이름이 붙은 것은 활을 쏘면 흡사 천둥을 연상케 하는 소리가 작렬하기 때문이었다.

활과 화살의 크기며 굵기가 예사롭지 않더라니, 무림맹의 그 유명한 뇌성궁이었나 보다. 그걸 각파의 최고수들까지 가세해 잡았으니 협곡 안에 갇힌 마교도들이 빠져나갈 길은 요원해 보였다.

한편, 뇌성궁의 무서움을 잘 아는 흑풍사의 마적들과 마군들은 너나 할 것 없이 절벽 위쪽에 있는 정도무림의 고수들을 노려보았다. 화살을 쏘기 전에 먼저 발시의 징후를 살펴 최대한 민첩하게 대응하려는 것이다.

이런 와중에도 야율극리는 유유자적하게 말했다.

"옛 성현께서 말씀하시길 전장으로 나아갈 때는 천시(天時)와 지리(地利)를 먼저 살피라고 했지요. 지금은 천시와 지리 모두 저희에게 불리하지만은 않은 것 같습니다만."

양쪽이 대치하는 사이 이미 해는 서산 너머로 사라지고, 황토고원 전체에 어둠이 짙게 깔린 상황이었다. 그리고 협곡 안은 폭이 이십여 장으로 상당히 넓었지만, 절벽의 그늘로 말미암아 다른 곳보다도 더 어두웠다.

게다가 야율극리가 말을 하는 사이 그나마 은은한 빛을 뿜어내던 달마저 짙은 구름 속으로 자취를 감추어 버렸다. 제아무리 일 갑자 이상의 고수들이라고 해도 빛이 한 줌도 없는 상황에선 이십 장 아래의 어둠 속을 뚫어 볼 재간이 없었다.

애초 고지를 차지하면서 무림맹 쪽에 유리했던 상황은 잠깐 사이에 모두 천마성교 쪽으로 유리하게 바뀌었다.

"천시지리인화(天時地利人和)라. 하늘의 때와 땅의 이로움은 사람의 화합만 못 한 법!"

조용히 장초풍의 곁을 지키고 있던 사마옥의 입에서 묵직한 일갈이 흘러나왔다. 그와 동시에 절벽 위쪽이 환해지는가 싶더니 백여 발의 불화살이 비처럼 쏘아졌다.

뻐버버버버벙!

천둥소리 같은 파공성과 함께 화살은 협곡의 허공을 가로질러 날아간 다음 맞은편 절벽에 가지런히 꽂혔다.

놀랄 일은 그다음에 벌어졌다. 맞바람에 의해 살대 전체로 옮겨붙은 불은 꺼지지 않고 그대로 커다란 횃불이 되었다. 보통의 불화살과 달리 살대 전체에 역청을 두껍게 발라둔 모양이었다. 덕분에 잠깐 칠흑처럼 어두워졌던 협곡 안은 처음보다 오히려 더 밝아졌다.

흑풍사의 마적 이백과 마군 일백은 또다시 무림맹 정예들이 당기고 있는 뇌성궁의 사정권에 들어오게 되었다.

"화합의 정수는 전쟁이지요."

야율극리의 즉각적인 대답이었다. 선전 포고 같은 내용과 달리 그의 목소리는 여전히 부드럽고 여유로웠다.

그 순간 절벽 위쪽으로부터 뇌성궁을 당기고 있던 무림맹 소속의 고수 하나가 픽 고꾸라지더니 이십여 장 아래로 곤두박질쳤다.

쿵!

뇌성궁을 쥔 채 마교 쪽 진영에 머리부터 떨어진 그의 주변으로 뿌연 먼지가 솟구쳤다. 그러고는 꿈쩍을 하지 않았다. 즉사였다.

밑에서 협곡 위를 향해 활을 쏘지도 않았고, 그가 암기를 맞은 징후도 없었다. 가만히 있다가 혼자 뚝 떨어진 것이다. 갑작스러운 상황에 적아를 막론할 것 없이 모두 크게 당황해했다.

한데 그건 시작에 불과했다. 절벽 위 가장자리에 나란히 서서 뇌성궁을 당기고 있던 무림맹 쪽 고수들이 계속해서 뚝뚝 떨어졌다.

쿵! 쿵! 쿵! 쿵!

머리부터 떨어지는 자, 어깨부터 떨어지는 자, 허리부터 떨어지는 자, 등부터 떨어지는 자. 어느 쪽으로 어떻게 떨어지든 모두 즉사였다.

멀쩡하게 있다가 갑자기 스르륵 넘어가는 것도 그렇고, 낙하하는 순간 경신공을 일절 펼치지 않는 것도 그렇고, 흡사 단체로 미쳐서 자살이라도 하는 것 같았다.

눈 깜짝할 사이에 이십여 명이 그렇게 죽었다.

'이게 무슨!'

절벽 아래에 있던 무림맹 수뇌부는 대경실색한 나머지 모두가 두 눈을 부릅떴다. 마교 놈들이 무슨 사술을 부린 것 같은데, 도무지 알 길이 없었다. 나 역시도 모골이 송연해졌다.

그 순간, 절벽 위에 남아 있던 노강호들로부터 연이은 일갈이 터져 나왔다.

"섭혼미령안(攝魂迷靈眼)이다!"

"노마두들과 눈을 마주치지 마라!"

"묵혼귀갑대와 용봉지회는 뒤로 빠져라!"

절벽 위의 무림맹 쪽 고수들은 각자가 목표로 했던 자들의 심장을 겨누고, 마군들은 이에 대비하기 위해 위를 올려다보니 자연스레 눈이 마주친 모양이었다.

초집중한 상태에서 상대의 눈을 바라보는 건 섭혼술에 빠져들기 딱 좋은 조건이었다. 그리고 협곡 안이 잠깐 어두워졌다가 불화살들로 말미암아 다시 밝아지는 순간 무언가 촉발이 일어난 것 같았다. 게다가 저들은 마군이라 불릴 정도의 노마두들이었다. 반면에 절벽 아래로 떨어진 이들은 상대적으로 젊은 타격대와 별동대의 대원들이었다.

장초풍이 더 늦기 전에 공격 명령을 내렸다.

"활을 쏴라!"

섭혼술에 빠진 사람도 정신이 번쩍 들게 할 정도의 대갈일성이었다. 그와 동시에 절벽 위로부터 뇌성궁이 일제히 터졌다.

뻐버버버버버벙!

꿍음과 함께 시커먼 강전들이 협곡 안으로 소나기처럼 퍼부어졌다. 시위 터지는 소리에 이어 화살 쳐내는 소리와 박히는 소리와 비명이 동시다발적으로 울렸다.

"크헉!"

"꺼헉!"

"커헉!"

왁자지껄한 소란과 달리 강전은 노강호들이 쏜 백여 발 정도밖에 발사되지 못했다. 그러나 미처 피하거나 쳐내지 못하고 쓰러진 건 장초풍이 호언장담한 대로 무려 삼십여 명에 이르렀다.

한데 대부분 흑풍사의 마적들이었다. 그들은 모두가 말을 타고 있는 바람에 상대적으로 위치가 높았다. 반면 야율극리가 이끌고 온 일백의 마군들은 화살을 도검으로 쳐내거나 마상의 마적들을 방패처럼 활용하며 피했다.

"협곡을 장악하라!"

야율극리의 입에서 우렁우렁한 일갈이 터진 것도 동시였다. 절벽 위의 병력이 다시 화살을 재는 그 짧은 틈을 타 일백 마군들이 우리 쪽 진영을 향해 성난 파도처럼 질주해 왔다. 잠깐 사이 동료를 삼십이나 잃은 흑풍사의 마적들이 뒤를 이었다.

"와아아아!"

앞쪽에서 무시무시한 기세로 신형을 쏘는 일백 마군들도 압도적이었지만, 초승달 같은 만곡도를 바깥으로 크게 뻗고 말을 달려오는 백칠십여 마적들의 기세 또한 간담을 서늘케 했다.

이에 대한 우리 쪽 진영의 대응은 상식을 벗어난 것이었다. 그리고 그 명령은 장초풍이 아니라 이번에도 사마옥에게서 터져 나왔다.

"모두 이십 장 밖으로 물러나시오!"

마주 달려가 도륙을 해도 모자랄 판에 뒤로 물러나라고? 당황한 나와는 달리 노강호들은 한 치의 망설임도 없이 번개처럼 신형을 뒤로 뺐다.

천하의 장초풍과 남궁유룡과 구대문파의 장문인들이 도망치는데 내가 무슨 배짱으로 자리를 지키겠나. 얼떨결에 땅을 박차고 튀어 오르며 이십여 장을 쏜살처럼 물러났다.

야율극리가 이끄는 일백 마군들 역시 그만큼 더 신법을 펼쳐 달려오면서 거리는 조금도 벌어지지 않았다. 다만 약간의 시간을 벌 수 있었다.

그 잠깐의 시간 동안 절벽 위의 병력이 다시 뇌성궁에 화살을 재고 쏘는 데 성공했다.

뻐버버버버버벙!

섭혼술에 빠진 사람들이 정신을 차리기에는 너무나 짧은 시간이어서 이번에도 노강호들이 쏜 백여 발밖에 되지 않았다.

하지만 그 위력은 결코 작지 않아서 말을 달려오던 흑풍사의 마적 삼십여 명이 또다시 떨어져 나뒹굴었다.

"으악!"

"커헉!"

"아악!"

'이거였군!'

나는 그제야 사마옥의 의도를 알아차렸다.

본격적으로 적아가 뒤섞여 버리면 그때부터는 활을 쏠 수가 없게 된다. 오랜 실전의 경험으로 그걸 너무나 잘 아는 사마옥은 급박한 순간에도 절벽 위의 고수들로 하여금 한 번 더 쏠 기회를 만들어준 것이다. 무림맹의 총군사라는 자리가 얼마나 대단한 자리인지 뼛속까지 느껴졌다.

그러나 야율극리가 이끄는 일백 마군들은 이번에도 흑풍사의 마적들이 성벽처럼 뒤쪽을 막아주는 바람에 거의 피해를 보지 않았다. 질주해 온 일백 마군과 협곡 안에 있던 정도무림의 수뇌부 십수 명이 격돌하기 직전, 장초풍의 일갈이 다시 터졌다.

"반격하라!"

꽝! 꽈광! 꽝꽝꽝!

검과 칼이 격돌하면서 밤하늘에 섬광이 번쩍이고 벼락이 쳤다.

장과 권이 격돌하면서 귀청이 찢어질 것 같은 천둥이 울렸다.

막강한 경파가 방원 십수 장을 휩쓸면서 흙먼지가 폭풍처럼 일어났다. 태풍의 한가운데에 있기라도 한 것처럼 천근추의 수법을 펼치지 않으면 제대로 서 있기조차 힘들었다.

그때쯤엔 활을 쏘던 노강호들도 어느새 절벽 위를 달려와 협곡 아래로 경신공을 펼쳐 떨어지며 속속 가세했다. 정도무림과 마교의 최고수 이백여 명이 넓은 협곡 안에서 마침내 하나로 뒤섞여 생사대전을 펼치는 순간이었다.

누가 누구와 싸우든 일대일의 대결만으로도 강호가 발칵 뒤집혔을 것이다. 그런 엄청난 괴수들이 저잣거리 왈짜들의 패싸움처럼 한꺼번에 격돌하는 전무후무한 일이 벌어졌다.

한편, 표왕부의 호위무사 오십도 맞은편에서 말을 달려온 흑풍사의 남은 마적들과 격돌하기 직전이었다. 그 순간 나는 아직 절벽 위에 남아 있는 서문룡과 남궁세옥을 발견했다. 그들은 섭혼술에서 빠져나온 생존자들을 추슬러 협곡 아래로 뛰어들 준비를 하고 있었다.

그때 머릿속에서 번쩍 떠오르는 생각이 있었다.

"세옥 형님! 모두 다시 활을 잡도록 지시하십시오!"

남궁세옥이 갑자기 하던 일을 멈추고 잠깐 나를 응시했다. 의사가 제대로 전달되었음을 확인한 나는 양손을 입에 대고 종 모양으로 만들었다. 이어 흑풍사의 마적들이 달려오고 있는 협곡 앞쪽을 향해 망혼소를 힘차게 불었다. 삼백 년의 공력을 모두 끌어올렸음은 물론이었다.

지이이이잉!

망자의 휘파람 소리라는 이름답게 망혼소는 인간의 귀에는 그저 이명처럼 들릴 뿐이었다. 하지만 소리에 민감한 짐승들에게는 누군가 바늘로 고막을 계속해서 찔러대는 것과도 같은 고통이 느껴진다.

이히히힝!

말들이 질주를 하다말고 펄쩍펄쩍 뛰었다. 얼마나 놀랐는지 어떤 놈들은 공중에서 허리가 꺾이고, 어떤 놈들은 옆에 있는 다른 놈들과 다리가 엉키면서 함께 자빠졌다. 심지어 뛰어오르는 순간 제 몸을 가누지 못해 등부터 떨어지는 놈들도 있었다.

백사십여 필의 말 전부가 혼비백산하여 발작하자 일대가 아수라장으로 변했다. 말을 타는 게 걷거나 달리는 것보다 익숙하다는 흑풍사의 마적들이었다. 하지만 미쳐 날뛰는 말 앞에서는 어쩔 도리가 없었다.

"모두 말을 버려라!"

두령인 북두혈성의 일갈이 울리자 마적들은 그제야 말을 버리고 땅으로 떨어져 내렸다. 그와 동시에 절벽 위에서 남궁세옥의 일갈이 울렸다.

"발시!"

뼈버버버버버벙!

강전이 또 한 번 비 오듯 쏟아졌다. 이번엔 앞서 일백의 노강호들이 쏠 때보다도 훨씬 더 많았다.

퍽퍽 소리가 요란하게 울리며 마적들이 화살을 몸에 박고 비틀거리거나 쓰러졌다. 얼핏 보아도 사십 명은 족히 될 것 같았다.

나는 그제야 입에서 손을 떼고 망혼소를 멈췄다. 그 순간 내 뒤쪽으로부터 가뢰압이 이끄는 표왕부의 호위무사 오십이 말을 탄 채 쏜살처럼 튀어 나갔다. 그러고는 도망치는 말들 사이에서 만곡도를 들고 기다리는 흑풍사의 마적들을 닥치는 대로 도륙하기 시작했다.

"으악!"

"아악!"

"크악!"

기마술과 마상 무예에 특화된 흑풍사의 마적들은 땅으로 내려오는 순간, 한 명 한 명이 전문 살수와도 같은 표왕부 호위무사들에게 상대가 되질 않았다. 하지만 모두가 그런 것은 아니어서, 만곡도를 옆구리에 맞고 말에서 떨어지는 표왕부의 호위무사들 역시 속출했다. 두령인 북두혈성과 조장급 고수들의 활약 덕분이었다. 그리고 아직은 마적들의 숫자가 훨씬 많았다.

때마침 서문룡과 남궁세옥이 대원들을 이끌고 흑풍사와의 접전이 벌어지고 있는 전장으로 속속 떨어져 내렸다.

남궁세옥은 이어 장검을 뽑아 들고는 흑풍사의 두령 북두혈성을 질풍처럼 덮쳐갔다.

깡! 까가강! 깡! 깡! 깡!

격렬한 일곱 합이 숨 쉴 틈도 없이 몰아친 후에야 두 사람은 비로소 떨어졌다. 정확히는 북두혈성이 남궁세옥의 맹공을 감당하지 못하고 세 걸음이나 뒤로 물러난 상태였다. 서로의 내공을 말해주듯 만곡도와 장검이 아직도 징징 울어댔다.

당황한 북두혈성이 서늘한 음성으로 물었다.

"이름이 무엇인가?"

"남궁세옥."

"창룡검 남궁세옥!"

"피차 갈 길이 먼 듯하니 어서 끝장을 봅시다."

남궁세옥이 재차 공세를 퍼부었다. 검초를 뿌릴 때마다 새파란 번개가 번쩍였다.

남궁세가의 제왕검이었다. 무림인들은 모두 자기 실력을 삼 할을 숨긴다고 하더니, 생사대전에 이르러 드러난 남궁세옥의 무공은 생각했던 것보다 훨씬 고강했다.

꽝꽝꽝!

남궁유룡은 일 장 높이의 허공에서 내리꽂는 그 찰나의 순간에도 새파란 번개를 무려 세 번이나 뽑아냈다. 한번은 상대의 정수리를 향해 수직으로, 한번은 왼쪽 목을 향해 수평으로, 마지막 한 번은 오른쪽 몸통을 향해 사선으로. 남궁세가 최강의 절기인 제왕검에 담아낸 검강(劍罡)이었다.

번쩍이며 쏘아지는 검강도 검강이지만 그 속도가 눈으로 좇기 어려울 만큼 빨랐다.

'이것이 뇌검의 경지!'

그런가 하면 땅에서는 장초풍이 흡사 맹수가 사냥감을 덮치는 듯한 움직임으로 돌진하고 있었다. 쭉 뻗은 그의 장검에서도 시퍼런 검기가 무지막지한 속도와 기세로 쏘아져 갔다. 과연 저걸 어떤 인간이 감당할 수 있을까 싶었다.

'막상막하!'

하지만 두 사람의 가공할 검초는 붉은빛이 도는 적동곤(赤銅棍) 두 자루에 번번이 가로막혀 버렸다. 두 자루의 검과 적동곤이 부딪힐 때마다 또다시 벼락이 치고, 막강한 경파가 폭발하듯 터져 나가고, 대기가 크게 일그러졌다. 만약 내가 무공을 익히지 않았다면 진작에 고막이 찢어지며 까무러쳤을 것이다.

두 자루 적동곤의 주인은 당연하게도 칠성군 야율극리였다.

천하십검의 수좌를 다툰다는 두 검사와 야율극리의 생사대전은 흡사 천둥 번개를 동반한 폭풍우가 몰아치는 밤, 바다 한가운데 떠 있는 범선의 사투를 연상케 했다. 그러나 범선은 위태롭기는커녕 능숙한 솜씨로 성난 파도를 피하거나, 뚫거나, 타고 넘으면서 헤쳐 나가고 있었다.

천하의 남궁유룡과 장초풍을 상대하면서도 밀리지 않는 공력은 천마의 제자이니 무시무시한 마공을 익혀서 그렇다고 치자. 하지만 저 미친 듯한 속도만큼은 도저히 이해가 되지 않았다.

남궁유룡과 장초풍도 믿을 수 없도록 빨랐지만, 야율극리는 두 사람보다도 발은 반보씩, 적동곤은 반 초식씩 더 빨랐다. 그 약간의 차이가 혼자 두 사람을 상대할 수 있게 만들었다. 며칠 전 설인탁이 내게 말해준 시간의 틈이었다.

'저게 어떻게 가능하지?'

천하십검의 반열에 들 정도면 이미 인체가 만들어낼 수 있는 속도의 한계를 본 사람들이다. 그들이 천하십검의 수좌를 다툴 정도의 인물들이라면 더 말할 것도 없다.

　남궁유룡과 장초풍은 그렇게 되기까지 무려 팔십 년이 걸렸다. 그에 반해 야율극리는 두 사람보다도 삼십 년이나 젊은 쉰 살 남짓에 불과했다. 마공이 제아무리 상리를 벗어나 속성을 가능케 하는 방문좌도의 공부라고 해도 이게 정녕 말이 되는 그림인가.

　순간 머릿속에서 번쩍하고 떠오르는 생각이 있었다.

　'설마!'

　만약 어떤 경로로든 그가 나처럼 죽간의 영기를 흡수했다면 모든 게 설명된다. 아니, 그게 아니면 설명이 되지 않는다. 혜성처럼 나타나 명부삼귀와 편복은왕과 혈영노조를 차례로 무릎 꿇리고, 이제는 장초풍과 남궁유룡의 협공까지 홀로 거뜬히 받아내는 괴수를 달리 어떻게 설명하겠나.

　'맙소사!'

　그렇다면 대체 어떤 죽간의 영기를 흡수했을까?

　일단 내 몸속에 있는 부적의 영기를 흡수한 건 아닌 것 같았다. 그건 지금으로부터 삼십 년 후에야 비로소 세상에 나타나니까. 결국 다른 죽간의 영기를 흡수했다는 말인데, 이게 사실이라면 내가 세워놓았던 가설에 심각한 문제가 생긴다.

　지금까지는 내 몸속에 화인으로 새겨진 부적의 영기가 모든 힘의 근원이라고 생각했다. 몇 개나 더 있을지 모르는 나머지 죽간들은 그 힘을 쓰는 방법에 관한 기서였고. 그래서 시간을 느리게 흐르도록 보는 것 같은 이능력도 지닐 수 있었다. 한데 야율극리가 다른 죽간의 영기를 흡수하고도 나와 똑같은 능력을 가졌다면 지금까지의 가설이 무너지게 된다.

'가만, 뭔가 이상한데.'

곰곰이 생각해 보니 첫 번째 죽간도 그렇고 무림맹에서 운송하던 두 번째 죽간도 그렇고, 나는 이것들을 전부 불태우면서 그 영기를 의도치 않게 흡수하고 갈무리했다.

그렇다면 전대 천마교주들은 어떻게 죽간의 마공들을 익혔을까? 그들도 나와 같은 방식이었다면 고대에 만들어진 죽간들이 지금까지 이어지며 존재했을 리가 없지 않은가.

이건 언젠가 사마옥의 해준 말에서 해답을 찾을 수 있다.

"논어가 유가의 성전(聖典)으로 추앙받는 것은 공자께서 직접 새겨 넣은 죽간본으로 존재하기 때문이 아닐세."

말인즉슨, 죽간에 새겨진 내용 자체가 곧 핵심이요 보물이라는 뜻이다. 따라서 야율극리가 나처럼 죽간을 불태워 미지의 영기를 흡수했다고 단정할 수는 없다. 어떻게 성공했는지는 모르나 죽간에 새겨진 부적의 필사본을 손에 넣은 후, 지난 수십 년간 심산유곡에서 내공심법처럼 익혔을 가능성이 얼마든지 있었다.

'이거다!'

충격과 함께 온몸에서 전율이 흘렀다.

야율극리는 천마성교도이자 천마교주의 제자였다. 그가 부적의 술법을 운용하는 것은 도통 아는 바가 없어 장님 코끼리 만지듯 하는 나와는 차원이 다를 것이다.

그 순간, 사마옥의 일갈이 전음으로 들려왔다.

[어서 표행을 이어가게!]

주저하고 있을 시간이 없었다. 나는 설인탁과 석불원에게 연소교를 곁으로 데려오라는 신호를 재빨리 보냈다.

그들이 오는 동안 한참 혼전이 벌어지고 있는 전장을 둘러보았다. 멀지 않은 곳에서 이종산과 운학진인이 명부삼귀를 상대로 건곤일척의 승부를 펼치는 중이었다.

다섯 명이 톱니바퀴가 맞물려 돌아가듯 번갈아 가며 서로를 향해 맹공을 퍼붓고 있으니, 아마도 수백 초식의 공방을 이미 주고받았을 것이다. 그러나 명부삼귀의 명성이 제아무리 대단하다고 해도 장검을 든 이종산과 운학진인을 상대하기에는 역부족이었다. 세 사람은 점점 패색이 짙어지고 있었다.

그런가 하면 조금 떨어진 곳에서는 북해투왕이 편복은왕과 하나로 뒤엉켜 있었다. 두 사람은 각각 권법과 장법을 서로에게 죽으라 폭사했는데, 어쩌다 감정이 격해졌는지 원색적인 욕까지 주고받으며 철천지원수라도 만난 것처럼 싸우고 있었다.

십중팔구 북해투왕이 평정심을 깰 요량으로 먼저 편복은왕을 자극했을 것이다. 백전노장인 편복은왕 또한 만만치 않아서 더 심한 욕으로 돌려주었을 것이고. 그래서인지 감정이 잔뜩 실린 두 사람의 싸움은 마치 두 척의 전선(戰船)이 서로의 꼬리를 잡고 돌며 대포를 꽝꽝 쏘아대는 것 같았다.

그 전율과 공포가 가득한 전장의 한쪽 구석에 보통의 말보다 몸집이 훨씬 큰 두 필의 말이 돌기둥에 묶인 채 이리저리 날뛰고 있었다. 편복은왕이 번갈아 타고 온 용마였다.

근처에는 용마만큼은 아니지만 준마를 탄 흑풍사의 마적들이 천지로 돌아다니는 중이었다. 용마 두 마리에 쓸 만한 흑풍사의 말까지 빼앗아 타면 넷이 협곡을 달리기엔 충분했다.

나는 곁으로 다가온 온 네 사람에게 짧게 외쳤다.

"연 소저는 나를 따라오고, 두 분 선배님과 미나모토는 흑풍사 놈들의 말을 한 필씩 빼앗아 타도록 하십시오!"

그러고는 곧장 용마가 있는 곳으로 신형을 쏘았다. 가는 동안 좌우에서 달려들던 마적 두 명의 허리를 번개처럼 베어 넘겼다.

잠시 후, 연소교와 내가 용마를 하나씩 차지해 올라타고는 말 머리를 돌려 전장을 빠져나가려는 순간이었다.

"놈들이 도망친다!"

대기가 펑펑 울리는 누군가의 일갈과 함께 나와 연소교의 도주 계획이 만천하에 까발려졌다. 그 순간 일백 마군들 중 일부가 전장으로부터 득달같이 몸을 빼서는 무서운 속도로 달려왔다.

그들과 싸우던 정도무림 쪽 노강호들이 그림자처럼 따라붙으며 등을 노렸다.

마군들은 결국 정도무림 쪽 고수들에게 따라 잡힐 것이다. 하지만 그 전에 우리가 그들과 먼저 몇 차례 격돌을 해야 한다는 게 문제였다. 그만큼 시간이 지체되고, 시간이 지체될수록 전장을 빠져나가 도망치는 것도 어려워지게 된다.

그때였다.

"우리 역할은 여기까지인 것 같군!"

찰싹! 찰싹!

설인탁이 나와 연소교가 탄 용마의 궁둥짝을 손바닥으로 사정없이 후려쳤다. 그리고 나는 듯 달려오는 마군들을 향해 마주 달려갔다.

석불원과 미나모토는 이미 한발 앞서 튀어 나가 가장 먼저 달려온 푸른 낯빛의 노마두를 향해 도검을 힘차게 뻗어가는 중이었다.

깡! 까가가강!

격렬한 다섯 합이 질풍처럼 펼쳐졌을 때는 설인탁도 뒤이어 달려오는 짐승 같은 용모의 노마두와 격돌했다.

"그동안 감사했습니다!"

세 사람의 헌신적인 모습을 뒤로하고 나와 연소교는 말을 달렸다. 그리고 흑풍사의 마적들과 표왕부의 호위무사들과 정도무림 쪽 젊은 고수들이 하나로 뒤엉켜 싸우는 전장의 한복판을 가로질렀다.

내가 도주하려는 걸 알아차린 주변의 마적들이 동귀어진이라도 하려는 듯 사방에서 달려들었다. 그 바람에 나는 나대로 연소교보다 일장 정도 앞서 달리며 길을 열어야 했다.

길을 여는 방식은 잔인하면서도 간단했다. 이종산으로부터 하사받은 월인소야검으로 한 명씩 베어 넘기며 전진하는 것이었다.

"으악!"

"아악!"

"크악"

잠깐 사이 대여섯 명의 마적들이 허리와 어깨와 목에서 피를 뿜으며 낙마했다. 지옥도가 펼쳐지는 전장을 거의 벗어나려 할 때쯤이었다. 십여 장 앞쪽으로부터 칠척장신의 장한이 상체를 말 머리에 착 붙인 채 전속력으로 마주 달려오는 게 보였다. 좌하방으로 쭉 뻗은 손에는 커다란 만곡도가 들려 있었다.

그는 본래 흑풍사의 두령인 북두혈성의 곁을 지키던 자였다. 아마도 부두령쯤 되는 모양이었다.

재빨리 뒤쪽을 돌아보니 일백 마군들 중 다섯 명 정도가 전장에서 몸을 빼 맹렬한 속도로 쫓아오고 있었다.

무림맹의 노고수들이 다시 그들의 뒤를 바짝 쫓았지만, 역시나 공방을 주고받느라 지체되는 게 문제였다. 저 부두령을 단숨에 베어 넘기지 않으면 전장을 빠져나가지 못할 수도 있을 것 같았다.

하지만 흑풍사의 부두령을 어떻게 일검에 쓰러뜨릴 수 있겠나. 그건 남궁세옥이라도 어려울 것이다. 이를 증명하기라도 하듯 남궁세옥은 지금 한쪽에서 두령인 북두혈성과 둘만의 생사대결을 숨 가쁘게 펼치는 중이었다.

"만약 내가 멈추거나 지체하는 기미가 보이면 기다리지 말고 혼자라도 달려가시오!"

나는 연소교에게 재빨리 지시를 내린 후 월인소야검을 오른쪽 바깥으로 뻗었다. 이어 코앞까지 달려온 흑풍사의 부두령을 향해 검을 휘두르려는 순간이었다.

갑자기 마상에 있는 부두령의 머리 위로 검은 그림자 하나가 공중제비를 돌며 벼락처럼 지나갔다. 그와 동시에 놈의 머리통이 어깨에서 분리되어 아래로 뚝 떨어져 버렸다.

나는 주인의 몸통만 태운 채 달리는 말과 팔 하나의 거리를 두고 빠르게 지나쳤다. 건너편 땅에는 협봉검을 뽑아 든 남궁소소가 멋들어지게 착지를 한 후 나를 보고 있었다.

대부분 아래로 뛰어내리는 와중에도 그녀는 일부 궁사들과 함께 마지막까지 절벽 위에서 대기했었다. 그 바람에 안심하고 있었는데 갑자기 눈앞에 나타난 것이다.

그녀가 외쳤다.

"내 걱정은 말고 앞만 보고 달려요!"

황하 인근의 드넓은 초원에서 가끔 태어난다는 이 커다란 말의 명칭에 용(龍)자가 붙은 이유를 알 것 같았다.

초반의 쏜살같은 속도도 속도지만, 놈은 벌써 한 시진째 쉬지 않고 달리는 중이었다. 숨이 턱 밑까지 차오르고, 등에서는 전설 속 한혈보마처럼 붉은 땀을 비 오듯 흘러내리는 데도 꾀를 부리는 법이 없었다. 이러다가 갑자기 앞으로 고꾸라져서는 미처 손쓸 사이도 없이 숨이 꼴깍 넘어가지 않을까 하는 걱정마저 들 정도였다.

덕분에 경공을 펼치거나 말을 타고 마지막까지 따라붙는 추적자들을 확실하게 따돌릴 수 있었다.

어느 순간, 미로 같던 협곡이 끝나고 거대한 산이 눈앞에 떡하니 나타났다. 그것도 황톳빛의 민둥산이 아니라 제법 숲이 울창하게 우거진 산이었다. 까마득한 꼭대기에서는 눈 덮인 설봉이 반짝이는 별들과 밤하늘을 배경으로 세상을 신령하게 굽어보고 있었다.

연소교는 산으로 곧장 올라가지 않고 비탈을 따라 길도 없는 숲속을 한참이나 달렸다. 그러다 갑자기 말을 뚝 멈추었다.

"왜 그러시오?"

"역쌍석(逆雙石)이 보이면 십리지옥이 시작된 것이니 오직 삼보(三寶)를 품은 연자만 그 문을 통과할 수 있으리라."

그녀의 시선이 홀린 듯 향한 곳을 무심코 보았다. 그곳에 아래가 좁고 위는 오히려 두꺼운 두 개의 커다란 바위기둥이 일 장 간격으로 버티고 있었다.

불현듯 천룡표국에서 연소교가 했던 말이 떠올랐다. 천마대총은 성보를 세 개 이상 가진 자에게만 출입이 허락되며, 그 시작은 무려 십리 밖에서부터라던가? 만약 그렇지 못한 자가 함부로 발을 들여놓았다가는 제아무리 고수라도 산산조각이 난다고도 했었다.

그리고 또 하나, 사마옥은 소위 천마라 불린 천마성교의 전대교주들이 대대로 죽간에 새겨진 세 권의 마경기서들을 익혔다고 했다. 따라서 삼보를 품은 연자란 아무래도 천마교주를 말하는 것 같았다.

기묘한 지형이 자아내는 분위기에 압도당한 나와 연소교는 약속이나 한 것처럼 말에서 내렸다. 이어 고삐를 잡아끌며 잔뜩 긴장한 채 두 개의 커다란 돌기둥 사이를 천천히 통과했다.

우려했던 그 어떤 일들도 일어나지 않았다. 여전히 숲은 울창했고, 밤하늘은 평화로웠으며, 달과 별은 아름답게 빛나고 반짝였다.

그러나 우거진 숲을 조금 벗어나 보자며 반 각 정도 비탈을 거슬러 오르자 상황이 완전히 달라졌다. 어찌 된 영문인지 풀벌레 소리가 갑자기 뚝 끊어져서는 하나도 들리지 않았다. 대신 드넓은 숲을 가득 채운 것은 귀곡성을 연상케 하는 바람 소리였다.

무언가 이질적인 기운을 느꼈는지 두 필의 용마도 갑자기 멈춰 서서는 앞으로 나아가지 않으려고 했다.

"덩치는 산만 한 놈들이 무슨 겁이 이렇게 많아!"

고삐를 잡고 억지로라도 한 걸음 더 옮겨놓았을 때였다. 말발굽 아래에서 '빠각'하고 무언가 깨지는 소리가 났다.

서둘러 아래를 살펴보니 수북하게 쌓인 낙엽들 사이로 해골바가지와 각종 뼈다귀들이 사방에 널브러져 있었다. 얼핏 보아도 해골만 백여 개는 족히 될 것 같았다.

옆에는 갖가지 모양의 병장기들도 함께 나뒹굴었다. 그중에는 한눈에 보기에도 범상치 않은 것들이 여럿 있었는데, 어찌 된 영문인지 뼈다귀들이며 병장기가 모두 시커멓게 그을려 있었다.

"대체 이곳에서 무슨 일이 벌어졌던 거지?"

3장
죽은 자들의 땅

백골들을 본 연소교는 한 걸음도 더 나아가지 못하고 그대로 얼어붙어 버렸다.

나도 간이 쪼그라들었다. 저들에게 닥친 일들이 곧 우리 일이 될 수도 있기 때문이다.

"무슨 일이 일어난 거죠?"

"일단 서로 싸워서 이렇게 된 건 확실히 아니오. 무기가 사방에 나뒹구는 걸로 보아 싸움이 벌어졌다면 부러지거나 잘려 나간 뼈들이 많을 텐데, 용마가 밟아서 깨진 해골바가지를 제외하면 모두 멀쩡하오."

"과연 그렇군요."

"결정적으로 정도의 차이가 있을지언정 조금씩 백골이 되어가고 있소. 일부 나무 그늘을 피해 볕이 내리쬐거나 비바람에 오래 노출된 것들은 완전히 백골화가 되었고."

"그 말씀은?"

"내 짐작이 맞다면 이들은 살아서 서로를 본 적이 없을 것이오. 몇 달 혹은 몇 년에 걸쳐 긴 시간을 두고 한 명씩 들어왔다가 무언가에 의해 죽었다는 뜻이지."

"천마대총 안에 있는 물건들을 노리고 들어온 자들이군요."

천마대총의 위치는 천마성교 내에서도 일급비밀이었다고 들었다. 하지만 연소교까지 아는 걸 보면 완벽한 비밀은 아니었을 것이다. 여기에 수백 년의 세월이 더해지면 저 많은 백골들의 존재도 설명이 된다. 삼 년에 한 명씩만 위치를 알아내 찾아와도 삼백 년이면 딱 백 명이 된다.

"대체 천마대총 안에 뭐가 있는 거요?"

"전설에 따르면 아무것도 없으면서 모든 것이 있어요. 하지만 소문에는 일 성을 사고도 남을 황금과 천하를 오시할 마경기서들이 있다고 했고요."

"전설과 소문은 같은 말 아니오?"

"전설은 성전에 기록되어 있는 내용을 말하는 거예요. 제가 여기까지 길잡이 역할을 하며 올 수 있었던 것도 그 때문이고요. 그리고 소문은……."

"오랜 세월 마교도들 사이에서 떠돌며 전해진 얘기들을 말하는 것이로군."

"맞아요."

연소교가 갑자기 품속에서 보퉁이를 꺼내더니 내게 내밀었다. 세 개의 성보가 든 바로 그 보퉁이였다.

"어쩌라는 거요?"

"저보다는 당주님께서 갖고 계시는 게 나을 것 같아요. 만약 불가항력적인 일이 발생하면 살 확률이 조금이라도 높은 사람이 갖고 있어야죠."

"내가 이걸 들고 중간에 에라 모르겠다 하고 도망치기라도 하면 어쩌려고."

"그런 생각이 조금이라도 있었다면 진작에 저를 죽이고 달아났겠죠. 이제 와서 돌이켜 보면 악인의 수중에 떨어지느니 차라리 그편이 더 나았을지도 모르고요."

"천마대총이 코앞인데 갑자기 무슨 나약한 소리를 하는 거요?"

"만약 우리가 천마대총까지 가지 못하고 죽어 저들처럼 백골이 된다면, 훗날 이곳을 찾아온 누군가의 손에 성보가 발견될 수도 있지 않겠어요? 그리고 그 누군가는 분명 좋은 사람이 아닐 거예요."

"우리가 죽을 거라고 생각하는 거요?"

"천마대총은 역대 교주들의 유해가 묻혀 있는 무덤이에요. 과거 이곳으로 들어온 당대의 교주들은 모두 죽을 장소를 찾아온 것이고요."

"그래서?"

"거듭 말하지만 이곳은 죽은 자들을 위한 땅. 들어오는 길은 있어도 나가는 길은 없을지도 몰라요. 침입자들이 아니라면 애초부터 나갈 생각으로 설계된 장소가 아니니까요."

연소교는 열아홉 살의 어린 나이에도 불구하고 자신에게 부여된 어떤 소명을 완수하기 위해 죽음을 무릅쓰고 여기까지 왔다.

마침내 성공을 목전에 둔 지금, 그녀는 무언가 크게 허탈감을 느끼고 있는 것 같았다. 역설적인 것이 그러면서도 한편으로는 겁에 질려 있었다.

"소저는 내가 본 무림인들 중에 가장 강하고 용감한 사람이오. 강호인들은 내가 성보를 운송 중이라고 하지만, 사적인 복수심과 욕심을 버리고 전쟁을 막으려 한 소저의 강단과 용기가 없었다면 애초부터 시작도 되지 않았을 일이지."

그러면서 나는 보퉁이 안에 든 성보들 중 필사본만 따로 챙겨 품속에 갈무리했다. 이어 죽간본 두 개가 든 보퉁이는 그대로 연소교에게 돌려주었다.

"소저의 말대로 만약의 경우를 대비해 하나씩 나누어 가지고 있는 게 좋겠소. 한 명이 죽더라도 운이 좋아 한 명이 살아서 여길 빠져나간다면 최소한 악인에게 한 시대에 성보 세 개가 전부 전해지는 것만큼은 막을 수 있을 테니까."

"그러니 더욱 당주님께서……."

"내 무공이 더 강해서라면 살아서 여길 빠져나가는 한 명은 오히려 소저가 될 것이오. 의뢰인이 도망치는 일은 있어도 표사가 의뢰인을 사지에 홀로 남겨두고 도망치는 법은 없소. 특히 천룡표국의 표사는."

연소교는 잠시 나를 물끄러미 응시하더니 마침내 결심한 듯 꼭 다문 입술로 고개를 끄덕였다. 이어 필사본을 받아 품속에 야무지게 갈무리하며 말했다.

"당주님은 제가 본 무림인들 중에 가장 바보 같아요. 어떤 때 보면 미친 것도 같고요. 하지만 같은 편에 서서 누군가와 전쟁을 해야 한다면 전 꼭 당주님의 동료가 될래요."

"그러다 죽기라도 하면?"

"죽는 건 슬프지만 외롭거나 억울하지는 않을 것 같아요. 그거면 됐어요."

"설표, 산노, 우숙, 야차곤도 그런 심정으로 소저의 곁을 지켰을 것이오. 마지막엔 똑같은 생각으로 눈을 감았을 것이고."

"……!"

"이제 어디로 가야 하오?"

나는 주변을 살피며 화제를 돌렸다. 목구멍까지 올라온 울음이라도 삼키는지 연소교는 잠시 사이를 두었다가 대답했다.

"몰라요."

"이제 와서 갑자기?"

"저도 처음이잖아요."

"앞서 말한 것처럼 전해 내려오는 전설이나 암호라도 들은 거 없소?"

"한 가지 있긴 한데 무슨 뜻인지를 잘 모르겠어요."

"일단 말해보시오."

"[불멸의 무궁(無窮)으로 나아가는 길은 따로 없으니 연자의 족적이 곧 길이 될 것이다. 다만 그 길은 여덟 지옥 사이로 난 길이며 훗날과 같지 않으리라.]"

"저 백골의 주인들이 역쌍석을 통과한 지 채 일각도 되지 않아 모조리 죽어버린 이유를 어쩌면 알 것도 같소. 생각보다 난해한 암호 같지는 않은데."

"그런가요?"

"일단 천마대총을 중심으로 방원 십 리에 틀림없이 거대한 기문진이 펼쳐져 있을 것이오. 역쌍석은 그 기문진 속으로 들어가는 유일한 문이었고."

"그건 너무 당연한 얘기 같은데."

"지금부터 말하는 게 진짜요. 일단 석문을 통과하면 눈앞에 펼쳐지는 모든 곳이 절대 사지일 것이오. 애초 길 같은 건 존재하지도 않았던 거지."

"저도 그것까지는 이미 생각을 했어요."

"다만 세 개의 성보나 그것들을 익힌 존재가 나타나면 기문진이 감응을 하면서 모든 위험한 술법적인 장치들이 해제되는 거요. 그때부턴 가는 곳마다 다 길이 되는 거고."

"그 말이 사실이라면 세 개의 성보 속 무공을 익힌 교주들에게는 더없이 쉬운 길이었겠군요. 경치를 구경하며 천마대총을 향해 걷기만 하면 되니까."

"반면에 불순한 목적으로 침투한 자들에게는 옮겨 딛는 한 걸음 한 걸음마다 팔대지옥이 펼쳐졌을 것이오. 저 백골의 주인들은 첫 번째 지옥인 초열지옥(焦熱地獄)에 갇혀 죽은 것이고."

"수백 년 동안 백여 명이 침투하고도 첫 번째 관문조차 뚫지 못했다니. 상상만 해도 소름이 끼치는군요."

"어차피 우리와는 상관없는 이야기니 그만 서두르기나 합시다."

"알겠어요."

그러면서 연소교와 나는 다시 걸음을 옮겼다.

한층 씩씩해진 연소교가 용마의 고삐를 잡고 다시 앞장섰다. 비밀을 알고 나니 두려움도 어느 정도 사라진 모양이었다.

고작 대여섯 장 정도를 걸어갔을 때였다.

"조심해!"

가공할 살기를 느낀 나는 연소교의 등을 힘껏 밀어 앞으로 던지듯 보냈다. 이어 발검과 동시에 질풍처럼 돌아서며 앞쪽 허공을 향해 휘둘렀다. 살기의 주인이 누구인지를 이미 직감했기에 삼백 년의 공력은 물론이거니와 젖 먹던 힘까지 쥐어짰다.

찰나의 순간, 눈앞에서 검은 그림자와 붉은 벼락이 나를 향해 뚝 떨어지는 게 보였다.

꽈앙!

천지를 뒤흔드는 굉음과 함께 엄청난 경력이 검신을 타고 전해져왔다. 아래쪽에서는 급격하게 커지는 손바닥으로부터 구형의 번갯불이 터져 나왔다.

뻐엉!

요강단지만 한 대포알에 가슴을 정통으로 맞은 것 같았다.

무지막지한 힘을 감당하지 못한 나는 그대로 튕겨 날아갔다.

'성보로부터 떨어지면 죽는다!'

통제력을 잃고 허공으로 솟구친 몸이 거꾸로 뒤집히는 순간, 나는 사력을 다해 손을 뻗었다. 이어 때마침 옆에 있던 나무둥치를 잡아채는 데 성공했다.

활처럼 휘어진 나무가 우지끈 소리를 내며 부러졌다. 덕분에 성보를 떠나 하염없이 튕겨 날아가는 걸 면할 수 있었다. 대신 한순간 오장육부가 뒤집히는 것처럼 고통스러웠다. 하지만 그 역시 호신강기를 본능적으로 끌어 올린 데다가 용린신갑까지 입고 있어서 크게 내상을 입지는 않을 것 같았다.

진짜 문제는 그다음에 일어났다. 내가 고삐를 놓치는 바람에 자유로

워진 용마가 깜짝 놀라서는 숲으로 질주를 시작한 것이다.

"멈춰!"

다급한 마음에 소리를 질러보지만, 짐승이 말귀를 알아들을 리 없었다.

놈이 성보로부터 불과 대여섯 장을 벗어났을 때였다. 갑자기 땅 밑에서 커다란 불길이 솟구쳐 용마를 집어삼켜 버렸다.

불길은 용마가 달리는 길을 따라 쉬지 않고 솟구쳤다. 그 바람에 용마는 계속해서 불덩어리에 휩싸여 있게 되었다.

이제야말로 진짜 놀란 용마가 질주를 멈추고는 펄쩍펄쩍 뛰기 시작했다. 하지만 결국 버티질 못하고 바닥에 털썩 쓰러졌다.

쓰러진 후에도 불길은 조금도 사그라들 기미를 보이지 않았다. 흡사 누군가 말을 산 채로 화장해 버릴 생각에 기름을 열 말쯤 부어놓고 불을 지른 것 같았다.

어느 순간 용마의 마지막 발버둥마저 멈췄지만 불길은 여전히 맹렬했다.

그때쯤 나를 기습했던 그림자는 이미 앞쪽으로 삼 장쯤 날아가 착지를 한 상태였다. 적동곤 한 자루는 허리에 꽂고 다른 한 자루는 손에 쥔 채 오연하게 서 있는 그는 칠성군 야율극리였다. 쭉 뻗은 그의 다른 손아귀에는 연소교가 목을 잡힌 채 소스라치게 놀란 표정을 짓고 있었다. 그녀의 손에는 검신은 어딜 가고 손잡이만 덩그러니 남은 협봉검이 들려 있었다.

부러진 검신은 발아래서 나뒹굴었다. 절체절명의 순간 협봉검을 뽑아 베려다가 오히려 적동곤에 당한 모양이었다.

"괜찮으시오?"

"당주님은요?"

"보시다시피."

한 명은 단 두 초식 만에 튕겨 날아가다 나무를 붙잡아 겨우 살아남았고, 다른 한 명은 단 일 초식에 검이 부러지고 목까지 잡혀 인질이 되었다. 그런 처지에 아무렇지도 않은 척하려니 누가 먼저랄 것도 없이 얼굴이 붉어졌다.

순간, 나는 야율극리의 왼쪽 팔에 새겨진 세 개의 검흔과 함께 피로 흥건한 소맷자락을 발견했다. 상태를 보아하니 숨 쉴 틈도 없이 달려오느라 혈도를 눌러 지혈하는 것 외에는 아무런 조치도 취하지 못한 모양이었다. 이 말은 곧 남궁유룡과 장초풍을 베어 넘기고 온 게 아니라는 걸 의미했다.

"못 보던 검흔이 생겼군요."

"노인네들의 검초가 제법 매섭더군."

"이제 어쩔 셈이십니까?"

"우선 자네들을 죽여야겠지. 그런 다음 성보를 챙겨 최대한 빨리 이곳을 빠져나갈 생각이네. 이제부터 할 일이 아주 많거든."

"여기까지 온 김에 천마대총을 찾아가 사조님들의 영전에 향이라도 한 대 살라 드린 후 가실 줄 알았습니다만."

"천마대총은 영면을 위한 장소이지 참배를 위한 장소가 아닐세."

"천마교주가 되면 무얼 하실 겁니까?"

"노인네들이 구해주러 올 때까지 시간을 끌려는 건가? 그럴 일은 없을 테니 희망 따윈 갖지 말게. 내가 역쌍석 하나를 무너뜨려 진문(陣門)을 없애 버렸거든."

"굉음을 전혀 듣지 못했는데."

"저승에선 이승의 소리가 들리지 않는 법이지. 그래도 궁금한 점은 해결해 주겠네. 나는 천마성교의 교주가 되려고 이런 수고로움을 감수하는 게 아닐세. 그보다 더 높고 존귀한 자리에서 세상을 굽어볼 생각이네."

"천하대광명종!"

오래전 연소교에게 납치되어 남만으로 끌려가던 중, 조영영으로부터 들었던 말이 생각났다.

"오백 년 전 대설산을 본산으로 삼고 천하무림을 발아래로 굽어보았던 초거대 마도 세력이에요. 황제조차도 두려워했던 천하대광명종은 전란을 방불케 하는 내분에 휩싸여 여덟 개의 종파로 쪼개졌는데, 그중 한 곳이 바로 천마성교의 전신인 천성교(天星敎)였죠."

야율극리는 천마성교의 재건이라는 대역사를 바로 그 천하대광명종의 시대로까지 끌어 올려 스스로 대종사가 되려는 것이다.

'이런 미친 인간을 봤나.'

그는 갑자기 왜 이런 엄청난 생각을 하는 걸까?

사마옥의 말에 따르면 여러 이적들을 행한 전대의 천마교주들은 대대로 세 권의 마경기서들을 익혔다. 여기서 말하는 마경기서는 곧 성보라고 일컬어지는 죽간의 무학들이었다. 한데 지금 야율극리는 이미 근원이 되는 무학을 익힌 상태였다.

그러고도 무려 세 개의 성보가 세상에 나타났다. 그것들을 전부 손에 넣기만 하면 그는 전대 천마교주들을 넘어선 존재가 될 수 있다고 믿는 모양이었다.

나이도 상대적으로 젊었다. 전대 천마교주들이 칠팔십 세가 되어야 비로소 지존의 자리에 올랐던 것과 달리 그의 나이 이제 쉰 살 남짓이었다. 백 살까지만 산다고 가정해도 앞으로 오십 년이나 더 천하제일인으로서 세상을 호령할 수 있었다. 오십 년이면 천하의 주인을 몇 번이고 바꿔 치울 만큼 긴 세월이었다.

야율극리의 계획대로라면 앞으로 수십 년간 전쟁이 끊이지 않을 것이다. 고작 한 인간의 욕망을 충족시키기 위해 얼마나 많은 사람들이 죽어 나가게 될지 상상조차 하기 어려웠다.

절대로 그렇게 되도록 놔둬선 안 된다. 일단 연소교를 밖으로 내보낸 후 어떻게든 그를 천마대충으로 끌고 들어가야 한다. 그런 다음에 상황을 보며 성보를 봉인할 방법을 찾는 거다.

이번에야말로 목숨을 걸어야 할 만큼 위험하지만 다른 방법이 없었다. 만약 이 상태에서 그가 밖으로 나가 버리면 그나마 성보를 봉인할 마지막 기회조차 영영 놓쳐 버리게 될 테니까.

나는 갑자기 품속에 넣어둔 필사본을 꺼내어 머리 위로 높이 들었다.

필사본을 본 야율극리의 표정이 차갑게 식었다.

"뭔지 아시는군요."

야율극리가 연소교의 겉옷 자락을 강제로 찢었다. 그러자 품속에 감춰져 있던 보퉁이가 뚝 떨어졌다.

야율극리는 떨어지는 보퉁이를 허공에서 낚아챈 후 서둘러 내용물을 확인했다. 당연하게도 죽간본 두 개만 나왔다.

"둘이서 나눠 가졌군."

"무슨 일이 닥칠지 몰라 미리 준비를 좀 해두었습니다."

"어쩔 셈이지?"

"천살마녀를 놓아주십시오. 그렇지 않으면 삼매진화(三昧眞火)를 일
으켜 필사본을 태워 없애 버리겠습니다. 제 몸속에 엄청난 공력이 있
다는 걸 이미 아시리라 믿습니다."

"공력만 깊다고 진화가 일어난다더냐?"

나를 대하는 야율극리의 말투가 어느새 바뀌었다. 슬슬 화가 나기
시작한 것이다.

"죽간까지는 아니어도 종이 정도는 충분히 태울 수 있을 것 같습니
다만. 어차피 저도 궁금한데 한번 확인해 보시겠습니까?"

"필사본을 태우면 이 여자는 죽는다."

야율극리가 목을 움켜쥔 손에 힘을 주고는 연소교를 번쩍 들어 올
렸다. 숨이 막힌 데다 피까지 쏠리면서 연소교의 얼굴이 시뻘겋게 변
했다. 본능적으로 두 손을 뻗어 야율극리의 손가락을 떼어내려고 안간
힘을 써보지만, 호랑이에게라도 물린 듯 꿈쩍을 하질 않았다. 그렇다
고 섣불리 반격할 수도 없었다. 저 상태에서 야율극리가 손가락에 일
푼의 힘만 주어도 연소교는 목이 꺾이며 즉사할 것이다.

"진정하십시오. 우리의 목적은 같습니다. 저는 천살마녀를 살리고
싶어 하고, 칠성군께서는 필사본을 일 순위로 원하시고. 아닙니까?"

야율극리는 잠시 나를 뚫어지게 보다가 연소교를 툭 놓아주었다. 땅
으로 떨어진 연소교는 막혔던 숨을 토해내면서 얼른 삼 장 밖으로 도

망쳤다.

"나가는 문은 알고 있소?"

"찾아볼게요."

"어서 가시오."

"당주님은요?"

"말했잖소. 둘 중 한 명만 살아서 나간다면 그건 표사가 아니라 의뢰인일 거라고. 잘 모르는 모양인데 나 이래 봬도 명표라 불리는 사람이오."

"하지만!"

"어서 가시오!"

나는 정색하고 소리를 질렀다.

연소교는 나와 야율극리를 잠시 번갈아 보았다. 그러다 결심을 한 듯 나를 향해 어느 때보다 결의에 찬 표정으로 말했다.

"맹주님을 만나 다시 들어오는 방법을 반드시 찾아내겠어요. 약속해요. 그때까지 조금만 버티고 계세요. 그럼 이만."

말을 끝낸 연소교는 남은 용마에 올라타서는 왔던 길을 쏜살처럼 되돌아갔다. 성보를 가진 야율극리로부터 대여섯 장 정도 멀어지자 또다시 불길이 솟구쳐 그녀와 용마를 집어삼켰다. 하지만 백골들이 널브러진 곳을 지나면서 불길은 거짓말처럼 사라졌다.

둘만 남자 야율극리가 본색을 드러냈다.

"이제 우리 계산을 해볼까?"

"물론이죠."

나는 모든 내공을 손끝으로 모은 다음 사력을 다해 삼매진화를 피워 올렸다. 하지만 손끝 주변의 대기만 홍시처럼 발갛게 잠시 달아오를 뿐, 불씨가 일어날 기미는 조금도 보이지 않았다. 당황한 나는 다시 한 번 내공을 손끝에 모으고 열기를 만들려고 노력했다. 조금도 달라지지 않았다.

"내 이럴 줄 알았지."

야율극리가 어처구니없다는 듯 코웃음을 쳤다. 이어 내게로 벼락같이 신형을 쏘았다. 갈가리 찢어 버리기 전에 필사본을 빼앗으려는 것이다.

나는 천금풍의 경공을 펼치며 숲 쪽으로 달아났다. 대여섯 장 정도 달렸을 때 불길이 확 솟구치며 온몸을 덮쳐왔다.

불 속에 필사본을 던져 넣은 후 재빨리 진각을 밟아 솟구쳤다. 그러곤 야율극리와 삼 장 정도 떨어진 위치에 착지를 했다. 마지막으로 옷자락에 옮겨붙은 불을 탁탁 털어서 껐다.

야율극리는 본래 내가 있던 자리에 멈춰서 있었다. 필사본은 눈 깜짝할 사이에 불길 속에서 한 줌의 재로 변해 버린 후였다. 상황을 인식한 야율극리의 얼굴이 악귀로 변했다.

"죽여 버리겠다!"

화가 머리끝까지 난 야율극리가 사자후를 터뜨리며 또다시 신형을 쏘아왔다. 머리 위로 치켜든 그의 오른손에는 붉은빛이 도는 적동곤이 쥐어져 있었다. 저 물건에 한 방 맞으면 그대로 머리통이 터져 나가리라.

나는 도망치기는커녕 그 자리에 꼿꼿이 선 채 야율극리를 노려보며 재빨리 말했다.

"천지간에 만물이 있으니 염(焰)을 심고 공(空)으로 불러낸 다음 진기(眞氣)를 나눠주어라! 하면 살아서 너의 뜻을 따르리라!"

예상했던 대로 적동곤이 머리 위 한 치 앞에서 뚝 그쳤다. 야율극리의 신형도 멈췄다. 그의 숨길이며 땀 냄새가 훅 풍겨왔다.

"선천오법술!"

"역시 알아보시는군요."

"네놈이 그걸 어떻게?"

어떻게 알긴. 이미 내가 익혔으니까 알지. 정확하게는 내 몸속에 어떤 기운의 형태로 갈무리 되었지만.

장담하건대 전대의 천마교주들도 그리고 눈앞에서 나를 노려보는 저 야율극리도 고대의 죽간 속 마공을 익히는 또 다른 방법이 있음은 모를 것이다. 알았다면 진작에 누군가가 흡수를 해버려서 죽간본의 형태로 지금까지 남아 있지도 않았을 테니까.

"선천오법술의 필사본은 본래 사마옥 총군사님께서 천살마녀의 죽간본과 함께 천마대총으로 가져가 봉인하라며 제게 맡기신 겁니다. 천살마녀의 것이 아니라는 얘기죠."

"훔쳐보았더냐?"

"비슷합니다."

"이제 보니 무림맹에서 고양이에게 생선을 맡겼군. 그래서 얼마나 외우고 있지?"

"전부 다요."

"고작 스무날 남짓한 시간 동안 그 많은 구결들을 모두 외웠다고?"

"그렇습니다."

"무엇으로 증명할 테냐?"

"저에 대해 뒷조사를 안 해보셨습니까? 해보셨다면 향시와 회시에서 연달아 장원급제한 기재라는 걸 아실 텐데요."

야율극리의 눈동자가 한순간 크게 흔들렸다. 구태여 뒷조사를 할 필요도 없었을 것이다. 나에 대한 소문은 강호에 이미 파다했고, 마교도들이라고 모르지는 않을 테니까.

"네놈을 죽이면 선천오법술도 함께 사라질 것이다?"

"결과적으로 그렇게 됐습니다."

"이건 어떠냐? 지금 당장 구술하지 않으면 네놈의 목을 비틀어 죽일 것이다."

"지금 당장 지필묵도 없지 않습니까? 그리고 그걸 다 구술하고 칠성군께서 암기하시기 전에 사람들이 저를 구하러 올 겁니다. 사마옥 총군사님과 정도무림의 저력을 얕보지 마십시오."

"그들이 올 수 있는 건 백골들이 쌓인 곳까지만이다. 일 년이 걸려도 팔대지옥을 뚫고 천마대총까지 들어올 순 없지."

"잠깐만요. 천마대총이라뇨!"

"이렇게 된 이상 천마대총으로 들어가 성보의 무학들을 모두 익힌 다음 세상으로 나가야겠다. 따라와라."

말과 함께 야율극리는 뒤도 돌아보지 않고 달려가 버렸다.

그와 대여섯 장 정도 멀어지는 순간, 내가 딛고 선 아래로부터 불길이 화르륵 치솟았다. 화들짝 놀란 나는 얼른 경공술을 펼쳐 야율극리의 꽁무니를 따라가며 외쳤다.

"갑자기 가버리시면 어떡합니까? 제가 죽으면 필사본도 끝장이라는 걸 잊지 마십시오!"

눈 덮인 산봉우리를 타고 오른 지 한 식경, 시야를 가리고 얼굴을 할 퀴는 눈보라는 점점 더 격렬해졌다.

하늘에서 내리는 눈보라가 아니었다. 고지대에서 부는 삭풍이 사방에 쌓인 만년설을 들추고 때리면서 일어나는 일종의 눈 폭풍이었다.

보통의 인간이라면 진작에 얼어 죽었을 상황에서도 앞서가는 야율극리는 멀쩡했다. 심지어 나는 무릎까지 푹푹 꺼지는 눈밭을, 그는 고작 손가락 한 마디 깊이 정도의 흔적만 남기며 유유히 걸었다.

'답설무흔이라니. 미친.'

눈밭 위를 달려도 발자국이 남지 않는다는, 경공술의 최고 경지를 일컫는 말이다. 하지만 야율극리는 발자국이 남으니 답설유흔이라고 해야 할까? 천만의 말씀이다. 그는 지금 딱 필요한 만큼의 내공만 써서 눈밭을 걷고 있을 뿐이었다.

한데 그 못지않은 내공을 몸속에 지닌 나는 왜 이렇게 푹푹 빠지는가. 덩치가 크고 힘이 세다고 무조건 싸움을 잘하는 게 아닌 것처럼 내공이 무공의 전부가 아니었다.

"그나저나 뭘 알고 가시는 겁니까?"

슬쩍 말을 한번 걸어보지만 그는 뒤를 돌아보기는커녕 대꾸도 하지 않고 눈밭 속으로 사라져 버렸다. 나는 혹여라도 지옥불이 솟구칠까 얼른 속도를 내어 따라붙었다.

한참을 걷자 눈 덮인 산봉우리에 웬 깎아지른 바위골짜기 지대가 나타났다. 경사가 워낙 급하다 보니 눈조차 쌓이지 못한 절벽들이 희끗희끗 보였다.

그러던 어느 순간이었다.

후우우웅!

갑자기 황소도 날려 보낼 것 같은 강풍이 휘몰아치면서 발밑의 땅이 뚝 끊어졌다. 눈 앞에 펼쳐진 것은 바닥이 보이지 않는 천 길 낭떠러지였다. 그 한가운데에는 십여 장 밖 안개에 휩싸인 허공으로 이어지는 운교(雲橋), 즉 가느다란 구름다리가 놓여 있었다.

'이건 또 뭐야!'

두 가닥의 굵은 쇠사슬에 통나무를 횡으로 엮은 구름다리는 도대체 언제 만들었는지 모를 정도로 녹이 슨 데다 강풍에 쩔렁쩔렁 흔들리기까지 했다.

"마침내 도착했군."

야율극리가 구름다리 너머의 안개를 노려보며 말했다.

"과연 범부들은 접근조차 못 할 험산절봉이로군요."

"지난 수백 년간 수많은 무림고수들이 황금과 신공절학에 눈이 멀어 천마대총으로 들어가려 했지. 하지만 단 한 명도 첫 번째 관문을 넘지 못했다."

"전대의 교주님들을 제외하면 우리가 최초이겠군요."

"최초이자 마지막이 되겠지."

말과 함께 야율극리는 출렁거리는 구름다리 위로 거침없이 발을 들여놓았다. 그러고는 허깨비라도 된 듯 구름다리와 하나가 되어 가볍게 미끄러져 갔다.

나는 좀 달랐다. 줄타기하는 마희단의 광대처럼 양팔을 좌우로 쭉 뻗은 채 열심히 중심을 잡으며 걸어갔다. 중간쯤 이르자 내 몸무게가

가해지면서 구름다리의 출렁거림이 극에 달했다. 중심을 잡느라 아예 어깨와 허리와 두 다리가 따로 놀 지경에 이르렀다.

야율극리만큼은 아니지만 나 또한 많은 방면에서 절정급의 경지를 밟은 고수였다. 몇 번 위험한 고비를 맞았지만 큰 어려움 없이 나아갔다.

마침내 구름다리를 모두 건넜을 때는 안개에 가려 보이지 않던 또 다른 바위골짜기 지대가 나타났다. 무슨 조화인지 강풍과 눈보라도 뚝 그쳤다. 아무래도 이쪽 편의 암봉 전체가 기상조차 통제할 수 있을 정도로 강력한 기문진에 둘러싸여 있는 것 같았다. 아니면 설봉을 오르기 시작한 후부터 지금까지 겪은 눈보라가 사실은 기문진을 통과하면서 만난 환상이었던지.

'망할 놈의 마교 같으니라고!'

날카롭게 갈라지고 솟은 바위들 사이로 십수 장을 더 걸어갔을 때였다. 이번에는 누가 봐도 동굴 형태를 띤 입구와 함께 그것을 막은 커다란 석문이 눈앞에 나타났다.

바위 문엔 용사비등한 필체로 이렇게 새겨져 있었다.

〈살아서 이곳으로 들어오는 자, 반드시 목숨을 내놓아야만 한다. 귀하는 위대한 선대의 사령(死靈)들을 배알할 준비가 되었는가?〉

한번 들어오면 죽어서 귀신이 되어야만 비로소 나갈 수 있다는 뜻이다. 그래도 들어와서 선대 귀신들을 만나볼 테냐, 라는 뜻이고.

다른 일반인들의 무덤 앞에서 저런 글귀를 봤어도 모골이 송연했을 것이다. 하물며 이곳은 무려 천마대총이 아닌가. 덜컥 겁이 나면서 오만가지 생각이 스쳐 갔다.

석문의 경고에 담긴 의미를 모를 리 없는 야율극리가 문장의 아래에다 손가락으로 무언가 글씨를 쓰기 시작했다. 그러자 무슨 조화인지 그의 손가락이 지나가는 자국을 따라 한순간 푸르스름한 빛이 나타났다가 사라졌다.

〈근의내명(謹依来命)〉

공식적인 문서의 말미에 써넣는 것으로 삼가 말씀을 받들겠다는 뜻의 상투적인 표현이었다.

그때였다.

꾸드드드등!

굉음과 함께 커다란 석문이 위로 올라가기 시작했다. 석문이 사라진 자리에는 예상했던 대로 시커먼 동굴이 입을 쩍 벌리며 나타났다.

야율극리는 일말의 주저함도 없이 동굴 속으로 들어갔다.

'에라 모르겠다.'

나도 야율극리의 뒤를 따라 들어갔다.

바깥에서 들어오는 달빛에 의지해 채 대여섯 걸음도 옮기기 전이었다.

꽝!

방금 통과한 석문이 그대로 떨어지며 굳게 닫혀 버렸다. 그 기세가 어찌나 대단한지 지축이 다 흔들릴 지경이었다.

석문이 닫히면서 동굴 안은 한순간 칠흑으로 바뀌었다. 하지만 그것도 잠시, 벽을 따라 꽂혀 있는 수십 개의 홰에 사르륵 불이 붙었다. 횃불은 동굴 속 더 깊은 곳으로 달려가며 계속해서 저절로 밝혀졌다. 그러자 동굴의 형태며 크기 등이 한눈에 들어왔다.

"나가는 방법은 확실히 아시는 거지요?"

"너와는 상관없는 일일 터인데."

"너무 노골적이신 기 아닙니까?"

"혹시라도 살려줄 거라고 생각했더냐?"

"어차피 죽이실 거라면 제가 구태여 선천오법술을 구술해 줄 이유가 무엇입니까?"

"지금부터 내가 하는 말을 잘 들어라. 동이 트면 너는 내 손에 선천 오법술의 구결이 적힌 종이를 쥐여주든가, 아니면 발끝에서부터 심장에 이르기까지 살점을 한 토막씩 잘려야 한다."

'마구니답게 살벌하군.'

"그러니 동이 터 오르기 전에 수단과 방법을 가리지 말고 나를 죽일 수 있다면 죽여라. 그게 내가 선천오법술의 구결을 대가로 너에게 치르는 값이다."

'원래 그럴 생각이었소.'

"그리고 하나 더. 구결에 장난질을 치는 일은 하지 않는 게 좋을 것이다. 천룡표국이 쑥대밭으로 변하는 걸 보고 싶지 않다면."

속으로나마 따박따박 대꾸를 하던 나는 마지막 말에 이르러 그만 합죽이가 되었다. 온몸에 털이 곤두서며 소름이 쫙 끼쳤다. 저자의 무공과 야망을 알기에 더더욱 생생한 공포가 전해졌다.

"왜 대답이 없지?"

"최선을 다하겠습니다."

"기대하겠다."

야율극리는 횃불이 밝히는 길을 따라 동굴 안으로 성큼성큼 걸어갔다. 저 인간은 천성적으로 두려움을 모르는 것 같았다.

그를 따라 대여섯 장 정도를 걸었을 때였다. 이번엔 동굴 한복판에 황소도 통째로 삶아 올려놓을 법한 너럭바위가 나타났다. 놀랍게도 바위 한가운데 해검지(解劍地)라는 글자가 새겨진 것이 보였다.

바위 위에는 갖가지 모양과 크기를 가진 병장기들이 뿌옇게 먼지가 쌓인 채 놓여 있었다. 이곳을 찾은 전대 천마교주들의 병장기들인 듯했다. 숫자가 그리 많지 않은 걸 보면 대부분의 교주들이 제자에게 애병을 넘겨주었고, 이곳까지 가져온 이들은 얼마 안 되는 모양이었다.

그러나 몇 개 안 되는 이것들이야말로 무림인에게는 보물 중의 보물이었다. 무려 천마교주들이 마지막까지 사용하던 병기니 얼마나 무시무시한 공능을 가졌겠나.

그나저나 무당파의 입구에 있다는 해검지를 천마대총에서도 볼 줄이야. 아마도 성스러운 장소로 들어섰으니 마땅히 예를 갖추라는 뜻일 게다.

야율극리는 허리춤에 꽂아둔 두 자루 적동곤을 비롯해 품속의 단도까지 꺼내 바위 위에다 내려놓았다. 그런 다음에는 가만히 나를 돌아보았다.

"저도요?"

"쓸데없이 시간 끌지 마라."

"전 교도도 아닙니다만."

"두 번 말하게 하지도 마라!"

할 수 없이 등에 메고 있던 월인소야검을 검갑째 풀어 적동곤의 반대쪽에다 놓아두었다.

"됐습니까?"

"암기와 단도도 내려놓아라."

단도는 무림인들이라면 장병기의 패용 여부와 상관없이 누구나 한 자루씩은 가슴에 품고 다닌다. 암기는 전날 진왕과 삼천 군병이 지켜보는 앞에서 싸울 때 나한테 당한 적이 있었고.

나는 보옥이 박힌 운철단검과 소맷자락 속에 숨겨둔 비격쌍뇌창까지 죄다 꺼내 올려다 놓았다.

"귀한 물건이 많이 나오는군."

"부잣집 자식이니까요."

야율극리는 그제야 만족한 듯 고개를 끄덕이고는 너럭바위를 지나쳤다.

그의 뒤를 따라 고작 세 걸음을 더 걸었을 때였다. 갑자기 무언가 강력한 힘이 나를 통째 오른쪽 석벽으로 끌어당겼다. 대경실색한 나는 오른발로 땅을 힘차게 찍으며 버텼다. 동시에 몸을 반대쪽으로 재빨리 틀며 비스듬히 눕혔다.

순간 품속 곳곳에 숨겨져 있던 부싯쇠와 손도끼와 쇠꼬챙이 한 쌍이 옷자락을 뚫거나 비집고 나와 왼쪽 석벽으로 날아갔다. 황급히 손을 뻗어 보지만 간발의 차이로 모두 놓쳐 버렸다.

땅! 따다당!

날붙이들은 벽에 부딪히는 그대로 찰싹 붙어 떨어지질 않았다. 쇳소리가 울리는 걸 보니 아무래도 석벽 전체가 강력한 자성을 띤 모양이었다.

"오해하지 마십시오. 저것들은 무기가 아니라 표사들이라면 누구나 지니고 다니는 도구들입니다. 쇠꼬챙이처럼 생긴 건 젓가락이고요."

야율극리는 조소를 흘리며 지켜볼 뿐 딱히 이렇다 할 반응이 없었다. 그런가 하면 숨겨둔 날붙이들을 전부 빼앗고도 나를 끌어당기는 힘은 전혀 줄어들지를 않았다. 옷 속에 입고 있는 용린신갑 때문이었다.

끙끙대며 버티는 나를 보며 그제야 야율극리가 한마디 했다.

"계속 그러고 있을 테냐?"

"아닙니다."

나는 버티던 힘을 풀어버리고 자성에 척척척 끌려갔다. 이어 오른쪽 석벽에 등을 철썩 붙인 다음 상의를 벗고 용린신갑도 벗었다. 마지막으로 석벽과 용린신갑 사이에 눌어붙은 상의를 빼내 다시 입었다.

그 순간 야율극리가 두 눈을 부릅떴다.

"용린신갑!"

"이거야말로 무기가 아닌데."

"그걸 왜 네놈이 착용하고 있는 거지?"

"어느 동굴 속에서 노마두가 주화입마로 죽었는데, 그때 그가 입고 있었습니다. 하마터면 그대로 세상에서 사라질 뻔했지요."

"그게 어떤 물건인 줄은 아느냐?"

"천마성교의 오랜 보물이라고 하더군요. 교주의 백수(白壽)를 축하하기 위해 교의 장인들이 대설산에서만 나는 설강금을 구해다 일 년 동안 두들겨 만들었다고."

"그런데도 입고 다녔다고?"

"어차피 주인도 없는 물건이니까요."

나는 오른쪽 발끝을 살짝 돌려놓으며 두 주먹을 천천히 말아 쥐었다.

대노하여 일장을 출수할 줄 알았던 야율극리는 잠시 나를 뚫어지게 보더니 오히려 미소를 지었다. 나를 죽인 후 용린신갑을 차지하려는 것이다. 생각지도 않았던 전대 교주의 보물을 손에 넣게 생겼으니 얼마나 기분이 좋겠나. 그래서인지 자질구레한 무기들을 숨긴 것에 대해서는 언급도 하지 않았다.

우리는 해검지를 지나 계속해서 동굴 속으로 들어갔다.

'이제는 둘 다 적수공권이군.'

나에게는 너무나 불리한 상황이었다. 특히 비격쌍뇌창을 통한 기습의 기회와 용린신갑을 통한 방어력을 상실한 건 무엇과도 비교할 수 없는 손실이었다.

반면 야율극리는 적동곤이 있으나 없으나 압도적으로 강했다. 이미 맨손으로 싸워서 고작 십여 초식 만에 그에게 패한 적도 있었고.

'쉴 때 돌멩이로 뒤통수라도 찍어야 하나.'

동굴은 갈수록 점점 넓어지고 횃불의 개수도 많아졌다. 그러다 어느 순간에 이르러 갑자기 거대한 공동이 나타났다.

공동의 가장 깊숙한 곳에는 두 개의 커다란 청동향로와 함께 향을 피우고 음식들을 올려놓을 수 있는 제단도 보였다. 마침내 천마대총의 심장부에 도착한 것이다.

"다 왔군."

"명성에 비해 너무 소박하군요. 아니, 초라하다고 해야 하나? 남만의 칠마총 중 한 곳을 털었을 때는……."

"……?"

"오해하지 마십시오. 제가 털었다는 말이 아닙니다. 그때 저는 천살마녀와 지금은 고인이 되신 삼뇌군사에게 번갈아 가며 인질로 잡혀갔었습니다."

"하지만 황금이며 보물들은 모조리 네가 쓸어갔다고 들었다. 그때 챙긴 보물이 금 수백만 냥의 가치가 있을 거라더군."

"삼뇌군사를 포함해 기관진식에 갇혀 죽을 뻔한 천마성교도 수백 명을 안전한 장소까지 데려다주는 대가로 받은 표비였습니다. 지금은 일만 마병을 키우는 씨앗이 된 귀하의 충성스러운 교도들 말입니다."

"겁먹을 필요 없다. 밖으로 나가도 그걸 되찾을 생각은 없으니."

"아무튼, 그때 보았던 마총에 비하면 모든 것이 너무나 초라하다는 생각을 지울 수가 없습니다. 금과 은으로 만든 식기며 각종 법구들도 보이지 않고요. 천마성교도 내세를 믿는다고 들었는데……."

"많이 아쉬운 모양이군."

"세상 모든 일은 다 돈으로 굴러가는 법이죠. 무림세가도 돈으로 운영하고, 전쟁도 돈으로 하는 것이고요. 교를 재건하려면 엄청난 재물이 필요하실 겁니다."

"재물을 탐하는 건 나약한 자들이나 하는 짓이다. 힘이 있으면 세상의 모든 재물이 다 내 발아래로 모이고 쌓이는 법이지."

"방법이 다를 뿐 같은 말 아닙니까?"

"강자가 지존이 되고 약자가 종이 되는 건 우주의 섭리다. 네가 한 번도 본 적 없는 황제에게 머리를 조아리는 것도 그 때문이고."

"그건 제가 스스로 하는 일입니다만."

"하지 않을 도리는 있더냐?"

"그건 없지요."

"가소로운지고."

"……!"

자신을 황제에 비유하다니. 살아서 이곳을 나간다면 사고를 쳐도 아주 크게 칠 인간이었다.

그런가 하면 단의 위쪽에는 무려 삼십여 개의 석관이 가지런히 누워 있었다. 마교 분파의 시대가 끝나고 이 땅에 천마성교가 탄생한 지 불과 이백 년도 되질 않았다. 전대의 천마교주들은 대체로 칠팔십 세에 이르러서야 비로소 다음 교주에게 자리를 물려주었다고 들었다. 그렇다면 대략 삼십 년 정도가 한 세대였던 셈이다.

이백여 년 동안의 교주들 무덤치고는 석관의 숫자가 너무나 많았다. 이런저런 사고를 감안하더라도 저 정도라면 최소한 칠팔백 년의 역사는 되어야 한다.

'설마!'

어디까지 가설이지만, 이곳은 강호에 알려진 것과 달리 천마대총이 아닐 수도 있었다. 만약 마교분파의 시대 이전에 존재했던 초거대세력, 즉 천하대광명종 때부터 이어져 온 대종사들의 무덤이라면? 그러다 후신인 천마성교가 마교를 일통하면서 스스로는 대종사라 칭했으나 강호인들은 교주라고 불렀던 천마교주들의 무덤이 되었다면?

그때였다. 저벅저벅 하는 소리에 옆을 돌아보니 야율극리가 횃불을 든 채 제단 앞으로 나아가고 있었다.

그는 먼저 양쪽에 있는 청동화로에 불을 옮겨 붙이는 한편 향통에 가득 쌓인 향을 집어다 향로에서 사르기까지 했다. 그러고는 갑자기 이마가 땅바닥에 닿도록 계속해서 절을 올렸다.

마침내 절을 모두 마쳤을 때는 제단 앞에 무릎을 꿇고 큰소리로 외쳤다.

"천하대광명종의 마지막 제자 야율극리가 여러 사조님들께 고하옵니다. 수십 년 전 교맥이 끊어진 이후 불철주야 팔교의 성보를 찾아 헤매다 마침내 작은 결실을 맺었습니다. 하지만 오늘 적들과의 전투 중 부상을 당하는 바람에 부득불 율법을 깨고 대총으로 들어 사조님들의 영면을 방해하였습니다. 이에 동틀 무렵 생포한 적병의 육신을 제물로 바쳐 용서를 구하고자 하오니, 부디 제자가 성보의 신령한 무학들을 익힌 후 무사히 대총을 나갈 수 있도록 굽어 살펴주십시오."

'이건 또 무슨 개소리야?'

그러니까 살아서 이곳으로 들어오는 자 반드시 목숨을 내놓고 가야 한다는 석문의 경고에 따라 나를 제물로 바칠 테니 자신은 살아서 나가게 해달라는 건가?

단순한 기도가 아니라 나를 죽이는 것과 연계한 어떤 추가적인 방법이 있는 것 같았다. 이는 곧 저자를 죽여서 그 방법을 쓰면 내가 살아서 나갈 수도 있다는 뜻이었다.

'그렇단 말이지.'

공동은 어지간한 전각 서너 개 정도는 통째로 들어찰 수 있을 만큼 넓고 거대했다. 덕분에 제단과 석관들이 늘어선 곳을 제외하면 전부가 비어 있는 땅이었다. 그 넓은 곳을 모두 비추던 횃불들이 하나둘씩 꺼지기 시작했다. 그러다 결국엔 하나도 남지 않았다.

횃불들이 사라지면서 공동은 다시 어둠 속에 잠겼다. 하지만 한쪽으로부터는 여전히 밝은 빛이 뿜어져 나오고 있었다. 제단 좌우의 청동화로에서 타오르는 불 때문이었다. 밝은 별 열 개가 달 하나만 못 하다더니, 사람 키 높이까지 솟구치는 청동화로의 불길 두 개가 횃불들 전부를 합친 것보다 나았다.

그런가 하면 청동화로의 아래에는 얼마나 오래되었는지도 모를 장작들이 잔뜩 쌓여 있었다. 이 정도면 몇 날 며칠이고 불을 지필 수 있을 것 같았다.

'저건 또 누가 가져다 놓은 걸까?'

한편, 야율극리는 제단이 올려다보이는 앞쪽 돌바닥에 본격적으로 자리를 잡고 앉아 있었다. 그리고 연소교로부터 빼앗은 죽간 하나를 꺼내 구결을 열심히 읽는 중이었다.

내가 어디에서 무얼 하든 전혀 아랑곳하지 않는 모습이었다. 사방이 닫힌 이곳에서는 어떻게 기습을 해오더라도 완벽히 감지할 수 있다는 자신감 때문일 것이다.

"공동이 아무리 거대해도 밤새 청동화로를 피우는 건 좋은 생각이 아닙니다. 정 불빛이 필요하다면 하나는 완전히 끄고 나머지 하나도 불길을 좀 줄이는 게 어떻겠습니까?"

자신에게 거는 말이라는 걸 알면서도 야율극리는 대꾸조차 하지 않았다. 그렇다고 순순히 물러날 내가 아니었다.

"밀폐된 장소에서의 불 피우기가 얼마나 위험한지를 말씀드리는 겁니다. 이동 중 장막을 치고 화톳불을 지펴보았다면 잘 아실 텐데요. 자다 말고 훅 가는 수가 있습니다."

"생각이 너무 많군."

"제 목숨도 달려 있으니까요."

야율극리는 그제야 고개를 들어 조금 떨어진 곳에서 할 일 없이 앉아 있는 나를 물끄러미 바라보았다. 때가 되면 제물로 바칠 거라고 공언했는데도 포기하지 않는 내가 한심하면서도 한편으로는 또 이해가 되는 듯한 표정이었다.

"과거 위대한 대종사들께서는 어느 순간이 되면 자신의 마지막 때를 미리 알고 이곳으로 찾아오셨다고 한다. 그리고 이레 동안 홀로 고요히 참선하며 지나온 삶을 반추하셨지."

임종정념(臨終正念)이라는 말이 있다. 수행자가 생의 마지막 순간에 이르러 마음을 가다듬고 조용히 죽음을 받아들이는 일을 말한다.

"다시 말해 이레 동안은 이곳에서 불을 피워도 아무런 문제가 없었다는 뜻이지. 그건 곧 어딘가에서 작은 구멍들을 통해 계속 환기가 되고 있다는 뜻이기도 하고."

"동이 트는 때를 어떻게 알까 했더니만 다 계획이 있으셨군요. 눈 덮인 봉우리에 해가 비치기 시작하면 어딘가에서 실낱같은 빛이 들어올 테니까 말입니다."

"잘 알아들은 것 같군."

"그럼 계속 볼일 보십시오."

대화를 끝낸 나는 자리에서 일어나 가까이 있는 청동화로로 다가갔다. 이어 활활 불타는 장작들 중 적당한 굵기의 소나무를 하나 골라 집어 들었다. 다음엔 손으로 쩍쩍 찢어 세 조각으로 만든 후 다시 뭉쳐 한 손에 쥐었다.

한 조각으로만 된 장작은 금방 불이 꺼지지만 세 조각을 하나로 뭉치면 제법 오랫동안 버틴다. 특히 소나무 장작은 송진이 많고 화력이 좋아서 이렇게 하면 임시로나마 횃불처럼 쓸 수도 있었다.

"무얼 하려는 거지?"

"선천오법술의 구결을 어디에다 적어야 할지 몰라서요. 지필묵이 있을 것 같지는 않으니 석판으로 쓸 돌덩어리라도 찾아 새겨야 할 것 같습니다."

"그런 이유라면 멀리 갈 것도 없이 네가 앉아 있는 바닥이야말로 가장 큰 석판이다."

이 인간이 돌덩어리로 자기 뒤통수를 찍으려는 줄을 어떻게 알고.

"그것도 좋은 생각이군요. 하면 송곳 대신 쓸 돌 조각이라도 찾아보겠습니다. 미리 말씀드리지만 바닥에 살짝 긁기만 하겠습니다. 천년만년 기록으로 남길 것도 아닌데 지금 당장 읽을 수만 있으면 되지 않겠습니까?"

"무슨 꿍꿍이속인지 모르겠지만 마음대로 해도 좋다. 어차피 동이 틀 때까지는 온전히 너의 시간이니까."

사방은 막혀 있고, 무기는 모두 **빼앗겼으며**, 상대는 상상도 할 수 없을 만큼 강한 존재였다.

마치 우리에 갇힌 짐승이라도 된 듯한 기분이었다. 아무리 머리를 굴려 보아도 뾰족한 수가 생각나지 않았다.

시간은 얼마나 흐르고 또 남았으려나. 어떻게든 방법을 생각해 내야한다. 동이 트기 시작하면 야율극리는 자신이 한 말에 책임을 지기 위해서라도 나를 제단 위에 올려놓은 다음 발끝에서부터 한 토막씩 잘라낼 것이다.

그때부터는 야율극리의 시간이다. 나는 고통에 못 이겨 선천오법술의 구결을 모두 털어놓든가, 아니면 마지막까지 버티다가 장렬하게 죽어야 한다.

'꿀꺽.'

제단에 누워 생선처럼 토막 난 내 다리를 내려다본다고 생각하니 입안이 바짝 마르면서 등골이 서늘해졌다.

그때쯤 나는 제단의 뒤쪽에 늘어선 석관들을 따라 오른쪽으로 한참을 걸어간 상태였다.

마지막 석관이 있는 곳에 이르자 청동화로의 불빛이 희미해지면서 이상한 형태의 석벽이 나타났다. 사실 횃불이 모두 켜져 있을 때 미리 보아둔 곳인데, 이곳엔 크고 네모반듯하게 바위를 떼어낸 흔적들이 가득했다. 그렇게 떼어낸 바위를 정과 망치로 쳐서 석관을 조각한 것이다. 일종의 채석장이었던 셈이다.

'그러면 그렇지.'

이 많은 석관들을, 무슨 고행을 하는 것도 아니고 산꼭대기까지 짊어지고 올라올 수는 없는 노릇이었다.

그래도 여전히 의문은 남았다. 이곳을 찾은 대종사들은 칠 주야 동안 참선을 하며 지나온 삶을 반추했다고 들었다. 그렇다면 이 많은 석관들은 대체 누가 떼어내고 조각했을까?

어쨌거나 채석장답게 바닥엔 뾰족하게 쪼개진 돌 조각들이 가득했다.

잠시 청동화로 쪽을 힐끗 돌아보았다. 야율극리는 여전히 바닥에 펼쳐놓은 죽간의 구결을 읽는 중이었다. 저러다 빨려 들어가는 게 아닐까 하는 생각이 들 정도였다.

천마의 제자였다면 그 역시도 문일지십의 기재일 터, 구결을 전부 외우는 데는 그리 오래 걸리지 않을 것이다.

'정신이 없기도 하겠지.'

나는 마땅한 돌 조각을 찾는 척하며 슬그머니 자리에 앉았다. 그런 다음 등으로 청동화로의 불빛을 가렸다. 이어 품속에서 손바닥 반만한 넓적돌을 꺼냈다. 부싯돌로 쓰는 흑요석(黑曜石)이었다. 여기다 대고 동굴 입구 해검지에서 빼앗겼던 부싯쇠를 탁탁 치면 불똥이 일어난다.

부싯돌 끝을 단단한 바닥에 대고는 엄지손가락으로 꾹꾹 눌렀다. 그러자 똑똑 소리와 함께 포를 뜨듯 얇게 조각이 떨어져 나가기 시작했다.

잠시 후, 흑요석 부싯돌은 비수보다도 날카로운 칼로 변했다. 야율극리와 가장 가까워지는 순간 방심한 틈을 타 손목의 동맥을 그어버리고 도망치는 것이 나의 두 번째 계획이었다.

그러려면 모든 게 인위적이지 않고 자연스러워야 한다. 현재로선 선천오법술의 구결을 완성해 전달하는 순간을 노리는 게 최선이었다.

'기회는 한 번뿐이다.'

만약 성공한다면 야율극리는 사실상 한쪽 팔을 쓸 수가 없게 될 것이다. 급한 대로 혈도를 눌러 지혈을 할 수는 있으나 나와 공방을 나누는 순간 또다시 피가 터져 버리고 말 테니까.

그때부터 시간은 다시 내 편이 된다.

나는 공격과 도주를 번갈아 하며 그를 최대한 괴롭히다가 적절한 때에 이르러 마지막 승부를 볼 작정이었다.

흑요석 칼을 허리띠 안쪽에 잘 감춘 다음에는 석판을 긁을 돌 조각들도 서너 개 챙겼다. 돌 조각들은 예리함이나 단단함에 있어서 언감생심 흑요석과 비교할 것이 못 되었다.

모든 준비를 마치고 석벽 아래에 거꾸로 세워둔 장작 뭉치를 챙겨 일어서는 순간이었다. 단 위에 놓인 탓에 얼추 가슴 높이까지 오는 마지막 석관의 뚜껑에 무언가 꾸물꾸물 기어가는 것들이 있었다.

'뭐지?'

장작불을 가까이 가져가 보니 놀랍게도 누군가 음각으로 새겨놓은 글자들이었다.

〈광명력 육백칠십이 년 일월 초파일, 환란의 강을 건너지 못한 적룡마제 동방신행(東方信行)이 훗날을 기약하며 잠들다.〉

적룡마제라면 천마성교의 마지막 칠대(七代) 교주였던 자의 별호였다. 세상에 알려지지 않았다는 그의 본래 이름이 동방신행이었나 보다. 이곳은 아무나 함부로 들어올 수 없는 곳이니 석관의 글자 역시 동방신행이 직접 새겨 넣은 게 분명했다.

그리고 서문의 아래에는 놀랍게도 사는 동안 그가 펼쳤던 크고 작은 행적들이 시간에 따라 고스란히 기록되어 있었다.

천마대총으로 들어오자마자 바로 죽지 않고 칠 일이나 시간을 끈 이유가 이것이었던 모양이다. 야율극리의 말처럼 가부좌를 틀고 참선을 한 것이 아니라 석관에다 글자를 새기며 지난 삶을 반추한 것이다.

아니나 다를까, 힐끗 살펴본 옆쪽의 다른 석관 뚜껑에도 전대 천마교주들의 기록이 각양각색의 필체로 새겨져 있었다.

호기심에 석관들을 따라 계속해서 걷다 보니 급기야 천마성교가 천하대광명종이었던 시절 진짜 대종사들이 새겨놓은 기록들까지 나타났다.

이곳이 천마대총이 아닐지도 모른다는 내 예측이 정확히 맞아떨어졌다. 마지막 천마교주였던 동방신행이 광명력을 계속해서 연호(年號)로 사용한 것도 이해가 되었다.

'진짜 성보들이 여기 있었군.'

불가에서는 이름난 고승들의 말씀을 기록한 책들이 곧 경전이 되듯, 대종사들의 행적에 대한 기록 역시 천마성교도들에게는 가장 중요한 보물일 것이다.

그러나 나는 천마성교도가 아니었다. 따라서 까마득한 과거의 대종사들이 살면서 무슨 짓들을 했는지 따위는 하등의 관심이 없었다.

다시 본래의 자리로 돌아가 동방신행이 새겨놓은 기록들을 읽어 내려가기 시작했다. 이유야 어찌 되었든 그는 수백 년 역사를 지닌 교(敎)의 패망을 경험한 마지막 교주, 무언가 세상 사람들이 모르는 안배를 해놓았을 수도 있었다. 이를테면 천마대총이 외인에게 침범당했을 경우를 대비해 어딘가에 무시무시한 기관진식을 숨겨놓았다거나. 만약 그렇다면 나는 야율극리를 함정으로 유인해 좀 더 수월하게 죽일 수도 있었다.

'제발!'

하지만 석관엔 젊은 시절 그가 만났던 기인이사들이나 무공을 겨루었던 고수들에 관한 이야기가 담담하게 기록되어 있을 뿐이었다. 나로서는 하나같이 들어본 적 없는 별호들이었다. 지금 시대의 가장 노강호들인 설산신검, 남궁유룡, 백포산군보다도 전대의 인물들이니 너무나 당연한 일이었다.

그러다 마침내 정마대전 이후 천하십대고수 육인과의 싸움에 대한 기록이 나왔다.

〈광명력 육백팔십일 년 십일월, 그믐달이 뜬 밤 육고산 일왕봉에서 천하십대고수 중 여섯 명과 사흘 밤낮을 싸웠다. 내 무공은 혼자 다섯을 상대할 수 있으나 여섯까지는 무리였다.〉

광오하기 짝이 없는 말이었다. 혼자 천하십대고수 다섯을 쓰러뜨렸다는 것만으로도 믿을 수가 없을 지경인데, 그는 마치 자신의 수련이 부족한 탓인 것처럼 여겼다.

'이게 끝이라고?'

이어지는 내용들은 여섯 고인들과 겨루는 동안 몸 구석구석에 각각의 특징을 가진 암경이 축적됐고, 대법으로 생명을 연장해 가면서까지 이곳 천마대총으로 왔다는 기록들이었다.

이로써 그의 짧은 일대기는 끝이 났다.

'다시는 사람으로 태어나지 않기를 비오.'

나는 속으로 조용히 저주를 퍼부은 다음 돌아서려고 했다. 그때 돌이끼에 가려진 또 다른 문장의 첫머리가 보였다.

〈이번 생은…….〉

다시 한번 청동화로 쪽을 힐끗 돌아보았다. 야율극리는 여전히 죽간
을 내려다보며 독서 삼매경에 빠져 있었다.

나는 관 뚜껑 위로 손을 뻗어 돌이끼를 재빨리 긁어냈다. 그러자 감
춰져 있던 마지막 문장들이 고스란히 모습을 드러냈다.

〈이번 생은 여기서 끝나지만 곧 다시 돌아와 천하를 발아래 두리라. 그
때의 나는 죽음에서 부활한 자이며, 미래를 아는 선지자이고, 천부교활교
경(天符敎活蕎經)의 진정한 전승자일 것이다.〉

마지막 문장에 담긴 세 개의 예언이 대못처럼 눈에 박혀 들어왔다.

천부교활교경의 부(符)는 글자이면서 동시에 그림이기도 한 고대의
문양, 즉 부적(符籍)을 뜻했다. 공교롭게도 나는 죽음에서 부활한 사람
을 한 명 알고 있었다. 그는 앞으로 삼십 년 동안 일어날 일들에 대해
서도 훤히 꿰뚫어 보았다. 그리고 아마도 천부교활교경이라 불리는 고
대 마교의 부적 또한 몸속에 영기의 형태로 품고 있었다.

내가 아는 그자는 다른 누구도 아닌 바로 나 자신이었다.

대초자곤으로 뒤통수를 한 대 세게 맞은 것 같았다.

'이게 뭔 개소리야!'

그때였다. 천부교활교경이라는 여섯 글자가 한순간 푸르스름하게 빛
났다가 사라졌다. 동시에 내 몸속 하단전에 웅크리고 있던 부적의 영

기가 한 마리 화룡이라도 된 것처럼 폭주하기 시작했다. 용린신갑을 벗어던진 내 상체에서는 어느새 익숙하기까지 한 부적의 문양과 함께 새하얀 빛이 뿜어져 나오려고 했다.

대경실색한 나는 땅바닥에 재빨리 배와 가슴을 깔고 엎드렸다. 그리고 빛이 새어 나가지 않도록 두 팔까지 땅바닥에 찰싹 붙여가며 필사적으로 막았다.

'들키면 끝장이다!'

심장이 요동치고 숨이 턱턱 막혔다. 흡사 불덩어리라도 삼킨 것처럼 오장육부가 지글지글 끓으면서 정신이 아득해졌다. 환생을 한 이후 부적의 영기가 수차례 발작을 했었다. 하지만 맹세코 지금처럼 격렬하게 폭주를 한 건 처음이었다.

나는 끝내 정신을 잃고 말았다.

정신을 차렸을 때는 좌우에서 청동화로가 뜨거운 불길을 활활 뿜어내는 중이었다. 벌떡 일어나 주변을 살펴보니 놀랍게도 나는 제단에 누워 있었다.

"깨어났군."

저만치 앞쪽 희끄무레한 어둠 속에서 야율극리가 말했다. 그는 그때까지도 땅바닥에 앉아 죽간의 구결을 살피는 중이었다.

야율극리는 분명 내가 쓰러져 정신을 잃은 연유에 대해 캐물을 것이다. 나는 아무것도 모르는 척 오히려 질문을 하는 것으로 선수를 쳤다.

"제게 무슨 일이 일어난 겁니까?"

"천부교활교경을 아나?"

속으로 뜨끔했지만 다시 한번 시치미를 뗐다. 다만 상대가 상대이니 만큼 덮어놓고 오리발부터 내밀진 않았다.

"그렇습니다."

"어떻게 알지?"

"저 석벽에 적혀 있더군요. 알아들을 수 없는 이상한 예언과 함께."

그제야 야율극리가 죽간에서 시선을 거두고 나를 물끄러미 응시했다. 흡사 그의 영체가 내 눈을 통해 몸속으로 들어와 불을 켜고는 오장육부를 들여다보는 듯했다.

하지만 이는 격기의 일종으로, 신체 반응을 통해 거짓말을 하는지 여부를 살피려는 수작에 불과했다. 맞설 공력은 얼마든지 있으니 뻔뻔하기만 하면 충분히 이길 수 있다. 나는 평정심을 끝까지 유지하며 야율극리를 똑바로 노려보았다.

이윽고 몸 안에서 무언가가 스르륵 빠져나가는 게 느껴졌다.

"천부교활교경은 아득한 옛 시절 지상에 강림한 신의 말씀을 담은 경전이다. 단 한 글자로 이루어져 있으되 세상의 모든 섭리를 말해주는 절대마경이지."

무슨 말인지 모르겠지만, 천부교활교경이 얼마나 무서운 물건인지는 내가 야율극리보다 훨씬 잘 알 것이다.

"내가 바로 그걸 익혔다. 나는 오늘 이곳 죽은 자들의 세상에서 너를 제물로 바치고 부활할 것이다. 그런 다음 산 자들의 세상으로 나가 수많은 이적을 행하며 천하를 발아래 둘 것이다."

석관에 새겨져 있는 동방신행의 마지막 예언을 야율극리도 본 모양이었다. 하지만 놀랍게도 그는 예언에서 말하는 사부의 현신이 제자인 자신을 상징하는 것이라고 생각하는 것 같았다.

살아서 이곳으로 들어오는 자 반드시 목숨을 내놓아야 한다는 입구의 경고도 있고 하니, 만약 여기서 나간다면 정말 죽음에서 부활한 자가 되는 셈이었다. 게다가 야율극리는 천부교활교경까지 익혔다. 심지어 그 마경에 대한 이해는 나보다도 훨씬 깊을 것이다.

모든 것이 너무나 그럴듯해서 나는 한순간 혼란에 빠졌다.

'차라리 그의 말이 맞았으면.'

그때였다. 어둡고 거대한 공동의 천장 한가운데에서 난데없이 구멍이 뻥 뚫렸다. 동시에 한줄기 기다란 빛이 쏟아져 내려와 그때까지도 제단에 앉아 있는 나를 비추었다.

'서광(曙光)?'

구멍이 뚫린 게 아니라 원래 뚫려 있던 구멍으로부터 햇빛이 들어온 모양이었다. 마침내 동이 터 오른 것이다.

"약속한 시각이 되었군."

야율극리는 그때까지 펼쳐 읽고 있던 죽간을 천천히 말아 품속에 집어넣었다. 이어 자리에서 쓰윽 일어나 내게로 거침없이 걸어왔다. 화들짝 놀란 나는 얼른 제단에서 내려온 다음 황급히 두 손을 휘저으며 말했다.

"잠깐만요! 아시다시피 제가 졸도를 하는 바람에 구결을 새기고 말고 할 시간이 없었습니다. 안 하려고 한 게 아니라고요."

야율극리의 신형이 쭉 늘어나는가 싶더니 코앞까지 들이닥쳤다. 고리 모양을 한 두 개의 시퍼런 벼락이 덮쳐왔다. 무얼 어떻게 해볼 틈도 없이 일단 구천홍염장으로 맞섰다.

뻥! 뻐버벙! 뻥! 뻥!

격렬한 접장의 순간마다 굉음과 함께 막강한 경파가 사방으로 휘몰아쳤다.

한데 이상한 일이 일어났다. 야율극리와 처음 싸울 때처럼 손목을 타고 들어와 척추를 짜르르 울리고 뼈마디를 터뜨려 버릴 것 같은 고통이 이번엔 느껴지지 않았다. 충격은 여전히 강렬했으되 충분히 견딜 만했다. 뿐만 아니라 내 몸 전체에서 무언가 주체할 수 없는 활력이 솟구쳤다.

예전에도 이런 적이 있었다. 남만에서 마총의 석실로 들어갔을 때 부적의 영기가 폭주한 후 모든 감각이 각성을 한 것처럼 밝아지며 용력 또한 솟구쳤다.

잠깐 사이에 이십여 초식이 훌쩍 지나갔다.

"처음 만났을 때와는 다르군!"

야율극리가 맹공을 퍼붓는 와중에도 눈동자를 날카롭게 반짝이며 물었다. 하지만 딱 거기까지였다. 나는 가까스로 야율극리의 강기공들을 받아낼 정도는 되었으나 판세를 바꾸지는 못했다. 십초박과 구천홍염장 모두를 번갈아 사력을 다해 펼쳐봐도 마찬가지였다. 내가 문제가 아니라 야율극리가 비정상적으로 강한 탓이었다.

보법을 어지럽게 펼치며 권장으로 연달아 벼락을 뽑아내면서도 그는 숨소리가 조금도 흐트러지지 않았다. 그리고 자신만만했다. 나를 여전히, 그리고 조금도 자신의 상대로 인정을 하지 않는 것이다.

한데 이건 내게 전혀 나쁘지 않은 상황이었다.

'기회는 한 번이다.'

지금까지 익힌 모든 무공들 중에서 가장 빠르고 손에 익은 초식으로 단 한 번에 승부를 보아야 한다. 야율극리는 바보가 아니니 어떤 이유에서든 내가 자신의 전권을 파고드는 순간 본능적으로 경계를 할 것이다.

다시 말해 그의 신경을 끌 가짜 공격과 상처를 입힐 진짜 공격을 동시에 준비해야 한다.

"잠깐 제 말을 좀!"

뻐뻥!

접장의 순간 나는 반탄력을 이용해 재빨리 뒷걸음질 치며 물러났다. 야율극리는 공세를 고삐를 놓치지 않으려는 듯 그림자처럼 따라붙었다.

나는 옆에 있는 청동화로의 볼록한 배를 향해 일장을 거세게 날렸다.

떠엉!

쇳소리와 함께 육중한 청동화로가 야율극리를 향해 날아갔다.

야율극리는 귀찮다는 듯 손으로 허공을 가볍게 휘저으며 청동화로를 후려쳤다.

떠엉!

청동화로가 불타는 장작들을 사방으로 쏟아내며 어디론가 날아가 버렸다.

청동화로의 뒤를 바짝 따라가던 나는 왼 주먹으로 활짝 열린 야율극리의 명치를 벼락처럼 노려갔다. 귀영무의 보법에 이은 십초박의 한 수였다.

"죽엇!"

"어딜!"

상대와의 거리가 갑자기 사라지는 바람에 장법을 펼칠 수 없게 되어버렸지만, 야율극리는 조금도 당황하지 않았다. 오히려 장법을 펼치려던 오른손으로 내 주먹을 가볍게 말아쥐어 버렸다. 동시에 매 발톱처럼 구부린 왼손을 어깨 쪽으로 벼락처럼 뻗어왔다.

손에 잡히는 순간 견골이 통째로 뜯겨 나가며 무력을 완전히 상실하게 된다. 하지만 이건 내가 의도한 상황이었다.

'걸려들었다!'

야율극리의 두 팔을 모두 뻗게 만드는 데 성공한 나는 그의 왼팔을 쳐내는 척하며 오른손에 뽑아 쥐고 있던 흑요석 칼로 손목을 벼락처럼 그어갔다.

"이거나 먹엇!"

하지만 웬걸, 무언가 칼끝에 걸리는 느낌이 전혀 들지 않았다. 오히려 칼을 쥔 내 손목만 호랑이에게라도 물린 것처럼 고통스러웠다. 절체절명의 순간 야율극리가 어깨를 노리고 뻗어오던 조공마저 금나수로 변환시켜 내 손목을 움켜쥐어 버린 것이다.

왼 주먹은 그의 오른손에 잡아 먹혔고, 흑요석 칼을 쥔 오른 손목은 그의 왼손에 물린 형국이었다. 양팔 모두 완벽하게 붙잡히고 제압당한 상황.

"이것도 먹엇!"

나는 같이 죽자는 심정으로 사력을 다해 그의 양팔을 내 쪽으로 끌어당겼다. 동시에 이마로는 냅다 얼굴을 들이받았다. 부지불식간에 나온 임기응변의 한 수였다.

하지만 그마저도 허공을 격하고 말았다. 뿐만 아니라 야율극리의 분노만 더욱 부채질했다.

"이런 뻔뻔한!"

천마의 제자로 한평생 멋진 승부만을 펼쳐온 야율극리에게 개싸움은 나려타곤을 펼치는 것만큼이나 낯 뜨거운 짓이었다. 상대가 자신에게 그런 식으로 공격을 해올 때도 마찬가지였다.

분기탱천한 야율극리는 내 왼 주먹을 아래로 힘차게 던져 버렸다. 반대로 내 오른손은 자신에게로 끌어당겼다. 그 역시 족보에도 없는 임기응변의 동작을 펼친 듯했다. 한데 얼마나 강하고 빠른지 나는 무르팍으로 그의 가랑이 사이를 찍어 올리다 말고 쭉 딸려갔다.

야율극리는 자신의 어깨로 툭 쳐서 나를 허공에 거꾸로 띄운 후 땅바닥에다 사정없이 메다꽂아 버렸다.

뻐억!

등짝부터 바닥에 떨어지는 순간, 나는 사력을 다해 호신강기를 끌어 올렸다. 그럼에도 불구하고 등골이 짜르르 울리는 고통과 함께 숨이 턱 막혔다.

"이제 시작이다!"

그대로 빠져나가 버리려는 혼백을 가까스로 붙잡으려는 찰나였다. 야율극리는 아직 놓지 않은 내 오른 손목을 뽑아 올려 반대쪽 땅바닥에다 다시 패대기쳤다.

뻐억! 뻐억!

그렇게 두 번을 더 왔다 갔다 해서, 모두 네 번을 패대기치더니 그제야 화가 조금 풀리는지 한쪽으로 냅다 던져 버렸다.

흐물흐물해진 나는 대여섯 장을 날아간 다음 석벽에 거꾸로 부딪힌 후 머리를 땅바닥에 '쿵!' 찧으며 떨어졌다.

"쿨럭! 쿨럭! 쿨럭!"

흡사 내장이 진탕 당하는 듯한 고통에 나도 모르게 몸을 벌레처럼 웅크리고 검은 피를 연거푸 토해냈다. 차라리 피를 토했더니 숨쉬기가 좀 편해졌다. 대신 뭐라 말로 설명할 수 없는 극통이 머리끝에서 발끝까지 엄습해 왔다. 거대한 짐승이 나를 잘근잘근 씹다가 맛이 없어서 '퉤!' 하고 뱉어놓은 것 같기도 하고, 바닥이 돌로 된 천 길 낭떠러지에서 한 열 번쯤 떨어진 것도 같았다.

한데 희한하게도 정신은 멀쩡했다. 게다가 어디 하나 부러진 곳도 없었다. 뼈가 멀쩡한 것은 공력이 비정상적으로 심후한 덕분이었다. 정신이 멀쩡한 것은 어느새 상단전까지 올라가 자리 잡은 천부교활교경의 영기가 나를 보호하고 있기 때문이었다.

"이제 좀 고분고분해졌으려나?"

"미친, 내가 처음부터 순순히 구결을 준다고 했잖소!"

"흑요석 칼을 요대에 숨기고서 말이지?"

"그건 귀하가 이렇게 나올 것 같아 준비한 거요."

"아니면 순순히 주었고?"

"물론 아니오. 그 생각은 지금도 변함이 없고."

그러면서 나는 품속에서 돌돌 말린 죽간 뭉치 하나를 꺼냈다.

두 눈이 화등잔만 하게 커진 야율극리가 재빨리 자신의 품속을 뒤졌다. 하지만 손에 쥐어져 나오는 죽간은 하나뿐이었다.

"언제!"

"분기탱천한 귀하가 나를 네 번이나 땅바닥에 패대기친 후 던질 때. 그렇게 왜 한 손만 잡고 던지셨습니까?"

정확하게 말하면 그의 힘센 손에 의해 몸이 허공으로 쭉 끌려 올라가는 순간, 자유로운 왼손으로 가슴을 슬쩍 훑었다. 화가 머리끝까지 난 데다 고개를 앞쪽으로 돌리고 있었던 탓에 야율극리는 풀어 헤쳐진 자신의 옷자락 사이로 죽간이 빠져나가는 걸 까맣게 몰랐다.

"어쩔 셈이냐?"

"나를 순순히 살려 보내주지 않으면 선천오법술의 구결을 가르쳐 주지 않는 것은 물론이거니와 이 죽간을 엮은 가죽끈도 모두 뜯어버려 구결의 순서를 알 수 없게 하겠소. 하면 아주 골치 아파질 거요."

"얼마든지."

"내가 못 할 것 같소?"

"하라니까 뭘 망설이는 거지?"

"……?"

"…….

"그렇군. 하필이면 이미 읽은 죽간을 훔쳤……. 가만, 내가 까무러쳐 있는 동안 이걸 다 외웠다는 겁니까?"

"나는 요나라의 왕족이자 마지막 천마교주였던 동방신행의 칠 제자 야율극리다. 세상이 넓고 하늘이 높은 줄을 이제야 알겠느냐. 음하하!"

야율극리가 갑자기 고개까지 젖히며 앙천광소를 터뜨렸다.

전해 내려오는 얘기에 따르면 죽간에 기록된 마공을 세 가지만 익히면 압도적인 무공으로 말미암아 천마교주가 된다고 했다.

그는 천부교활교경에 이어 하나의 죽간 구결을 모두 머릿속에 암기한 데다가 아직 하나가 더 품속에 남아 있었다. 삼십 년 고행의 결실이 눈앞에 있으니 어찌 기쁘지 않을 것인가.

그러던 어느 순간, 야율극리의 웃음이 뚝 그쳤다. 내 손에서 삼매진화가 일어나 삽시간에 죽간을 불태우고 있었기 때문이다.

가장 중요한 건 구결이라고 하지만, 죽간은 그 자체로도 고대로부터 이어져 온 천마성교의 보물이었다.

"저도 이제 삼매진화를 피울 수 있게 되었습니다."

"멈춰라!"

"싫습니다."

"이놈!"

분기탱천한 야율극리가 또다시 벼락처럼 신형을 쏘아왔다. 나는 그보다 한발 앞서 천금풍의 경신공을 펼치며 도망쳤다. 제단으로 뛰어오른 후 두어 걸음을 뛰다 도약하자 단숨에 전대교주들의 석관이 놓여 있는 곳에까지 이르렀다.

야율극리는 눈 깜짝할 사이에 한 손을 뻗으면 닿을 법한 거리까지 접근했다.

나는 누구의 것인지 모를 석관 위로 훌쩍 뛰어올랐다. 동시에 다시 한번 도약한 다음 수직 절벽을 수평으로 타고 질풍처럼 달리기 시작했다.

차마 나처럼 불경을 저지르지는 못한 야율극리의 천둥 벼락같은 장력이 엉덩이를 아슬아슬하게 스치고 지나갔다.

콰앙!

나를 대신해 벼락을 맞은 석벽의 한쪽이 굉음을 내고는 돌덩어리들을 우수수 쏟아냈다. 장력의 출수는 그 반동으로 말미암아 야율극리를 한 걸음 더 멀어지게 했다. 급한 마음에 일단 나를 때려잡고 보려다 오히려 손해를 본 것이다.

잠깐 사이 나는 수직 절벽을 여전히 타고 달리며 공동을 한 바퀴나 완전히 돌아버렸다. 이윽고 제단 위로 다시 샥 떨어져 내렸을 때는 손 안에 있던 죽간이 한 줌의 재가 되어 사라지고 난 후였다.

그러나 내 머릿속에서는 죽간에 새겨져 있던 구결 하나하나가 선명 하게 빛나며 화인처럼 각인되고 있었다. 놀랍게도 이 죽간에 새겨진 마 경 혹은 마공의 이름은 선천오법술과 비슷한 선천사법술(先天四法術)이 었다. 모든 죽간들의 왕이랄 수 있는 천부교활교경의 영기가 선천사법 술의 영능(靈能)을 흡수해 버린 것이다. 이는 무림맹에서 소유하고 있던 선천오법술의 죽간이 불탔을 때와 똑같은 현상이었다.

그리고 이미 내가 노린 결과였다.

나는 정수리의 백회혈을 활짝 열고 공동 밖 까마득한 하늘에서부터 쏟아지는 서광을 거침없이 받아들였다. 보통의 내공심법들은 혈도를 따라 기운을 운행하여 하단전에 축기를 한다. 그러나 선천오법술과 선 천사법술은 상단전을 통해 우주의 기운과 공명하며 그 힘을 빌려 쓰 는 일종의 영능이었다. 달리 염력이라고도 불리는 그것.

상단전이 불처럼 뜨거워지며 초고도의 집중력이 생겨나는 게 느껴 졌다.

성난 야율극리가 허공에서 뚝 떨어져 내리며 장법을 펼쳐오는 것도 동시였다.

"오장육부를 터뜨려 주마!"

펑! 펑! 펑! 펑!

고리 모양의 시퍼런 벼락 네 개가 갈대처럼 드러눕는 내 상체를 아슬아슬하게 스쳐 갔다. 헛되이 장력을 난사한 야율극리는 착지를 하자마자 각법으로 내 허리를 올려 찼다가 다시 퇴법으로 등을 찍었다.

아름드리 통나무도 부러뜨릴 강력한 힘이 느껴졌다. 그러나 나는 허리를 차이지도, 등을 찍히지도 않았다. 각법이 올라올 때는 뒤로 휘었던 내 허리도 따라서 올라오고, 퇴법이 떨어질 때는 내 등도 따라서 옆으로 비켜났다.

그러자 야율극리는 오른쪽 수도(手刀)로 빗살처럼 내 아랫배를 찔러 왔다. 손끝에서 무려 반 장 길이로 뻗어 나오는 시퍼런 강기는 그 자체로 이미 한 자루 장검이었다. 스치기만 해도 뱃가죽이 잘려 나가며 내장을 쏟아내리라.

하지만 강기는 이번에도 딱 한 치 정도의 거리를 남겨두고 아슬아슬하게 빗나갔다. 절체절명의 순간 내가 엉덩이를 뒤로 뺀 덕분이었다.

야율극리가 손발을 뻗는 속도는 놀라운 것이어서 이후로도 계속 무자비한 공세를 퍼부어댔다. 하지만 나는 그때마다 그의 보법을, 초식의 투로를, 노리는 지점을 사전에 모두 알아차렸다. 조금 전 머릿속에 화인으로 각인된 사천사법술의 공능 혹은 영능 때문이었다.

'타심통(他心通)이라니!'

타심통은 깨달음을 얻어 부처나 아라한의 경지에 이른 수행자들이 얻게 된다는 여섯 가지 신통력, 즉 육신통의 한 가지로 타인의 마음을 들여다보는 능력을 말한다. 선천오법술에서는 이것을 염동술과 맥락을 같이하여 염독술(念讀術)이라고 명명했다.

그들이 말하는 염독술이 어느 정도의 경지를 말하는 건지는 현재로선 나도 잘 모른다. 다만 내가 초고도로 집중을 한 상태에서 야율극리가 어느 정도 이상의 강렬한 생각을 하면, 그 생각이 마치 감응을 하듯 내 머릿속에서도 함께 떠올랐다.

그러면 무얼 어떻게 상대해야 하겠다며 계산을 할 것도 없이 몸이 저절로 반응했다. 마치 혼자 초식을 연습할 때 왼손의 공격을 오른손이 자동으로 막아내는 것처럼.

시간을 느리게 보는 이능력과 삼백 년의 공력, 각성한 감각들과 용력, 여기에 상대의 생각을 읽는 능력까지 더해지자 그 무섭던 야율극리의 권장지각은 더 이상 내게 위협이 되질 않았다. 도망치거나 막기에만 급급했던 나는 어느새 대등한 힘과 속도로 공방을 주고받았다.

그러다 점점 내가 펼치는 초식들이 오히려 야율극리의 초식들을 위협하기 시작했다.

쾅! 꽈광! 펑! 퍼버벅!펑! 펑!

격권의 순간마다 벼락이 치고, 접장의 순간마다 천둥이 울렸다. 막강한 경파가 고막을 때리며 거대한 공동을 떵떵 울려댔다.

"갈!"

무언가 크게 잘못되었음을 알아차린 야율극리가 일성을 터뜨리더니 뒤쪽 삼 장 밖으로 신형을 쭉 솟구쳤다. 이번에는 내가 진각을 밟으며 야율극리를 그림자처럼 따라붙었다.

찰나의 간극을 두고 공동의 한가운데 떨어진 나는 귀영무의 보법과 함께 십초박을 본격적으로 펼쳤다.

뻑! 뻐버버벅! 퍽!

판세가 완전히 뒤집혔다. 야율극리는 바쁘게 뒷걸음질 치며 나의 맹공을 막아내기에만 급급할 뿐, 반격은 언감생심 꿈도 꾸지 못했다.

급기야 야율극리의 눈이 화등잔만 하게 커지다 못해 실핏줄까지 터져대기 시작했다. 고도의 집중력으로 사력을 다해 싸우느라 인체와 정신이 견딜 수 있는 한계를 넘어선 것이다.

'내가 이겼다!'

더 이상의 격전은 의미가 없었다. 그걸 깨닫는 순간 나는 한 발을 초접전이 벌어지고 있는 전권 속으로 털썩 들여놓았다.

동시에 오른 주먹으로 그의 명치를 가격했다.

뻑!

특별한 초식도 없고, 강기니 뭐니 하는 기운을 뽑아낸 것도 아니었다. 그저 평범한 주먹질이었을 뿐이었다. 다만, 속도라는 말로 표현할 수 있는 경지를 넘어 순간 이동에 가까울 만큼 빠른 주먹이었다는 것이 다를 뿐.

그리고 이어지는 십초박의 새로운 선팔초!

퍽! 퍼퍽! 퍼퍼퍽! 퍽! 퍽!

야율극리는 온몸을 털어대며 뒷걸음질 쳤다. 그 충격이 얼마나 컸던지 상투를 튼 머리카락까지 풀어 헤쳐졌다.

나는 다시 한번 따라붙으며 우수를 힘차게 뻗었다. 야율극리는 온몸을 난타당해 내장이 진탕된 와중에도 금나수의 수법으로 내 손목을 감아오는 독기를 보였다. 하지만 나는 아랑곳하지 않았다. 오히려 무자비한 속도로 손목을 감아오는 그의 양손을 무시하고 반백의 머리채를 덥석 잡았다.

이어 무 뽑듯 뽑아 올린 후 허공에서 한 바퀴를 질풍처럼 돌린 다음 돌바닥에 거꾸로 패대기쳤다.

"너도 한번 당해봐라!"

빠악!

"한 번 더!"

빠악!

"한 번 더!"

빠악!

"한 번 더!"

빠악!

야율극리가 나에게 했던 네 번에다 다섯 번을 더해 도합 아홉 번을 패대기쳤다. 그쯤 되자 야율극리도 사지가 축 늘어져서는 아무런 저항도 하지 못했다. 열 번을 채우기 위해 한 번 더 패대기치려는 순간, 야율극리가 다 죽어가는 목소리로 애원하듯 말했다.

"제발 그만……."

그제야 패대기질을 멈춘 나는 머리채를 잡은 채 야율극리를 질질 끌고 가서 제단 위에다가 척 던져놓았다. 팔다리가 얼마나 부러졌는지 죄다 비정상적으로 꺾여 있었다.

입에서는 검은 피가 꿀럭꿀럭 솟아 나와 하늘을 보고 누운 그의 입과 목 주변으로 흘러내렸다. 눈동자에서도 핏줄이 죄다 터져 피가 흘렀으며, 왼쪽 가슴에선 날카롭게 부러진 갈비뼈가 옷까지 뚫고 튀어나와 있었다.

　나는 쓰러져 누운 야율극리보다 더 거칠게 숨을 몰아쉬며 양손을 번갈아 보았다. 내가 저지르고도 믿기지 않았다.

　하물며 불과 말 몇 마디 나누는 사이에 입장이 뒤바뀐 야율극리는 오죽하겠나. 그는 존엄을 잃지 않으려는 듯 숨 쉬는 것조차 어려운 와중에도 최대한 또렷하게 말을 했다.

　"대체 너에게 무슨 일이 일어난 것이냐?"

　"설명하려면 복잡하지만 저도 천부교활교경을 익혔습니다. 정확하게는 글자인지 그림인지 모를 그 기괴한 문양이 몸속에 화인으로 새겨져 있지요."

　"농담 따위는 집어치워라."

　"믿기지 않으시겠지만 사실입니다. 덕분에 정신을 고도로 집중하면 시간이 느리게 흐르는 것처럼 볼 수 있는 능력을 지녔지요. 유일하게 한 사람, 마찬가지로 천부교활교경을 익힌 귀하에게는 전혀 쓸모가 없었지만 말입니다."

　"네가 그걸 어떻게!"

　야율극리의 두 눈이 동그래졌다.

　나는 내가 오래전에 죽은 동방신행의 현신이며, 미래를 알기 위해 이미 한 차례 다른 생을 살다가 다시 환생한 것 같다는 식의 황당무계한 얘기는 입 밖에 꺼내지도 않았다. 야율극리를 이해시킬 자신도 없었지만, 그게 사실이라면 지금의 상황이 매우 복잡해지기 때문이었다. 무엇보다 나 스스로가 아직 그걸 받아들이지 못했다. 지금도 석관의 예언은 비유와 상징에 불과할 뿐, 그걸 문자 그대로 해석하는 건 매우 위험하다는 생각이 앞섰다.

야율극리는 도저히 믿을 수 없다는 듯 충격과 공포에 질린 얼굴을 한 채 한참이나 나를 바라보았다. 하지만 그도 졸도를 했다가 깨어난 후 갑자기 강해진 나를 달리 이해할 길이 없을 것이다.

야율극리는 팔의 뼈마디가 죄다 부러져 신경만 남은 두 주먹을 힘껏 말아 쥐었다. 그리고 눈까풀을 파르르 떨었다. 그의 입장에서는 삶을 지탱해 주었던 평생의 믿음이 무너지는 순간일 것이다.

무슨 이유에선지 가슴 한쪽이 짜르르 울리며 인간적으로 측은한 마음이 들었다.

"나를 쓰러뜨린 것이 본교의 무공이었다니 그나마 다행이군. 한순간도 구차하게 살고 싶지 않으니 그만 목숨을 거두어라."

"저는 이제 귀하가 두렵지 않습니다. 그러니 여기서 나가는 방법을 가르쳐 주십시오. 하면 목숨을 취하지 않고 천마성교도들이 있는 곳까지 안전하게 모셔다드리겠습니다."

"그런 방법은 없다. 반드시 한 명의 목숨을 제물로 바쳐야만 사령들과 그들을 모시는 묘귀(墓鬼)들의 마음을 얻을 수 있을 것이다."

"정 그러시다면 원하는 것 한 가지만 말씀해 보십시오. 가령 화장을 한 다음 뼛가루를 고향으로 가져가 어렸을 적 뛰어놀던 강물에 뿌려달라든가."

"그 대가로 나가는 방법을 가르쳐 달라?"

"그렇습니다."

"입 다물고만 있으면 너를 죽일 수 있는데도?"

"제가 여기서 생매장을 당한다고 한들 귀하에게 이로울 게 무엇입니까? 복수심에 눈이 멀어 어리석은 선택을 하지 마십시오."

"죽음을 앞둔 사람에게 복수보다 더 절실한 게 과연 있을까?"

"범부들이라면 그랬겠죠."

나는 가만히 야율극리를 바라보았다.

할 수 있는 말은 다 했다. 더 이상의 설득은 목숨을 구걸하는 것에 지나지 않았다. 지금은 왠지 그러고 싶지 않았다.

야율극리는 천장에서 내리쬐는 서광을 바라보며 생각에 잠겼다. 그의 눈동자가 깊어지기를 한참, 이윽고 무언가 결심을 한 듯 천천히 입을 열었다.

"머지않아 산기슭에서 일만 정도무림인들과 일만 천마성교도들이 전부 모여 전면전을 벌일 것이다. 내가 죽었다는 걸 알면 흑도와 사파인들은 뿔뿔이 흩어지고 말겠지."

당연한 말이다. 한 명의 절대고수가 수십 명의 초절정 고수들을 압도하고 수만 명의 무림인들을 불러 모으는 법이다. 야율극리는 저들을 하나로 뭉치게 한 강력한 구심점이었다. 편복은왕이나 혈영노조는 절대로 야율극리를 대신할 수 없다.

"하지만 충성스러운 나의 교도들은 마지막까지 남아 결사 항전하다 몰살을 면치 못할 것이다. 무림맹의 늙은이들은 이번에야말로 마귀들을 일망타진할 절호의 기회라고 생각할 테니까."

이것도 당연한 말이었다. 아무리 영달과 권력을 좇아 부나방처럼 모여든 고수들이 많다지만, 신심으로 마신을 섬기는 교도들의 숫자야말로 압도적일 것이다.

"정도무림인들로부터 그들 모두를 지키는 것은 물론이거니와 반드시 천마성교를 다시 일으키겠노라고 맹세해라. 하면 그 대가로 나가는 방법을 가르쳐 주겠다.”

“귀하가 천마교주가 되어 천하를 오시할 수 있는 것도 아닌데, 대체 왜 그렇게 성교의 재건에 목을 매시는 겁니까?”

“그건 내가 천마성교의 교도이자 교주의 적통을 이은 마지막 생존 제자이기 때문이지. 이제 네가 대답할 차례니라. 내 제안을 받아들이겠느냐?”

야율극리는 천마교주의 칠제자라는 자신의 신분을 매우 자랑스럽고 영광스럽게 생각하는 것 같았다. 어쩌면 그가 오랜 세월 천하를 꿈꾼 것도 그런 자부심에서 비롯되었을지 모른다.

“제안은 받지 않겠습니다.”

“……!”

“대신 표사로서 의뢰를 받겠습니다. 표행비는 말씀하신 것처럼 이곳을 빠져나가는 방법을 제게 가르쳐 주는 것으로 치르십시오.”

“나는 지금 네게 천마교주가 되어 성교를 재건하고 천하를 오시하라는 말을 하는 것이다. 한데 그걸 고작 표행으로 하겠다고?”

“제대로 전달이 되었군요.”

“네게는 천하를 경영하고 호령하는 것이 한낱 표사질만도 못한 것이더냐?”

“먹고 사는 방식이 서로 다를 뿐입니다. 호랑이가 멧돼지를 잡아먹는다고 해서 황소에게도 돼지고기가 맛있는 음식일 수는 없지요.”

“이걸 먹고 사는 문제로 보다니. 도대체 너처럼 어처구니없는 놈이 어떻게 천부교활교경을…… 쿨럭!”

흥분한 야율극리가 고함을 지르다 말고 몸까지 옆으로 뒤집으며 크게 기침을 했다. 검붉은 피가 바닥으로 한 바가지나 쏟아졌다.

다시 하늘을 올려다보며 누운 야율극리는 잠시 가쁜 숨을 몰아쉬었다. 이어 목구멍이 가랑가랑 끓어오르는 소리로 나직하게 말을 이어갔다.

"청동화로들의 불을 꺼뜨리지 마라. 천장의 구멍을 통해 빠져나간 연기가 칠 주야 동안 하늘로 솟구치면 한 사람이 나타날 것이다."

"……!"

"그는 대대로 천마대총을 관리해 온 봉신가의 후손. 너를 밖으로 데리고 나가줄 수 있는 이는 오직 그 사람뿐이다."

나는 속으로 깜짝 놀랐다. 저 많은 장작들이며 횃불들을 누가 가져다 놓았나 했더니만 역시나 관리인들이 있었던 모양이다.

그들은 아마 천마교주의 참선이 끝날 때쯤 나타나 시체에 염을 하고 수의를 입힌 다음 관 뚜껑을 덮어주었을 것이다. 장례를 치른 후에는 먼 훗날 생의 마지막 때에 이르러 찾아올 다음 교주를 위해 석관을 미리 조각해 놓고 돌아갔을 것이다. 그러면 아비의 뒤를 이어 그의 아들이 다음 교주를 위해 또 찾아올 것이고. 천마성교의 세력이 어느 정도였는지, 그 이름 아래 얼마나 많은 재인(才人)들이 존재했는지 새삼 실감 났다.

한편, 할 말을 모두 끝낸 야율극리의 눈동자가 별이라도 내려와 박힌 것처럼 빛나기 시작했다.

회광반조였다. 지난 삶을 반추하는 생의 마지막 불꽃.

"물속의 달을 건지듯 모두가 허사로다. 뿌리는 보이지 않는 곳에서 언제나 굳건한데 가지 끝만 한세월 공연히 흔들렸구나."

그 말을 끝으로 야율극리는 조용히 숨을 거두었다.

나는 담담하게 야율극리의 주검을 수습했다. 얼굴과 목 주변에 묻은 피를 닦고, 부러진 팔다리를 맞추었으며, 가슴을 뚫고 나온 갈비뼈도 조심스럽게 집어넣어 주었다.

다음에는 향을 피우고 이 거대한 무덤의 주인들이자 야율극리의 사조들인 석관 속 고인들을 향해 조용히 축원을 올렸다.

"여기 또 한 명의 외로운 영혼이 있습니다. 부디 그가 길을 잃지 않고 당신들의 곁으로 갈 수 있도록 이끌어주십시오."

소소하게 의식을 치르고 난 후에는 저만치 나가떨어져 있는 청동화로를 다시 가져와 장작들을 넣고 불을 지폈다.

그때부턴 할 일이 없어져 버렸다.

'모두 무사하려나?'

지금쯤이면 용마를 타고 황토고원의 협곡으로 달려간 연소교가 장초풍과 사마옥에게 내가 처한 상황을 알렸을 것이다. 하지만 아무리 두 사람이라고 해도 강력한 기문진이 작동 중인 천마대총의 권역으로 들어올 수는 없었다.

시간이 흐를수록 사람들은 내가 죽었다고 생각할 것이다.

그런 건 아무래도 좋았다. 어차피 나는 살아서 이곳을 나갈 테니까. 문제는 밖으로 나간 후의 일이었다.

그래서 내가 할 일은 아니었으나 어차피 할 수밖에 없는, 어찌 보면 가장 중요할 수도 있는 일을 하기로 했다. 바로 내게 동화되고 각인된 천부교활교경과 선천사법술과 선천오법술을 본격적으로 익히는 것이었다.

'운명이라면 어쩔 수 없지.'

나는 야율극리가 그랬던 것처럼 제단 아래의 돌바닥에 가부좌를 틀고 앉았다. 그리고 운기행공 대신 상단전에 정신을 집중하며 삼매경에 빠져들기 시작했다.

정수리의 백회혈이 활짝 열리며 어디선가 익숙하면서도 낯선 소리가 들려왔다. 바람 소리 같기도 하고, 파도 소리 같기도 한 그것은 태고로부터 이어져 온 우주의 소리였다.

다음 날도 그다음 날도, 나는 식음까지 전폐해 가며 수련에 매진했다. 사실 먹을 게 없었다. 먹은 게 없으니 무언가를 쌀 일도 없었고 종일 수련에만 집중할 수 있었다. 게다가 배 속이 비니 놀라울 정도로 정신 집중이 잘 되었다.

나는 점점 새로운 시대의 천마교주가 되어가고 있었다.

이윽고 칠 일째 되는 날 새벽이었다.

마지막 장작 두 개를 양쪽 청동화로에 나누어 넣은 후 막 수련을 시작했을 때였다.

'왔다!'

누군가가 나와 함께 천마대총 안에 있다는 게 느껴졌다. 예전과는 비교조차 할 수 없을 정도의 기감이었다. 심지어 그가 나타난 정확한 위치도 알아차릴 수 있었다.

나는 눈을 번쩍 뜬 후 제단 뒤쪽 삼십여 개의 석관들 중, 가운데 있는 하나를 뚫어지게 노려보았다.

잠시 후, 드르륵 소리와 함께 석관의 뚜껑이 천천히 열렸다.

그리고 얼굴 하나가 불쑥 솟아 올라왔다.

"……!"

"……!"

칠순 가량의 나이에 고집스러운 인상을 지닌 노인은 가부좌를 틀고 앉아 있는 나와 눈이 마주치자 흠칫 굳었다. 이어 제단 위에 누워 있는 야율극리를 발견하고는 또 한 번 깜짝 놀랐다.

노인은 나와 야율극리를 번갈아 보며 어쩔 줄을 몰라 했다.

"기다리고 있었습니다."

내가 먼저 말을 걸었다. 작은 음성이었지만 내공이 실려 있었기에 공동 전체가 나직하게 진동했다.

노인은 다시 한번 나를 물끄러미 응시하더니 이윽고 결심을 한 듯 관 밖으로 나왔다. 그런 다음 관 속에서 밧줄에 묶인 무언가를 열심히 끄집어냈다. 예상했던 대로 장작더미와 횃불을 밝힐 기름 항아리 등이었다.

전대교주들의 석관 사이에 가짜 석관이 하나 섞여 있고, 그곳으로 들어가면 바깥과 연결된 비밀 통로가 나오는 모양이었다.

하지만 천마대총의 치밀한 안배로 미루어 단순히 출입구를 안다고 해서 아무나 들락거릴 수 있는 구조는 아닐 것이다.

짐을 모두 끌어 올린 노인은 다시 석관의 뚜껑을 조심스럽게 닫았다. 그리고 천천히 걸어와 내 앞에 섰다.

노인의 눈빛이 또 한 번 야율극리에게로 향했다.

"제단 위에 누운 사람은 전대 교주이셨던 적룡마제 동방신행의 칠제자 야율극리입니다. 그리고 저는……."

"풍운비룡 이정룡 대협이시지요."

"저를 아십니까?"

"폭풍우가 지나고 나서야 비로소 별이 뜨는 곳을 알 수 있는 법. 아무래도 선대의 인연이 귀하에게 이어진 모양이군요."

그러더니 노인은 갑자기 바닥에 엎드리며 나를 향해 대례를 올렸다. 이어 아직 고개를 들지 않은 상태에서 이렇게 말했다.

"설산수총가(雪山守塚家)의 삼십이 대손 여검학, 풍운비룡 대종사를 생전에 뵙고 인사 올리게 되어 실로 영광입니다."

"어찌하여 인연이 제게 이어졌다고 생각하시는 겁니까?"

"저의 집안사람들이 설산수총가라는 가명(家名)을 하사받고 대대로 묘귀가 될 수 있었던 건 보통 사람들은 보지 못하는 걸 보기 때문입니다. 바로 천부교활교경을 익힌 이의 눈동자에 맺히는 신광(神光)이지요."

이 사람들은 영매다. 죽은 이들과 소통하며 그들의 말을 전하고 인간의 염원을 대신 빌어준다는 사람들.

"만약 야율극리가 살아 있었다면 어떻게 됩니까? 아시는지 모르겠습니다만, 그도 천부교활교경을 익혔습니다."

"대종사는 단 한 분이어야 합니다. 그리고 대종사가 아닌 사람은 살아서도 죽어서도 천마대총으로 들어올 수 없습니다."

둘 중의 하나는 반드시 죽어야 한다는 뜻이다. 한 명의 목숨을 제물로 바쳐야만 묘귀들의 마음을 얻을 수 있을 거라던 야율극리의 말이 맞았다.

"하면 저를 좀 도와주실 수 있겠습니까?"

"도움이라뇨. 받잡기 어려운 말씀입니다. 대종사께서 명령을 내리시면 속하는 목숨으로 받들겠습니다."

"밖으로 나가는 것도요?"

"노신이 모시겠습니다."

묘귀라는 사람이 나타나면 어떻게 설득할지 한참을 고민했다. 한데 이렇게 간단히 해결되어 버릴 줄이야.

"그전에 한 가지 확실히 해둘 것이 있습니다. 오늘 이곳에서 있었던 귀하와 저의 만남은 비밀로 해주십시오. 특히 저의 신분에 대해서."

"어느 쪽의 신분을 말씀하시는 건지요?"

새로운 천마교주가 알고 보니 표사 이정룡이라는 걸 말하는 건지, 아니면 표사 이정룡이 알고 보니 새로운 천마교주가 되었다는 걸 말하는지 묻는 것이다.

"둘 다입니다."

"무덤까지 가지고 가겠습니다."

나는 고개를 돌려 꽁꽁 얼어붙은 채로 제단 위에 누워 있는 야율극리를 보았다.

그가 공언한 대로 지금쯤이면 일만 천마성교도들과 일만 무림맹도들이 산기슭에 모여 전면전을 벌이고 있을 것이다.

전쟁을 종식시킬 수 있는 사람은 새롭게 천마교주가 된 야율극리밖에 없다. 나는 지금부터 야율극리가 되어야 한다.

이러려고 그런 건 아니지만, 다행히 지난 시절 표행을 하던 중 남궁소소에게서 틈나는 대로 역용술을 배워두었다.

물론 현재의 내 솜씨는 그녀의 발끝에도 미치지 못했다.

'이럴 때 옆에 있으면 얼마나 든든했을까.'

곁에 있지는 않았지만 그녀는 여전히 나를 돕고 있었다.

언젠가 그녀와 함께 항주 시내를 돌아다니던 중 나누었던 대화를 떠올렸다.

"역용술의 최고봉은 목표로 하는 누군가와 똑같은 모습으로 변신하는 거예요. 그런데 만약 그가 죽었고, 시체가 아직 부패하지 않았으며, 도의를 따지지 않는다면 의외로 간단하게 성공할 수도 있어요."

"어떻게 말이오?"

"우선은 상대와 옷을 바꿔 입어야겠죠. 그런 다음엔 얼굴 가죽을 벗겨 인피면구를 만드는 거예요. 목에서부터 시작해 머리끝까지 일체의 절개선 없이 한 번에. 죽은 지 오래되지 않은 시체들일수록 생동감 있는 표현이 가능해요."

"생각만 해도 끔찍하군."

"그냥 그런 방법도 있다고요."

"그런 얘길랑 그만하고 돼지 껍데기에 탁주나 마시러 갑시다."

"돼지 껍데기는 튀김보다 볶음이죠."

나는 아율극리와 싸울 때 썼던 흑요석 칼을 꺼내 손에 꼭 쥐었다.

"약속을 지키려면 부득불 불경을 저질러야 할 것 같습니다. 훗날 저승에서 만나 값을 치르기로 하지요."

바깥의 상황은 내가 생각했던 것보다 훨씬 심각했다.

천마대총의 권역을 벗어나자 수많은 사람들이 산기슭을 개미 떼처럼 뒤덮은 채 맹렬한 전투를 벌이고 있었다.

나는 전생과 현생을 통틀어 한 번도 본 적 없는 대병력에 놀라고, 그들의 생사를 건 전투가 뿜어내는 기세와 전운에 또 한 번 놀랐다.

얼핏 보아도 천여 명은 족히 될 법한 사람들이 쓰러져 나뒹굴고 있었다. 어떤 자들은 동료들을 향해 살려달라고 아우성쳤고, 어떤 자들은 피가 철철 뿜어져 나오는 상처를 붙잡고 어떻게든 지혈부터 하려고 했다. 그런가 하면 어떤 자들은 잘린 뱃가죽 사이로 흘러내리는 자신의 창자를 보며 죽음을 예감한 듯 조용히 흐느꼈다. 그러다 누군가가 지나가면서 휘두른 칼에 목이 뚝 떨어지기도 했다.

황토고원을 연한 수만 평의 산기슭은 말 그대로 인세에 구현해 낸 지옥이었다.

나는 안력을 돋우어 전장을 열심히 그리고 최대한 빠르게 훑어갔다. 잠시 후, 적진 깊숙한 곳으로 뛰어들어 분노의 검초를 쏟아내고 있는 남궁소소를 발견했다.

'무사했구나!'

그녀의 옆에는 남궁세옥이 세가의 무사들과 함께 변화무쌍한 검진을 펼쳐가며 천마성교도들을 추풍낙엽처럼 베어 넘기고 있었다.

일단 남궁소소를 찾고 나자 다른 사람들은 저절로 눈에 들어왔다. 워낙 고수들인 탓에 그들이 싸우는 곳은 기세 자체가 주변과는 확연히 달랐다.

장초풍을 비롯한 무림맹의 최고수 백여 명과 편복은왕을 비롯한 천마성교의 최고수 백여 명은 전장의 한복판에서 서로 맹렬하게 격돌하고 있었다. 흡사 쉴 새 없이 천둥 벼락이 내리치는 폭풍을 보는 것 같았다.

　현재로선 거의 동수, 저들은 각 진영의 명운을 걸고 그야말로 백척간두 건곤일척의 승부를 펼치는 중이었다.

　그중에는 천룡표국주의 신분임에도 불구하고 표왕부의 호위무사들을 끌고 온 이종산과 나의 사부인 북해투왕 혁방세도 있었다.

　연소교도 보였다. 놀랍게도 그녀는 무림맹 쪽의 진영에서 한편이 되어 천마성교도들과 싸우고 있었다. 죽은 삼뇌와 함께 나를 잡으러 왔던 때를 생각하면, 그리고 그녀의 출신을 생각하면 너무나 역설적인 상황이었다.

　하지만 다른 무림맹의 고수들과는 달랐다. 천마성교도들과 싸우되 함부로 죽이거나 베어 넘기는 법이 없었다. 뿐만 아니라 어린 천마성교도가 무림맹의 고수와 싸우다 죽을 위기에 처하면 오히려 무림맹의 고수를 공격해 어린 교도를 구출해 내기도 했다. 전쟁의 한복판에서 그녀는 자신의 정체성에 대한 혼란을 겪고 있는 것이다.

　아니다. 그게 아니었다. 한쪽의 편을 들기는 오히려 쉽다. 연소교는 혼란스러운 와중에도 오히려 자신의 신념을 지키기 위해 현실이라는 괴물을 상대로 최선을 다해 싸우고 있었다.

　'서둘러야 해!'

　뒤쪽으로 이십여 장 높이의 비탈에 박혀 있는 거대한 바위가 눈에 들어왔다. 조금의 과장도 없이 집채만 했다. 거기다 오랜 세월 황토고원에서 불어오는 모래바람에 깎일 대로 깎여 둥그스름하기까지 했다.

'저거다!'

나는 재빨리 경공을 펼쳐 바위의 뒤쪽으로 올라갔다. 이어 양 손바닥을 바위에 척 붙이고 두 발을 땅바닥에 단단히 고정했다.

그런 다음 삼백 년의 공력을 한 줌의 남김도 없이 전부 끌어 올렸다. 얼굴이 시뻘게지고 온몸의 핏줄이 툭툭 불거지는 게 느껴졌다.

드드드드…….

거대한 바위의 뿌리가 조금씩 뽑히기 시작했다. 양손을 번갈아 떼고 옮겨가며 계속해서 밀어 올리자 점점 흙 묻은 아래쪽이 보였다.

한데 내가 상상했던 상황이 아니었다.

'엇!'

알고 보니 바위는 밖으로 드러난 부분만 둥글었을 뿐, 땅속에 묻혀 있던 부분은 이빨의 뿌리처럼 뾰족했다.

나는 어금니를 꽉 깨물고 근육이 터져 나가도록 힘을 썼다.

"으아아아!"

노력이 헛되지 않아서 바위는 비탈의 아래쪽으로 점점 기울어갔다. 그러다 어느 순간 '쿵!' 소리와 함께 마침내 완전히 넘어갔다.

그때부턴 손 쓸 일이 없었다. 옆으로 길게 누운 바위는 굉음과 함께 천지를 뒤흔들며 가파른 비탈을 빠르게 굴러 내려가기 시작했다.

쿵! 쿠르르 쿵! 쿵!

굵은 나무들이 풀처럼 쓰러지고 작은 바위들이 정이라도 맞은 것처럼 땅속에 박혔다. 그렇게 이십여 장을 굴러가자 천마성교들과 무림맹도들이 싸우는 전장을 코앞에 두게 되었다. 그때쯤엔 가속도까지 붙어서 바위의 기세가 어지간한 성벽 따위는 그대로 깔아뭉개고 지나갈 정도였다.

"바위다!"

"피해라!"

대경실색한 사람들이 사방팔방에서 목구멍이 찢어지도록 고함을 질러댔다. 그중에는 일 갑자는 족히 될 것 같은 고수들도 많아서 귀청이 쩡쩡 울릴 정도의 사자후를 내지르기도 했다. 그러나 누가 어떻게 고함을 지르든 집채만 한 바위가 굴러가면서 나는 대지의 비명에 비할 바가 아니었다.

쿵!

우지끈!

꾸구구궁!

설상가상으로 바위가 완벽하게 둥글지 않다 보니 굴러가는 방향을 누구도 정확히 예측할 수가 없었다. 조금 전까지만 해도 서로를 향해 죽일 듯이 칼을 휘두르던 사람들은 바위를 피해 좌우로 도망치고 흩어지기 바빴다. 그 모습이 흡사 우리 속에서 범을 만난 양 떼들 같았다.

바위는 비탈진 산기슭이 끝나고 황토고원의 평지로 접어들고서도 무려 이십여 장을 더 구른 다음에야 비로소 멈췄다. 전체 굴러간 거리는 백여 장에 달했으며, 정마대전이 벌어지고 있던 전장의 한복판을 그대로 가로질렀다.

바위가 굴러간 곳을 따라 작은 계곡을 연상케 하는 길이 생겨났다. 그 길을 기준으로 왼쪽 천마성교도들의 진영과 오른쪽 무림맹도들의 진영이 자연스럽게 나뉘었다.

하지만 피차 적진 깊숙이 침투해 격전을 벌이던 돌격대 혹은 타격대의 고수들도 적지 않아서 여전히 적아가 뒤섞여 있는 곳도 많았다.

한편, 갑작스럽게 천재지변을 만난 이만여 명의 무인들은 바위가 굴러온 비탈 쪽으로 일제히 시선을 꽂았다. 그곳엔 야율극리의 옷을 입고 그의 얼굴 가죽을 뒤집어쓴 내가 바람에 옷자락을 휘날리며 오연하게 서 있었다. 허리춤에는 야율극리가 생전에 애병으로 쓰던 두 자루 적동곤도 야무지게 꽂혀 있었다.

"칠성군께서 나오셨다!"

"칠성군께서 출관하셨다!"

"칠성군께서 성보를 얻으셨다!"

일만 천마성교도들의 환호성에 산천초목이 부르르 떨었다. 도저히 인간의 힘으로는 어찌할 수 없는 바위를 뽑아 굴린 내게서 그들은 승전을 예감한 것 같았다.

그러던 어느 순간이었다. 전장의 복판에 있던 편복은왕이 돌연 장검을 바닥에 거꾸로 척 꽂더니 나를 향해 한쪽 무릎을 털썩 꿇었다. 이어 모두가 들을 수 있도록 큰소리로 외쳤다.

"대종사를 뵙니다!"

편복은왕은 야율극리가 일인지하 만인지상의 자리를 약속한 극초절정의 고수였다. 그가 무릎을 꿇었는데 간이 배 밖으로 나오지 않고서야 누가 감히 서서 나를 맞이하겠나. 뒤이어 혈영노조와 명부삼귀 등을 비롯해 일만 천마성교도들 전부가 병기를 꽂고 한쪽 무릎을 꿇었다. 그리고 이구동성으로 외쳤다.

"대종사를 뵙니다!"

이제 전장엔 두 종류의 사람들만 존재했다. 나를 향해 무릎을 꿇은 자들과 꿇지 않은 자들. 물론 무릎을 꿇은 일만여 명 중 상당수는 흑도와 사파의 인물들일 것이다.

한편, 장초풍과 구대문파 장문인들을 주축으로 한 무림맹도들은 모두가 날벼락을 맞은 듯한 얼굴이었다. 특히 이종산과 남궁소소와 연소교는 충격으로 얼굴에서 핏기가 사라졌다.

그중에서도 또 특히 남궁소소는 온몸이 그대로 뻣뻣하게 굳어버렸다. 야율극리가 살아서 나왔다는 건 곧 표사 이정룡이 천마대총 안에서 죽었음을 의미하기 때문이다.

나는 금방이라도 주저앉을 것 같은 남궁소소의 얼굴에서 천천히 시선을 거두었다. 그리고 산기슭에 모인 이만 여의 무림인들을 쓰윽 쓸어 보았다.

이어 하늘이 떵떵 울리는 창룡후를 쏟아냈다.

"지금부터 본좌의 허락 없이 병장기를 휘두르는 자는 정마를 막론하고 그 즉시 목숨이 떨어질 것이니 모두 명심하라!"

거침없는 하대와 살벌한 경고에 양쪽 진영은 상반된 반응을 보였다. 천마성교도들은 나의 압도적인 존재감에 가슴이 벅차오르는 듯한 표정을 짓는 반면, 무림맹도들은 얼굴을 있는 대로 찡그렸다.

특히 무림맹 진영의 쟁쟁한 노강호들은 수염을 부르르 떨었다. 배분도 배분이지만 저들은 직접 실력을 겨뤄보지 않고는 좀처럼 패배를 인정하는 법이 없는 초절정의 고수들이었다. 그런 고수들에게 허락 없이 칼을 휘두르면 죽을 줄 알라고 경고했으니 모욕을 당했다는 느낌과 함께 피가 거꾸로 솟구칠 것이다.

아나나 다를까, 곳곳에서 노성이 터져 나왔다.

"방자한지고!"

"마구니가 세상 넓은 줄 모르는구나!"

"그럴 만한 힘이 있는지 당장 겨뤄보자!"

반면 천하십대고수들 상당수가 포진해 있는 구대문파와 오대세가의 장문인들은 오히려 침잠한 모습으로 사태를 지켜보았다.

말이 없다고 해서 분노조차 없는 건 아니다. 오히려 화를 속으로 삭이고 있는 저런 노인들이 더 무섭다.

어느 쪽이든 나는 크게 상관하지 않았다. 천마성교도들의 손발을 묶어두는 것만으로도 작전은 성공한 셈이었다. 무림맹도들은 체면 때문에라도 무방비 상태인 적들을 공격을 하지 못할 것이고, 그로 말미암아 전투가 일단 멈출 테니까.

"마침내……."

창공이 둥둥 울리는 일성을 내지르자 무림맹 쪽 노강호들의 노성이 뚝 그쳤다.

나는 잠시 사이를 두었다가 다음 말을 이었다.

"성보를 모두 회수했고 숨어 지내던 교도들까지 전부 모였으니 우리는 이제 더 이상 싸울 이유가 없어졌소이다. 이에 본좌는 천마성교의 대종사로서 무림맹주께 휴전을 제의하는 바이오."

난데없는 휴전 제의에 사람들은 크게 술렁거리기 시작했다.

양쪽 진영은 각자의 목적에 따라 치열하게 싸우는 와중에도 한 가지만큼은 생각이 일치했다. 그건 이번에야말로 끝장을 보겠다는 각오였다. 핍박과 추살을 피해 오랜 세월 숨어 살아온 천마성교도들은 마침내 무림맹을 밀어버리고 마도천하를 건설할 수 있게 되었다고 생각했을 것이다. 반면 무림맹은 숨어 살던 마구니들이 모조리 기어 나와 한자리에 모인 지금이야말로 박멸을 할 절호의 기회라고 생각했다. 한데 내가 양쪽의 기대를 벗어난 제안을 했으니 다들 놀랄 수밖에.

피 묻은 장검을 아래로 늘어뜨린 채 오연하게 서 있던 설산신검 장초풍은 모두가 들으라는 듯 우렁우렁한 음성으로 말했다.

"지난날 천마성교가 끼친 폐해는 이루 말할 수 없는바. 오늘 화근을 제거하지 않으면 불길이 번져 머지않아 강호무림은 대낮에도 해가 뜨지 않는 하늘을 보게 될 것이오."

"해와 달이 동시에 떠 있는 때도 있소이다. 하늘은 함께 쓰는 것이지 어느 한쪽의 것만은 아닐 것이오."

"낮에 뜨는 달은 있어도 밤에 뜨는 해는 없는 법. 무림맹은 천마성교와 공존할 생각이 없음을 분명히 밝히는 바이오."

"천살마녀가 천마성교를 이끌면 어떻소이까?"

"……!"

폭탄 같은 한마디에 수만 평의 대지에 태풍이 휘몰아쳤다. 정마를 막론하고 사람들은 모두가 두 눈을 부릅뜬 채 나와 연소교를 번갈아 보았다. 내가 갑자기 자신을 지목한 데 이어 사람들의 시선까지 한 몸에 받게 된 연소교는 당황해서 어쩔 줄을 몰라 했다.

나는 사람들이 계산할 틈을 주지 않고 곧장 연소교를 돌아보며 말했다.

"백골시마의 제자이자 천마성교의 교도인 천살마녀 연소교는 들으라. 본좌는 오늘부터 너를 제자로 거두고 성보의 무학들을 전수하겠노라."

"대체 왜 이러시는 거죠?"

"너는 본좌가 본 교도 중에 가장 어리석다. 어떤 때 보면 미친 것도 같고. 하지만 교맥을 전수해야 한다면 어리석되 누구보다 강한 심장을 가진 너에게 전수하여 교의 미래를 맡기겠다."

사실 이 말은 칠 일 전 천마대총의 권역으로 들어갔을 때 연소교가 내게 한 말을 되돌려 준 것이었다.

그때 연소교는 정확히 이렇게 말했었다.

"당주님은 제가 본 무림인 중에 가장 바보 같아요. 어떤 때 보면 미친 것도 같고요. 하지만 같은 편에 서서 누군가와 전쟁을 해야 한다면 전 꼭 당주님의 동료가 될래요."

이건 세상에서 오직 그녀와 나만 알고 있는 대화였다.

연소교의 눈이 화등잔만 하게 커지며 입술을 파르르 떨었다. 내가 누군지를 알아차린 것이다.

그때였다.

"재고해 주십시오!"

갑자기 반대를 하고 나선 사람은 삼뇌의 뒤를 이어 사실상 천마성교의 두뇌 역할을 하는 혈영노조였다.

나는 말없이 그를 노려보았다. 불만을 무조건 찍어 눌러선 곤란하다. 먼저 얘기를 듣고 논리로 상대의 논리를 무너뜨린 다음 마지막에 이르러 힘으로 확실하게 밟아버려야 한다.

"교를 키우기 위해선 인재가 필요하오."

"그녀는 삼뇌군사의 수급을 베어 성보와 함께 적들에게 가져다 바친 배교자입니다. 부디 나쁜 선례를 만들지 마시옵소서."

"이 자리에 모인 노교도들 열에 일곱은 불과 며칠 전까지 내게 칼을 겨누었소. 하지만 지금은 모두 하나가 되었지. 진통은 우리를 더욱 강하게 결속할 것이오."

죽은 줄 알았던 칠성군 야율극리가 불쑥 나타났을 때 늙은 마두들이 과연 처음부터 무릎을 꿇었을까? 천만의 말씀이다. 최소 열에 일곱은 자웅을 겨루어본 후에야 비로소 머리를 숙이고 들어갔을 것이다. 이는 정탐을 하러 적진으로 침투했던 호리독사가 실제로 본 광경이기도 했다.

"교도들이 받아들이지 못할 것입니다."

"천마성교는 누구의 것이오?"

"대종사의 것입니다."

"하면 본좌가 교도들의 말을 따라야 하오?"

"교도들이 대종사의 말씀을 받들어야 합니다."

"대답이 된 줄 알겠소."

나는 다시 연소교를 돌아보며 물었다.

"본좌의 제자가 되겠느냐?"

혈영노조가 꿀 먹은 벙어리가 된 가운데 모두의 시선이 연소교를 향했다.

연소교는 정확한 내 의중을 몰라 잠시 망설이는 듯했다. 하지만 이윽고 결심을 한 듯 들고 있던 협봉검을 바닥에 내려놓았다. 이어 앞으로 십여 걸음을 걸어 나오더니 돌연 땅바닥에 이마가 닿도록 절을 하며 말했다.

"계묘년 칠월 초칠일 산동성 교하에서 태어난 연소교는 대종사를 사부로 모시고 평생 신하와 제자의 예를 다할 것임을 마신께 맹세합니다!"

상상도 못 한 전개에 사람들은 진영을 막론하고 더욱 크게 술렁였다. 천마성교도들의 입장에선 배교자를 제자로 거두는 내 속을 알 수가 없고, 무림맹도들의 입장에선 여태 자신들과 함께 싸운 연소교가 갑자기 나를 사부로 모시겠다는 게 뜨악할 것이다.

하지만 지금까지는 전초전에 불과했다. 진짜 폭탄은 이제부터 터뜨릴 말 속에 있었다. 어차피 던져야 할 폭탄, 나는 점점 표정이 굳어지고 있는 천마성교도들을 향해 시원하게 내질렀다.

"충성스러운 교도들은 들으라! 지금부터 본좌의 첫 번째 제자 연소교를 소교주로 임명하고 당분간 교(敎)의 운영과 통치에 관한 전권을 위임하겠다. 이에 소교주의 말을 나의 명처럼 받들도록 하라!"

소교주는 말 그대로 다음 대의 교주가 될 사람을 말한다. 많은 황자들 중에서도 황태자는 한 명인 것처럼 천마교주의 여러 제자 중에서도 소교주라고 불릴 수 있는 제자는 딱 한 명이었다. 한데 나는 연소교를 제자로 거두자마자 소교주로 책봉하는 것은 물론이거니와 사실상 교의 통치권까지 넘기겠다고 공언했다.

웅성거림이 태풍처럼 번지면서 전장은 순식간에 아수라장이 되어버렸다. 특히 양쪽 진영의 수뇌부와 노강호들은 내 말의 진의를 파악하기 위해 자기들끼리 열심히 갑론을박을 벌였다.

한편 내가 이렇게까지 파격적인 행보를 할 줄 몰랐던 연소교는 눈을 동그랗게 뜨며 크게 당황해했다.

내게 무언가를 묻고 싶은 눈치였지만, 거리가 무려 삼십여 장 정도나 떨어져 있어서 전음을 나눌 수가 없었다.

그렇다고 너무 가까이 다가가선 안 된다. 내가 만든 인피면구는 어설프기 짝이 없어서 노련한 노마두들이라면 금방 알아차릴 것이다. 지금도 나름 모사를 한다고 하지만, 목소리가 생전의 야율극리와 아주 똑같지는 않아서 갑작스러운 각성의 후유증인 것처럼 연기를 하고 있었다.

하지만 나는 선천사법술을 익힌 탓에 정신을 집중하자 연소교가 무슨 생각을 하는지 훤히 알 수 있었다.

나 역시 표정으로 그녀에게 하고 싶은 말을 했다.

[놀라지 마시오.]

[지금 뭘 하시는 거예요?]

[내가 천마성교를 이끌 순 없잖소.]

[소교주의 자리는 제가 짊어지기에는 너무나 큰 짐이에요.]

[우리가 처음 만났을 때 소저는 비록 코딱지만 했지만, 음양쌍교의 재건을 도모하는 무리의 수장이었소. 수하들이 좀 더 많아졌고 음양쌍교가 천마성교로 바뀌었을 뿐이오.]

"노신도 한 말씀 올리겠습니다."

무언의 대화를 불쑥 깨뜨리며 나선 사람은 편복은왕이었다.

"교도들은 오랜 세월 동안 새롭고 고강한 대종사의 재래를 기다려 왔습니다. 한데 어찌하여 용좌에 앉으시기도 전에 전권부터 넘기려 하시는 겁니까?"

똑같이 반론을 제기하지만 편복은왕의 어법은 혈영노조의 그것과 미묘하게 달랐다. 그는 따진다기보다는 교도들이 궁금해하는 걸 대신 질문함으로써 왠지 내게 설명할 기회를 주려는 것 같았다.

아까 '대종사'라 부르며 제일 먼저 무릎을 꿇은 것도 그렇고, 가장 마지막까지 야율극리와 맞섰던 편복은왕이 무슨 이유에선지 지금은 오히려 누구보다 나를 돕는 느낌이었다.

"용좌를 내주겠다고 한 적은 없소이다만."

"하오시면……."

"짐작하시겠지만 본좌는 아직 성보의 무공들을 완벽히 익히지 못했소이다. 이에 당분간 조용한 곳에서 칩거하며 수련에 매진할 생각이외다. 다만 일 년에 한 번씩 소교주를 통해 중요한 교령들을 내리도록 할 것이오."

오직 연소교만이 내가 있는 곳을 알 수 있으며, 일 년에 한 번씩 그녀를 만나 천마성교가 어떻게 돌아가고 있는지를 들여다보겠다는 뜻이다.

이는 경고였다. 만약 누군가 허튼짓을 하면 언제라도 찾아가 가만두지 않겠다는 경고. 지난날 천마성교의 내분을 겪어본 노마두들이라면 내가 한 말의 의미를 금방 알아들었을 것이다.

더 높은 경지로 나아가기 위해 사실상의 폐관 수련을 하겠다는데 무슨 명분으로 반대를 하겠나. 편복은왕을 비롯한 노교도들은 여전히 의문이 남은 듯한 표정이었지만 대놓고 시비를 걸어오지는 못했다. 하지만 입장이 완전히 다른 사람들도 있었다.

"그건 불가하외다!"

갑작스럽게 일성을 터뜨리며 앞으로 걸어 나오는 사람은 반백의 머리카락을 가슴까지 늘어뜨린 노인이었다. 얼굴을 가로지른 칼자국이며 눈동자에서 뿜어져 나오는 흉광이 딱 봐도 동맹의 이름으로 참전한 흑도나 사파 세력이 수장이었다.

사황련, 흑수회, 사자맹. 과연 어느 세력의 수장일까? 어느 쪽이든 저 노인을 따르는 병력이 지금 이 자리에서만 최소 일천 명은 될 것이다.

그때였다. 나와 시선이 마주친 연소교의 입이 특정한 모양으로 반복해서 바뀌었다. 입 모양으로 무언가를 말해주려는 것이다. 하지만 눈을 마주치며 그녀가 나와 소통하려는 의지를 갖는 순간, 내 머릿속은 이미 감응을 하며 그녀의 생각을 읽어버렸다. 선천사법술의 공능이었다.

'사황련주?'

노인의 정체를 알아차린 나는 차분하게 물었다.

"사황련주께서는 무슨 말씀이 있으신 거외까?"

"애초 우리는 천마성교가 무림맹을 궤멸하고 강호무림의 새로운 질서를 만든다고 해서 동참한 것이외다. 한데 이제 와서 행보를 멈추겠다니. 안될 말씀이오!"

야율극리는 과연 저 노인에게 무슨 약속을 했을까? 유성표국의 표사가 얘기한 것처럼 마도천하 이후 정말로 일 성(省)에 대한 패권을 주겠노라고 했을까?

이 모든 건 충분히 가능성이 있는 얘기였다. 사실 그랬을 확률이 매우 높았다. 다만 야율극리라면 저들에게 원하는 걸 주어도 발목을 잡힐 짓은 절대 하지 않았을 거라는 게 내 생각이었다.

"본교와 귀련이 맺은 약속은 정마대전이 끝난 후의 논공행상에 관한 것이오. 하지만 전쟁은 끝나지 않았고 논공행상 또한 없을 것이외다. 다만!"

"……?"

"사황련이 거병을 한 것에 대해서는 충분한 보상과 대가가 있을 것이외다. 하니 너무 섭섭해하지 마시길 바라오."

"그건 궤변이오. 사황련은 대종사의 독선적이고 일방적인 휴전 선언에 절대 동의할 수 없소이다!"

"흑수회도 동의할 수 없소이다!"

"사자맹도 동의할 수 없소이다!"

흑도와 사파 세력 중 가장 대표적인 세 곳의 수장들이 한꺼번에 반기를 들고 나섰다. 구태여 입을 보태지는 않았지만, 격노한 표정으로 저들과 뜻을 함께하겠다는 의사를 밝힌 흑도와 사파인들이 어림잡아도 삼천은 될 것 같았다. 사황련주가 천마성교의 대종사를 상대로 제법 대범하게 나오더라니 다 믿는 구석이 있었던 것이다.

지금은 명분이 저들에게 있었다. 때문에 천마성교도들은 저들의 도발에 눈알을 부라리면서도 대놓고 뭐라 하지는 못했다.

그러나 내 입장은 다르다. 지금 저들을 확실하게 꺾지 않으면 모든 게 도로아미타불이 된다.

나는 눈동자 가득 살기를 끌어 올리며 착 가라앉은 소리로 말했다.

"그러니까 휴전을 하려면 본좌가 여러분께 사전에 허락을 구해야 한다는 말씀이외까?"

"갑자기 왜 겁쟁이가 되신 거외까? 정녕 천마대총에서 성보의 무공들을 전부 손에 넣고 또 익힌 것이 맞소이까? 아니면 그 어린 표사 놈과 싸우다 부상이라도 입으셨거나."

기어이 선을 넘어버린 사황련주의 도발에 천마성교도들이 격노하며 크게 웅성거리기 시작했다. 역설적이게도 이는 나의 파격적인 행보에 불만을 가진 교도들조차도 이 순간만큼은 하나로 똘똘 뭉치게 만들었다.

'제물이 필요할 것 같군!'

나는 언젠가부터 남궁소소의 곁에 서 있는 준수한 용모의 어느 사내를 손가락으로 찌를 듯이 가리켰다. 놀랍게도 그는 남궁유룡의 팔순 잔치 때 만났던 신창양가주의 아들 양조창이었다. 남궁세가와 사돈지간이 되기 위해 온갖 더러운 공작을 펼쳤던 바로 그 가문의 개자식.

사실 내가 가리킨 것은 양조창 하고도 다시 그가 들고 있는 장창이었다.

나는 양조창의 장창에서 이십여 장 정도 떨어져 있는 사황련주에게로 가상의 금을 쭉 그었다. 초고도의 집중력으로 선천오법술을 펼친 것이다. 칠 척은 족히 될 것 같은 장창이 가만히 서 있는 양조창의 손을 갑자기 떠나 사황련주에게로 섬전처럼 날아갔다.

대경실색한 사황련주는 대감도를 뽑아 일도양단의 기세로 휘둘렀다. 단순한 흑도방파도 아니고, 몇 개 방파가 모인 연합 세력의 수장이라면 초절정 고수의 반열에 들어도 진작에 들었을 사람이었다. 그런 만큼 그의 칼질은 어지간한 고수들에게는 눈으로도 쫓기 어려울 만큼 빨랐다. 더구나 무려 이십여 장 정도 밖에서 날아오는 장창이 아닌가.

하지만 장창은 그런 빠르기를 넘어선 다른 세상에 있었다.

픽!

장창은 사황련주의 가슴 한가운데를 정확히 관통한 후 마치 벽에 부딪히기라도 한 것처럼 딱 중간에서 멈췄다. 사람을 통째로 꼬치처럼 꿰어버린 것이다.

사황련주는 헛되이 허공을 가른 대감도를 움켜쥔 채 비스듬히 서 있었다. 두 눈을 부릅뜬 그는 지금 자신에게 일어난 일을 도저히 믿을 수 없다는 듯한 표정을 짓고 있었다. 그러다 끝내 뒤로 털썩 넘어갔다. 하늘을 향해 대자로 드러누운 그의 가슴 한복판에는 장창이 박힌 채 꼿꼿하게 서 있었다.

지켜보고 있던 모든 사람의 얼굴이 공포에 질리고 경악한 사람의 그것으로 바뀌었다. 특히 사황련주가 내게 맞설 적에 한입씩 보태며 나섰던 흑수회와 사자맹의 늙은 수장들은 마른침을 꿀꺽 삼키며 오줌이라도 지릴 것 같은 표정들이었다.

졸지에 자신의 장창이 사황련주를 꿰뚫어 버린 양조창과 신창양가의 무사로 보이는 이들도 놀라서 어쩔 줄을 몰라 했다. 그런가 하면 곳곳에서 이기어검술(以氣馭劍術)이 나타났다는 말이 쉬지 않고 흘러나왔다.

"본좌가 또 누구에게 허락을 구해야 하는가? 그런 자가 있다면 지금 나서라. 이 자리에서 목숨을 거두어 다시는 누군가를 우러러야 할 일이 없도록 하겠노라!"

천상천하 유아독존.

나는 지금 표사 이정룡이 아니라 철저하게 새로운 천마교주인 야율극리가 되어야 한다. 그래서 저 지독하고 끈질기고 무시무시한 노마두들과 흑도의 고수들에게 누가 지존으로서 군림하고 누가 약자로서 복종을 해야 하는지를 확실하게 가르쳐 줘야 한다.

눈 깜짝할 사이에 수장을 잃은 사황련의 흑도 일천여 명은 벌집을 건드린 것처럼 동요하기 시작했다. 그러나 자기들끼리만 갑론을박하며 부글부글 끓을 뿐, 감히 나서서 내게 항의를 하는 자는 단 한 명도 없었다.

흑도와 사파의 다른 수장들은 아예 입이 쏙 들어가 버렸다. 심지어 그들은 먼저 반기를 들고 나서지 않은 것을 다행이라 여기는 듯한 분위기였다.

이십여 장 밖에서 사황련주와 같은 초절정 고수를 이기어검술로 단 한 방에 죽여 버리는 인간이 나타날 줄은 상상도 못 했을 것이다. 저들의 눈에 비친 나는 무림의 새로운 지존이자 누구도 꺾을 수 없는 절대고수였다. 그리고 자비와 용서를 모르는 냉혈한이었다.

마(魔)란 이런 것이었다.

'여기서 멈추면 안 된다.'

사황련주를 죽여 흑도와 사파의 고수들을 굴복시켰다면 이제부터는 개성 강한 거마들이 우글대는 천마성교를 보다 확실하게 장악할 차례였다.

"칠 일 전 본좌를 따라 황토고원의 협곡으로 달려왔던 일백의 충성스러운 선발대는 앞으로 나와 교령(敎令)을 받들라!"

천마대총에서 만났던 묘귀 여검학은 천마성교 내에서 내려지는 가장 높은 수준의 명령이 교령이라고 했다. 교령은 통상 목숨을 바쳐 지켜야 하는 교의 율법이자 마신의 말씀이었다. 따라서 마신의 말씀을 대신 전하는 교주의 명령 또한 감히 거역할 수 없는 교령이었다.

일백의 노마두들이 그때까지도 무릎을 꿇고 있다가 하나둘씩 자리에서 일어났다. 이어 대여섯 걸음 앞으로 걸어 나왔다. 그러자 하나로 모이지는 않았지만 다른 평교도들과 자연스럽게 분리가 되었다.

황토고원에서 무림맹의 최고수들과 그토록 살벌한 전면전을 벌이고도 대부분 살아 있었다.

'끈질긴 생명력이군.'

저들을 그냥 두면 훗날 연소교에게 무슨 화가 닥칠지 모른다. 죽여 없애지 못한다면 배신을 할 수 없도록 정사마의 수많은 무림인들이 지켜보는 앞에서 손발을 꽁꽁 묶어놓아야 한다.

"교맥을 수호하기 위한 그대들의 헌신을 잘 알고 있소. 이에 앞으로 각자가 받게 될 직위와는 별개로 그대들 전부를 백대통천장로(百大通天長老)에 임명하겠소. 그 재원은 모두 소교주가 마련하고 충당할 것이오."

통천장로는 옛 천마성교의 장로들 중에서도 고강한 무공과 높은 업적으로 말미암아 가장 존경받던 노장로들을 말한다.

천마성교가 가장 융성하던 시절에도 통천장로의 지위를 누렸던 이는 쉰 명을 넘지 않았다고 들었다. 통천장로 한 명의 밑구멍에 들어가는 돈이 어마어마하기 때문이었다. 여검학에게 듣기로는 호화로운 장원에서 수십 명의 식솔을 거느리고 평생 호의호식하며 살 수 있게 해주었다.

파격적인 인사와 포상에 천마성교도들이 크게 술렁였다. 하지만 당사자들은 무슨 이유에선지 오히려 표정이 굳었다.

지난날 천마성교의 통천장로는 너무나 늙은 나머지 교의 모든 직위에서 물러나 남은 생을 편안히 보낼 때 받는 명예직이었다. 다시 말해, 나는 지금 노마두들에게 지난 삶에 대해서는 충분한 보상을 해줄 테니, 교의 미래는 이제 젊은 세대에게 맡기고 이선으로 조용히 물러나 달라고

청한 것이다.

그러면서도 '각자가 받게 될 직위와는 별개로'라는 말로 일부는 계속해서 중용하겠다는 뜻을 분명히 해두었다. 똘똘 뭉쳐 있는 저들의 결속력을 느슨하게 한 다음 한쪽으로 다른 한쪽의 동요를 억누르도록 하려는 속셈이었다.

하지만 진짜 중요한 절차가 아직 남아 있었다. 백여 명의 노마두들이 표정을 굳힌 또 하나의 이유였다.

"교의 오랜 관습에 따라 통천장로들은 지금 당장 단지(斷指)로써 소교주에 대한 충성을 맹세하시오!"

손가락 하나를 잘라서 연소교에게 바치라는 뜻이었다. 조용하던 천마성교의 진영에 또다시 강력한 태풍이 몰아쳤다.

"이를 받아들일 수 없는 이들은 기회를 줄 터이니 다시 심산유곡으로 돌아가시오. 그리고 본좌가 살아 있는 동안엔 절대 세상 밖으로 나오지 마시오."

나는 포상과 강요와 협박을 번갈아 하며 일백의 노마두들을 궁지로 몰아넣었다. 이건 천마성교의 주도권을 놓고 벌이는 그들과 나의 진검승부였다.

한편 노마두들은 이미 오랜 세월 억누르고 있었던 칼 맛과 피 맛을 다시 본 상태였다. 새끼손가락을 잘라 바치는 것과는 별개로 산중 생활을 다시 하고 싶은 사람은 많지 않을 것이다.

"대종사, 지금은 전시입니다. 교의 일은 나중에 천천히 처리하심이……."

"고언은 본좌가 구할 때만 하도록 하시오."

팔순이나 되었을까? 무슨 기괴한 마공을 익혔는지 얼굴이 쪽물을 들인 것처럼 푸르스름한 노마두가 내게 조언을 하다 말고 입을 꾹 닫았다.

사안의 옳고 그름을 떠나 지금은 저들이 하자는 대로 끌려가선 안된다.

모두가 선뜻 결정을 하지 못한 채 한동안 시간이 흘렀다. 그러던 어느 순간, 편복은왕이 무언가를 결심한 듯 피 묻은 장검을 가슴 앞으로 세웠다. 이어 오른손의 새끼손가락을 왼손에 들고 있던 장검의 검날에 대고 위로 쭉 밀었다.

팔을 모두 뻗었을 때 새끼손가락이 뚝 떨어졌다. 편복은왕은 그걸 공중에서 낚아챈 다음 아직도 무림맹 쪽 진영에 있는 연소교를 향해 성큼성큼 걸어갔다. 그러다 집채만 한 바위가 굴러가며 만들어놓은 경계선 앞에서 뚝 멈추었다.

그는 다시 장검을 땅바닥에 거꾸로 꽂고 한쪽 무릎을 털썩 꿇더니 자신의 새끼손가락을 내려놓은 후 큰 소리로 외쳤다.

"신 편복은왕 낙궁인, 대종사의 명을 받들어 죽는 날까지 목숨 바쳐 소교주를 모시겠습니다!"

편복은왕의 과감한 행동과 명쾌한 맹세는 그때까지 갈등을 하고 있던 다른 사람들이 보다 쉽게 결단을 내릴 수 있도록 도와주었다.

혈영노조와 명부삼귀를 시작으로 노마두들 전부가 새끼손가락을 잘라 한때 자신들이 잡아 죽이려 했던 연소교에게 가져다 바치며 충성을 맹세했다.

사실 이미 절대고수의 반열에 든 내가 수천 교도들이 지켜보는 앞에서 명령을 내린 이상 그들에겐 선택의 여지가 없었다. 또한 새로운 시대에서는 권세와 부귀영화를 모두 가질 수 없음을 노마두들답게 잘 알고 있었다.

잠시 후에는 모든 교도들이 내게 그랬던 것처럼 연소교를 향해서도 칼끝을 찍고 무릎을 꿇었다.

각자가 처한 입장에 따라 놀라움과 술렁거림이 한참이나 교차했다. 내가 이렇게까지 판을 키워 버릴 줄 몰랐던 연소교는 당황하는 기색이 역력했다.

가만히 그녀에게 물었다.

"할 말이 있느냐?"

연소교는 그때까지도 무림맹의 진영에 남아 꿈쩍을 하지 않았다.

저게 다 나름대로 생각이 있어서 하는 행동이었다. 나의 제자이자 소교주인 자신이 무림맹의 진영에 계속 남아 있으므로 해서 천마성교 도들을 억제할 수 있는 것이다.

무림맹 쪽 진영에는 일천 여에 달하는 천마성교도들이 더 남아 있었다. 마찬가지로 천마성교 쪽 진영에도 무림맹도들이 비슷한 숫자로 있었고. 이는 한참 적아가 뒤섞여 혼전을 벌일 때 내가 갑자기 나타나 싸움을 멈추게 한 후 함부로 움직이지 말라고 경고한 탓에 벌어진 일이었다.

연소교는 내게 잠시 고개를 끄덕이고는 천마성교 쪽 진영을 보았다. 그리고 모두가 들을 수 있도록 큰소리로 외쳤다.

"삼뇌군사를 비롯해 지금까지 목숨을 잃은 모든 교도들을 위로하는 제(祭)를 지내겠습니다. 태상장로와 총군사께서는 준비를 해주세요."

"명을 받들겠습니다!"

"명을 받들겠습니다!"

이제 저 일백의 노마두들은 자신들이 한 말을 지키기 위해서라도 대놓고 연소교에게 칼을 겨누지는 못할 것이다.

다만 훗날 연소교와 싸울 누군가를 키울 수는 있다. 모든 왕조의 역사가 증명하듯이 그것까지 막을 수는 없다. 그리고 그건 앞으로 온전히 연소교가 감당해야 할 몫이었다.

천마성교의 진영을 정리한 나는 그제야 무림맹 쪽 진영으로 천천히 돌아섰다. 맹주 장초풍이 말했다시피 무림맹이 가장 우려하는 건 천마성교가 강호무림에 끼칠 폐해와 마도천하를 목적으로 한 전쟁 도발이었다. 나는 평화를 위해 기꺼이 자신의 목숨을 바치려 했던 연소교를 소교주로 책봉하고 사실상의 전권까지 넘김으로써 그 문제에 대한 해법을 제시했다.

이제 다시 장초풍이 답을 줄 차례였다.

"휴전을 하시겠습니까?"

"풍운비룡은 어떻게 되었소이까?"

"아직 본좌의 질문에 대답을 주지 않으셨소이다만."

"죽었소이까?"

"한 자를 굽혀 한 길을 편다고 했소이다. 부디 작은 정에 이끌려 대사를 그르치지 마시길 바라외다."

무림맹 쪽 진영 전체에서 나직하면서도 묵직한 탄식이 터져 나왔다. 장초풍은 조용히 눈을 감았고, 노강호들은 일제히 눈알을 부라렸다. 특히 이종산과 북해투왕과 남궁유룡과 사마옥의 얼굴은 뭐라 말로 설명할 수 없을 만큼 차갑게 식었다.

　그런가 하면 표사의 신분으로 얼떨결에 정마대전에까지 참전하게 된 명표 설인탁과 석불원 그리고 호리독사와 미나모토도 한쪽에서 참담한 표정을 지으며 나를 노려보았다.

　'설마 기대를 했다고?'

　나는 살짝 당황했다.

　야율극리가 혼자 나타나는 순간 당연히 이정룡이 죽었을 거라고 생각한 줄 알았다. 한데 아직 희망을 품고 있었을 줄이야.

　장초풍의 질문에 명확히 대답을 주지 않은 것도 살아 있다고 하면 이것저것 질문이 많아질 것이고, 질문이 많아지면 실수를 할 수도 있기 때문에 일단 이 상황부터 빨리 넘기려고 그런 것이었다.

　그때였다. 천마성교 쪽 진영에서 남궁소소가 돌연 장검을 바닥에 척 꽂았다. 이어 등에 멘 먹빛 단궁을 뽑아 번개처럼 화살을 잰 다음 나를 정면으로 겨누었다.

　천마성교도들이 잠시 웅성거리기는 했지만 누구도 남궁소소를 막아서지 않았다. 그녀와 나의 거리 무려 삼십여 장, 어떤 강력한 활로도 나의 옷자락 하나 건드릴 수 없다는 걸 잘 알기 때문이었다.

　활채를 잡은 남궁소소의 손이 바르르 떨렸다. 힘이 달려서가 아니었다. 주체할 수 없는 분노로 말미암아 마음을 가다듬지 못하는 것이다.

　'진정하시오.'

　속으로 가만히 다독여 보지만 들릴 리가 없었다. 지금도 그렇고 앞으로도 그렇고, 나는 그녀에게 천마 대종사가 사실은 당신의 연인인 이정룡이라는 걸 말하지 못할 것이다.

강호의 다른 사람들에게도 그렇다. 이건 하늘 아래에서 오직 나와 연소교만 알고 있어야 할 비밀이었다. 그게 모두를 위한 길이었다.

"내 이럴 줄 알았지. 진작 죽여 버렸어야 하는 건데!"

　남궁소소가 치를 떨며 나직하게 말했다. 그러더니 갑자기 돌아서서 무림맹 쪽 진영에 있는 연소교를 향해 화살을 쏘았다.

　팡!

　파공성이 예사롭지 않더라니, 시위를 떠난 화살은 흡사 한 줄기 빛을 보는 것 같았다. 게다가 연소교는 무슨 생각에선지 적극적으로 피할 생각도 없어 보였다.

　'위험해!'

　깡!

　연소교의 코앞에서 새파란 불꽃이 터지며 화살이 튕겨 나갔다.

　절체절명의 순간 연소교의 앞을 막아서며 검신으로 화살을 튕겨낸 사람은 놀랍게도 이종산이었다.

　여파는 컸다. 분기탱천한 천마성교도들이 일제히 도검을 뽑아 쥐고 일어나 남궁소소를 에워쌌다. 금방이라도 벌집으로 만들어 버릴 기세였다. 그러자 남궁세옥과 그를 따르는 세가의 무사들이 검진을 펼치며 남궁소소를 보호했다. 이에 대응하여 무림맹도들은 자신들의 진영에 있는 연소교를 에워싸며 위협했다.

　여기에 각각 상대 진영에 침투해 있던 무림맹도들과 천마성교도들까지 가세하면서 다시 교전이 벌어질 것 같은 일촉즉발의 상황이 펼쳐졌다.

"천마성교도들은 모두 삼 장 밖으로 물러나라!"

연소교의 일갈에 천마성교도들이 거짓말처럼 뒤로 물러나기 시작했다. 그러자 무림맹도들도 공격을 잠시 미루고 흥분을 가라앉히면서 일단 위기를 넘기는 듯했다.

나는 잠시 돌아가는 상황을 지켜보기로 했다. 연소교의 일 처리가 생각보다 훌륭했다. 잘만 풀리면 그녀의 지혜로운 면을 천마성교도들에게 각인시킬 좋은 기회였다.

무림맹 쪽에도 일단 그녀가 스스로 신뢰를 얻는 게 중요했다. 단순히 좋은 사람이 아니라 능력 있는 사람이 되어야 하는 것이다.

"감사드립니다."

연소교가 이종산에게 포권지례를 했다. 자신의 목숨을 구해준 사람이 누구인지를 사람들에게 다시 한번 보여주려는 생각에서였다. 그녀의 의도는 적중해서 천마성교도들은 모두가 살짝 당혹스러워했다. 자신들의 교주는 풍운비룡을 죽였는데, 오히려 그의 아비는 한때 풍운비룡과 함께 성보를 옮기던 동료였으나 이제는 원수의 제자가 된 그녀를 구해주었으니 당혹스러울밖에.

이종산은 연소교에게 가볍게 고개를 숙이는 것으로 답례를 했다. 이어 장초풍을 바라보며 말했다.

"한 달 전, 천살마녀가 천룡표국으로 찾아와 삼뇌군사의 수급과 성보 두 개를 내놓으며 했던 말이 떠오르는군요. 이렇게까지 하는 이유가 무엇이냐는 물음에 그녀는 오히려 '전쟁을 막자는 데 이유가 필요한가요?'라고 반문했지요."

장초풍은 여전히 눈을 감은 채 이종산의 말을 경청했다.

"외람된 말씀입니다만, 저는 그녀가 충분히 대화를 할 수 있는 사람이라고 생각합니다. 비록 성보를 봉인하지는 못했지만, 천마성교가 더는 위협이 되지 않는다면 이는 사실상 봉인을 한 것과 다름이 없을 것입니다."

이종산은 조금의 동요도 없이 다음 말을 이어갔다.

"표사들이 표행 중 목숨을 잃는 것은 흔히 있는 일입니다. 부디 한 표사의 실패를 무림맹의 실패로 만들지 마십시오. 그건 죽은 표사도 바라지 않을 것입니다."

좌중의 공기가 숙연해졌다.

이종산은 어려운 결단을 대신 내려줌으로써 장초풍과 무림맹의 부담을 덜어주려 하고 있었다. 그걸 알기에 무림맹도들은 모두가 더욱 분기탱천해했다. 특히 아직 천마성교 쪽 진영에 남아 있는 남궁소소와 용봉지회의 후기지수들은 하나같이 부글부글 끓는 표정들이었다.

모두의 시선이 장초풍을 향했다.

그때까지도 생각에 잠겨 있던 장초풍이 이윽고 눈을 떴다. 그리고 입에서 나오는 대답은 나의 예상을 완전히 벗어난 것이었다.

"무림맹은 풍운비룡의 복수가 끝날 때까지 천마성교와 싸울 것이오!"

전장 전역에 또다시 광풍이 몰아치며 전운이 감돌았다. 모두가 크게 경동하는 가운데 나는 차분하게 물었다.

"한낱 표사를 위해 이렇게까지 하실 필요가 있소이까?"

"그 한낱 표사가 보여준 헌신과 용기야말로 어떤 대가를 치르더라도 지켜야 할 무림맹의 가치이오. 많은 사람이 죽을 수도 있다는 이유로 그의 죽음을 간과하는 건 무림맹이 존립해야 할 이유를 스스로 부정하는 일이지."

"와아아아!"

양쪽 진영에 있는 무림맹도 전부가 병장기를 허공에 대고 흔들어대며 함성을 내질렀다. 남궁유룡과 구대문파의 장문인들을 비롯한 노강호들은 서로 시선을 나누며 고개를 끄덕였다. 장초풍의 결심을 좇아 마지막 한 명의 마교도를 베어 넘길 때까지 최선을 다해 싸우자고 결의를 다지는 것이었다. 천마성교도 쪽 진영에 있는 남궁소소와 남궁세옥 그리고 용봉지회의 후기지수들도 피 묻은 도검을 고쳐 잡았다.

남궁소소는 어금니를 꽉 깨물면서도 볼 위로 흘러내리는 눈물을 소매로 연거푸 훔쳤다. 명표 설인탁과 석불원과 미나모토와 호리독사는 아예 적진으로 뛰어들 준비를 하고 있었다.

더 시간을 끌었다간 큰일 나겠다. 나는 무림맹도들의 함성이 잦아들기를 기다릴 틈도 없이 우렁우렁한 음성으로 쏟아냈다.

"그는 살아 있소이다!"

함성이 뚝 그쳤다. 모두가 눈을 동그랗게 뜨고 나를 보았다.

장초풍이 한쪽 눈썹을 위로 씰룩거리며 물었다.

"방금 뭐라고 했소이까?"

"그는 나와 격전을 벌이던 중 부상을 당해 천마대총에 누워 있소이다. 칠 일 후쯤 무사히 풀려날 것이니 염려 마시오."

"정녕 그게 사실이오?"

"본좌가 무림맹이 두려워 허언을 하는 것처럼 보이시외까?"

무림맹도들 전부에게서 또다시 탄성이 터져 나왔다. 이번엔 분노와 결의가 아닌 안도와 기쁨의 탄성이었다. 남궁소소는 용봉지회의 후기지수들과 시선을 나누며 좋아서 어쩔 줄을 몰라 했다.

장초풍이 내게 물었다.

"왜 그를 죽이지 않은 것이오?"

나는 고개를 들어 창공을 올려다보았다. 눈부시게 파란 하늘과 흰 구름을 배경으로 까만 점 두 개가 원을 그리며 날고 있었다.

안력을 끌어 올려 자세히 보니 하나는 희고 하나만 검었다. 한동안 보이지 않던 설응이 어디서 만났는지 암컷과 함께 다시 나타난 것이다.

녀석이 나를 알아보고 어깨에 내려와 앉지 않기를 바라며 말했다.

"이미 천하를 발아래 두었는데 광활한 창공에 새 한 마리 날아다닌들 무슨 방해가 되겠소이까? 그의 생사는 이제 본좌의 큰 관심거리가 아니외다."

4장
종장

정마대전이 끝난 지 한 달 하고도 보름이 지났다.

마도 척살을 기치로 불같이 일어났던 정도무림의 일흔두 개 문파는 각자의 사문으로 돌아가 전쟁으로 말미암은 일들을 차분하게 수습했다.

수습은 전쟁 중에 죽은 제자들의 장례를 치르거나 그 가족들에게 앞으로 살 방편을 마련해 주는 등의 일이 주를 이루었다.

그나마 발발과 함께 종전이 되었기에 망정이지, 만약 천마성교와 무림맹 모두 끝까지 갔더라면 전 강호가 초상집으로 변했을 것이다. 특히 무림맹을 중심으로 한 정도무림은 괴멸적 타격을 입고 마도천하가 되었을 거라는 게 세간의 냉정한 평가였다.

다행히 그런 일은 없었고, 강호의 무림문파들은 정사마를 막론하고 빠르게 일상을 회복해 갔다.

그사이 계절은 어느새 겨울을 지나 봄을 맞았다.

담장 너머로 아지랑이가 피어오르는 아침, 장초풍은 식사를 끝내자마자 맹주부에서 총군사 사마옥과 독대했다.

사마옥은 황토고원에서 돌아온 후 맹의 온갖 밀린 일들을 처리하느라 눈코 뜰 새 없다가 며칠 전부터 겨우 숨을 좀 돌리는 중이었다.

"무슨 하실 말씀이라도 있으신 겁니까?"

"오랜만에 바둑이나 한 수 배워볼까 해서 뵙자고 했습니다. 바둑은 총군사께서 무림맹 제일이 아니십니까. 기왕이면 최고수에게 배워야지요."

"누가 들으면 제가 항상 맹주님을 이기는 줄 알겠습니다."

"언제나 선(先)을 양보받고서야 겨우 동수를 이루는 정도이니 총군사께서 저보다 상수이신 것만은 틀림없는 사실이지요."

낡고 오래된 나무 바둑판이 두 사람 사이에 놓이고 흑돌과 백돌이 번갈아 깔렸다. 작은 점 하나에 불과했던 흑돌과 백돌은 어느새 각자가 세를 이루더니 중원의 진정한 주인 자리를 놓고 맹렬하게 다투었다. 전투는 중앙에서 시작해 상하좌우로 뻗어 나가다가 구석의 변방으로까지 번졌다. 결국 죽은 돌, 즉 사석이 쏟아져 나오면서 바둑판 전체에 피바람이 몰아쳤다.

하지만 돌을 옮기고 놓는 사람들의 입에서 흘러나오는 얘기들은 봄바람처럼 한가롭기만 했다.

"풍운비룡에 대한 소문이 자자합니다. 시작은 거창했으나 결국 마지막 순간에 이르러 표행을 실패하고 말았다고요."

"강호의 인심이 야박하군요. 처음엔 그의 헌신과 용기에 대하여 다들 칭찬 일색이라고 들었습니다만."

"지금도 그 부분에 대한 찬사는 여전히 이어지고 있습니다. 더불어 그를 사대명표의 일인으로 인정하는 데 이의를 제기하는 이는 많지 않습니다. 다만⋯⋯."

"⋯⋯?"

"아버지인 표왕의 전설을 뛰어넘을지도 모른다는 기대를 모았던 그가 정작 가장 중요한 표행에서 실패한 게 안타까운 게지요."

"총군사께서도 그가 실패했다고 생각하십니까?"

"하라는 봉인은 않고 중간에서 날름 먹어버렸으니 실패는 실패지요. 고양이에게 생선을 맡겼습니다. 물론 아무도 그걸 모르겠지만 말입니다."

"만약 우리의 추측대로 그가 칠성군을 제거했다면 성보를 익히지 않고 봉인할 수도 있었다는 말이 됩니다. 그렇다면 이에 대한 책임을 물어야지 않겠습니까?"

"순서가 바뀌었을 겁니다. 애초 풍운비룡은 칠성군의 십초지적에 불과했습니다. 어떻게 된 사정인지는 모르나 그가 성보의 마공들을 먼저 익혔기에 칠성군을 꺾을 수 있었던 것이지요."

"총군사께서 그렇다면 그런 것이겠지요."

탁!

장초풍은 담담하게 대답하며 백돌을 놓았다. 본래 바둑에서만큼은 한 수 아래인 자신이 흑돌을 집어야 하지만, 사마옥은 그가 한참 연장자라는 이유로 언제나 백돌을 양보했다.

"그가 너무 강한 힘을 가진 것이 걱정되십니까?"

"이 자리가 그런 자리니까요."

"봉인을 했어도 이미 은거를 깨고 나온 마교도들은 흩어지지 않을 겁니다. 수백 명씩 몰려다니며 무림문파들을 상대로 끊임없이 도발해 왔을 것이 분명합니다. 그럴 바에야 완벽한 절대자의 통제 아래 두는 것이 낫습니다."

"그 절대자가 군림천하 하는 것보다는 자신의 평범한 일상과 명예를 목숨처럼 여기는 사람이라면 더욱 좋고 말이지요?"

"가장 좋은 건 역시 우리 편이라는 것이지요."

탁!

말과 함께 사마옥이 흑돌을 지금까지와 달리 세게 내려놓았다. 실실 웃는 얼굴도 그렇고, 무언가 자신이 있는 것이다.

"이런, 또 잡히셨습니다. 그려."

"약자선수(弱者先手)가 무색하군요."

"거기부정(擧棋不定)이라. 포석할 자리를 먼저 정하지 않고 세를 키우면 반드시 대가를 치르게 되는 법이지요. 껄껄껄."

"한 수만 물립시다."

"불가합니다."

"한 수만 물립시다."

"불가합니다."

"그만 맹주직을 내려놓을까 합니다."

사마옥은 움찔 놀라면서 장초풍을 올려다보았다. 고작 바둑 한 수 물리는 일에 맹주직을 걸고 협박하다니.

"이번 한 번만 물러 드리겠습니다."

그러면서 사마옥은 방금 놓은 돌을 들어다 좌상귀의 구석탱이 깊숙한 곳에다가 옮겨놓았다.

장초풍은 그제야 만족한 듯 고개를 끄덕이며 사마옥이 흑돌을 놓았던 자리에 자신의 백돌을 놓았다.

"장로회에 알리시고 새로운 인물을 물색도록 하세요."

"맹주님!"

"십 년이면 오래 해먹었습니다."

"갑자기 왜 이러시는 겁니까?"

"저는 평화와 화친보다는 전쟁에 더 어울리는 사람입니다. 새로운 시대에는 더 젊고 지혜로운 사람이 무림맹을 이끌어야지요."

설산신검 장초풍도 처음부터 독보강호 하던 무인은 아니었다. 그는 비록 문도가 많지는 않으나 오랜 세월 꾸준히 천하십검을 배출해 온 검도명문 설산검문의 대제자였다. 한데 수십 년 전 정마대전이 발발할 당시 마교의 최고수들이 놀랍게도 대설산엘 올라 설산검문을 첫 번째 제물로 삼았다.

때마침 출타를 한 탓에 횡액을 면한 장초풍은 자신과 비슷한 처지의 무림인들은 모아 천마성교를 상대로 용감하게 싸웠다.

백전백승. 그는 집단전에서나 일대일의 대결에서나 단 한 번도 진 적이 없었다. 그의 행보는 그대로 무림의 전설이 되었다. 그의 용맹함과 탁월한 지도력을 눈여겨본 정도무림의 명숙들은 전쟁이 끝난 후 그를 무림맹으로 초빙해 마교 토벌을 위한 별동대 하나를 맡겼다.

실력은 어딜 가는 것이 아니어서 전쟁이 끝난 후에도 그는 수많은 마교의 잔당들을 소탕하며 혁혁한 공을 세웠다. 설산검객에서 설산신검이라는 새로운 별호를 얻게 된 것도 그 무렵이었다.

그리고 이십 년 후 그는 구대문파 장문인들의 압도적인 지지를 받으면서 무림맹주가 되었다. 강호인들은 그가 탁월한 무공과 지도력으로 그 많은 공들을 세웠다고 했다. 하지만 사마옥의 생각은 달랐다. 장초풍을 전쟁의 화신으로 만든 것은 뼛속 깊이 새겨진 복수심과 포기를 모르는 집요함이었다.

탁!

사마옥이 방심한 틈을 타 장초풍은 대마의 허리를 끊어놓을 혈(穴)자리를 찾아 자신의 백돌을 힘차게 놓았다.

그리고 득의양양한 표정으로 말했다.

"아무래도 제가 이긴 것 같군요. 만박노군 사마옥과의 마지막 바둑을 승리로 끝낼 수 있어서 다행입니다. 껄껄껄."

한바탕 장대비가 쏟아지고 나니 산천초목 곳곳에서 실오라기 같은 안개가 피어올랐다.

편복은왕은 혈영노조와 함께 천 길 낭떠러지 위에 서서 그 광경을 굽어보았다. 첩첩산중이 하늘과 맞닿도록 끝없이 펼쳐지는 저 광활한 삼림지대를 일컬어 강호인들은 십만대산이라 불렀다.

두 사람은 수많은 교도들의 혼백이 떠돌고 있는 이곳에서 천마성교의 새로운 역사를 시작할 계획이었다.

혈영노조가 조용히 말했다.

"대종사께서는 지금쯤 은거에 들어가셨겠군요. 삼십 년의 은거가 부족해서 또 은거를 하시다니."

"이번 은거는 아마 평생 갈 것 같소이다만."

"어째서 그렇습니까?"

"이미 잘 아실 텐데요."

"무얼 말씀입니까?"

"그는 칠성군이 아니외다."

혈영노조는 고개를 돌려 저만치 떨어진 곳에 있는 호위무사들에게 고개를 끄덕였다. 그러자 오십여 명의 호위무사들이 바람처럼 사라졌다.

혈영노조는 다시 편복은왕을 돌아보며 말했다.

"한데 왜 무릎을 꿇으셨습니까?"

"처음엔 이 몸도 깜빡 속았소이다."

"나중에라도 밝힐 수 있으셨을 텐데요."

"진짜 칠성군이 죽었으니 마지막 한 명이 남을 때까지 싸워서 복수를 하자고요? 아니면 그를 절대 이길 수 없으니 다들 뿔뿔이 흩어져 훗날을 기약하자고요?"

"어쩔 수 없는 선택이었다는 말씀입니까?"

"일종의 거래를 한 거외다. 그는 우리에게 새로운 대종사라는 존재를 주고. 우리는 그의 비밀에 대해 함구해 주고."

"거래라. 그렇게 볼 수도 있겠군요."

"그러는 총군사께선 왜 충성을 맹세하셨소이까?"

"태상장로께서 이미 대세를 기울여 버리셨잖습니까?"

"단지 그것 때문에요?"

"사실은 저도 태상장로님과 같은 생각이었습니다. 칠성군께서 이미 목숨을 잃었다면 혼란을 막기 위해 가짜라도 있는 편이 낫다고요."

"역설적이게도 칠성군이 아니라 그가 살아남은 덕택에 수많은 교도들이 목숨을 보전할 수 있게 되었소이다. 칠성군이셨다면 끝을 보려 했을 테니 말이오."

"한데 그는 왜 칠성군의 모습으로 나타나 휴전을 제안한 걸까요? 마음만 먹는다면 무림맹과 함께 얼마든지 우리를 전멸시킬 수도 있었을 텐데 말입니다."

"표주인 천살마녀가 처음부터 그걸 원했으니까. 그는 천살마녀로부터 의뢰를 받아 충실히 표행을 한 표사였고 말이오."

"무시무시한 표사로군요."

"그녀가 잘해낼 수 있을지 모르겠소이다."

"풍운비룡의 말이 맞습니다. 제법 긴 시간 적이 되어 싸워보았지만 그녀가 보인 판단력과 행동은 분명 놀라운 것이었습니다. 무엇보다 교도들을 형제처럼 아꼈지요."

"기왕에 충성을 맹세한 일, 총군사나 이 몸이나 최선을 다해 보필해야 할 것이외다. 무엇보다 이 일은 무덤에 들어갈 때까지 비밀로 해야 하고 말이오."

"이를 말씀입니까."

집으로 돌아온 나는 한동안 비룡당의 집무실에 틀어박혀 장부를 살폈다. 그리고 주로 그동안 벌어들인 돈과 앞으로 벌어들일 수 있는 돈들을 계산했다.

현재 비룡당에게는 유흥가를 관리하는 일과 항주부를 통한 공물 운송과 장강의 범선들을 이용한 물자 운송이 주요 수입원이었다. 공물 운송과 범선을 통한 물사 운송은 계절적 요인이 커서 월(月)이 아닌 년(年) 단위로 계산을 해야 했다.

그렇게 해서 특별한 표행을 제외하고 매년 비룡당이 고정적으로 벌어들일 돈은 금전 십만 냥에 달했다. 이는 천룡표국의 다른 여섯 개 당이 벌어들이는 액수를 전부 합한 것과 비슷하거나 오히려 조금 많았다. 장강의 범선을 통한 수익이 결정적이었다.

물론 그 돈의 절반을 천룡표국에 바치고 나머지 절반으로 표사와 쟁자수들과 범선의 선원들을 전부 먹여 살려야 했다. 그래도 엄청난 액수가 남는 건 사실이었다.

여기다가 내게는 비룡당의 장궤인 전립성조차 정확한 행방을 모르는 거액의 비자금이 있었다. 이는 일전에 마교의 보물을 팔아서 챙긴 돈으로, 내 별호와 이름이 비슷한 비룡전장의 장주가 몰래 관리하고 있었다.

'자금은 충분한데 사람이 문제군.'

새로 표국을 만들려면 돈도 돈이지만 노련하고 경험 많은 인재들이 많아야 한다. 특히 인맥 없는 낯선 땅에 뿌리를 내릴 경우에는 그곳 토착 세력들과 싸울 전방위적인 싸움꾼들이 절대적으로 필요했다.

안타깝게도 표사들은 표행에는 전문가들일지 몰라도 토착 세력들과 싸워 한 구역을 차지하는 일에는 젬병이었다.

'이런 건 흑도들이 잘하는데.'

나는 그제서야 장부를 덮었다.

고개를 들어보니 어느새 창밖엔 어둠이 내린 상태였다. 돈 계산하는 재미에 시간 가는 줄도 몰랐다.

'객당으로 가서 술이나 한잔할까?'

객당은 본래 비룡당을 찾는 매파들이 좀 더 편하게 표사나 쟁자수들을 만나볼 수 있도록 내가 마련해 준 장소였다. 한데 언제부턴가 비룡당의 식구들끼리 술판을 벌이는 주루가 되었다. 표사와 쟁자수를 가릴 것 없이 밤만 되면 수십 명씩 객당으로 몰려와 술을 마시는 것이다.

'한번 들러나 보자.'

집무실의 촛불을 입으로 불어 끄려는 순간 인기척과 함께 누군가 헐레벌떡 뛰어들어왔다. 유흥가를 관리하는 비룡당 삼각의 각주 왕소표였다.

"당주님, 큰일 났습니다."

"그냥 놔두세요."

"예?"

"표사와 쟁자수들이 술 먹고 싸우는 일이 어디 어제오늘 일입니까? 아침이면 언제 그랬냐는 듯이 서로의 등을 지켜줄 테니 염려 마세요."

"이번엔 객당이 아니라 서쌍교방입니다."

"서쌍교방이요?"

"아무래도 방도들끼리 한바탕 내전이 벌어진 것 같습니다."

서쌍교방은 서호의 서쪽 유흥가를 장악한 세력이자 항주를 통틀어 가장 큰 네 개 흑도방파 중 한 곳이었다. 덧붙여 걸핏하면 나를 찾아

와 일거리를 주기 전에는 한 걸음도 떼지 않겠다며 협박하는 서호삼견
이 장로로 있는 곳이기도 하고.

"갑자기 무슨 내전이라는 겁니까?"

"서호삼견, 아니, 서호삼절 선배님들께서 반역을 일으킨 모양입니다."

"왜요?"

"노 방주가 먼저 서호삼견, 아니, 서호삼절 선배님들을……."

"그냥 서호삼견이라고 하세요."

"알겠습니다. 노 방주가 서호삼견 선배님들을 없애 버리려고 일을 꾸
몄는데, 그걸 눈치챈 서호삼견 선배님들께서 평소 따르는 방도들을 규
합해 선수를 친 모양입니다."

"노 방주는 또 왜요?"

"서호삼견 선배님들께서 먼저 노 방주의 자리를 노리고 선수를 치려
했답니다. 그래서 노 방주가 선수를 쳐 없애 버리려고 했는데 오히려
선수를 당한 것이지요."

"잠깐만요. 그러니까 지금 정확히 누가 선수를 쳤다는 겁니까?"

"저도 잘 모르겠습니다."

"혹시 술 마셨습니까?"

"들르는 주루마다 루주들이 붙잡고 당주님께서 마교의 고수들과 싸
웠던 일에 관해 이야기를 들려 달라는 통에 그만. 죄송합니다."

"아는 것도 없잖습니까?"

"호리독사에게 들은 게 좀 있긴 합니다."

이런 어처구니 인사를 보았나. 기껏 유흥가를 관리하라고 맡겨두었
더니만 루주들과 쿵짝이 되어 술을 마시고 다녔다니. 효율적인 관리를

위해서는 루주들을 비롯해 인근의 흑도들과도 돈독한 관계를 맺어야 하긴 하다만…….

그나저나 노 방주는 갑자기 왜 서호삼견을 없애 버리려고 한 걸까?

순간, 문득 떠오른 생각이 있었다.

해남파의 소년 장문인을 호위해 무림맹 총타가 있는 개봉으로 향할 때였다. 삼뇌가 이끄는 팔백여 명의 말 탄 마교도들에게 포위되어 하마터면 일행 전부가 몰살당할 뻔한 적이 있었다.

그때 이견과 탁중로가 나누었던 대화가 머릿속에서 그대로 떠올랐다.

"어이, 번견."

"제 이름은 탁중로입니다."

"너는 맨 뒤로 가라."

"왜요?"

"곧 장가간다며? 얼마 전에 항주로 이사 온 팔순 노모와 어린 누이도 있고. 싸움이 벌어지면 뒤도 돌아보지 말고 튀어. 그리고 항주로 가."

"우리 중에 딱한 사정 하나 없는 표사가 어딨습니까? 혼자 도망쳐 평생을 비굴하게 사느니 마지막까지 동료들과 함께 싸우다 멋지게 죽겠습니다."

"이 미친놈아. 우리 중 한 명은 살아서 돌아가 표왕에게 오늘 있었던 일을 일러바쳐야 복수를 해줄 거 아냐!"

"……!"

"가는 길에 서호의 서쌍교방에도 들러 우리 소식도 좀 전하고. 보나마나 복수 따윈 꿈도 안 꾸겠지만 말이야. 제 배 불리는 것밖에 모르는 노 방주를 몰아내고 첫째 형님을 그 자리에 모시는 게 내 평생 꿈이었는데. 빌어먹을."

이견이 그 말을 할 때는 이갑룡과 이을룡 그리고 이병룡이 고용한 외부의 이런저런 고수들도 함께 있었다. 아무래도 이견이 생의 마지막인 줄 알고 내뱉은 말들이 그자들의 입을 통해 서쌍교방의 노 방주에게 전해진 모양이었다.

"어쩐지 불안하더라니."

"어떻게 할까요?"

"무얼 말입니까?"

"그래도 함께 표행을 한 의리가 있는데 우리가 나서서 힘을 좀 보태 줘야지 않을까요?"

"흑도방파 내부의 일입니다. 함부로 개입하면 절대 안 됩니다."

"알겠습니다."

"선수를 쳤다면 무언가 계획이 있으실 테니 너무 염려 마십시오. 잘하면 서쌍교방의 주인이 바뀔지도 모르고요. 어떻게 돌아가는지 감시하고 있다가 무슨 일이 생기면 제게 보고하세요."

"알겠습니다."

지시를 내린 후 나는 객당으로 갔다. 그곳엔 전립성과 가불염과 용소백을 비롯해 수십 명의 표사와 쟁자수가 모여 있었다. 그들은 호리독사에게 온갖 귀한 술과 안주를 갖다 바치고는 나와 함께 성보를 운송하며 벌어졌던 일들에 대해 신나게 이야기를 듣는 중이었다. 나는 그들과 함께 웃고 즐기며 간만에 편안한 마음으로 술을 마셨다. 그리고 삼경을 넘어 새벽이 깊어졌을 무렵 왕소표로부터 놀라운 보고를 받았다.

"노 방주가 반란을 진압했습니다. 동이 트는 대로 모든 방도가 지켜보는 앞에서 서호삼견 선배님들의 목을 칠 거라고 합니다."

온 세상이 캄캄한 새벽, 나는 호리독사와 함께 서쌍교방으로 가고 있었다. 한참 연설 중에 영문도 모르고 끌려온 호리독사는 아직까지 입이 근지러운지 쉴 새 없이 혀를 놀렸다.

"……그래서 도둑질에도 도가 있습니다. 가장 먼저 담장을 넘는 것은 용(勇)이고, 물러날 때 동료들을 먼저 보낸 후 마지막까지 남아 망을 살피는 건 의(義)입니다. 훔친 물건의 좋고 나쁨을 판별하는 것은 지(知)이며, 그 물건을 공평하게 나누어 갖는 것은 인(仁)입니다. 이렇게 용의지인의 네 가지 도를 갖추지 못하면 큰 도둑이 될 수 없지요. 그런데 훔치시려는 게 뭐라고요?"

"사람이오."

"그건 납치 아닙니까?"

그때쯤엔 서쌍교방의 장원 앞에 도착했다. 나는 달빛을 피해 호리독사와 함께 높다란 담장의 그늘로 숨어들며 말했다.

"납치든 절도든 들고나오는 동안 누구에게도 들켜선 안 되오. 만에 하나 들키더라도 정체가 발각되어선 더더욱 안 되고."

품속에서 얼굴을 통째로 가려주는 복면 두 개를 꺼내 하나를 호리독사에게 내밀었다. 호리독사가 복면을 받아 든 후 다시 물었다.

"이제 어디로 모실까요?"

"여기가 어딘지는 알고 있소?"

"서쌍교방의 장원 아닙니까?"

"혹시 여기도 털었소?"

"아닙니다."

"그런데 어디가 어딘 줄 어떻게 알고 날 데려다주겠다는 거요?"

"흑도방파들의 장원 구조는 다 거기서 거깁니다. 담장 위에 올라가 한번 쓰윽 훑어보면 어디에 뭐가 있는지 대충 감이 옵니다."

"그럼 일단 반역자를 잡아 가둬둘 만한 곳으로 갑시다."

"따라오시죠."

복면을 얼굴에 뒤집어쓴 호리독사는 담장에 두 손을 착 붙이는가 싶더니 그대로 그림자가 되어 사라져 버렸다.

어디가 어딘 줄도 모르고 무작정 호리독사의 꽁무니만 따라갔다. 밤새 칼부림이 벌어졌음을 증명하듯 장원 곳곳엔 핏자국과 함께 피비린내가 진동했다. 그러나 역설적이게도 사람의 모습은 거의 보이지 않았다. 전투의 후유증으로 말미암아 다들 휴식을 취하거나 치료를 받는 중일 것이다. 반역자들을 진압했으니 더는 엄격하게 경계를 설 필요도 없었고. 덕분에 우리는 별다른 어려움 없이도 빠른 시간 안에 제법 깊숙한 곳까지 들어갈 수 있었다.

그러다 마침내 창고 비슷한 건물이 저만치 바라보이는 곳에 이르렀다. 입구는 커다란 자물통으로 잠겨 있었는데, 험상궂은 인상의 칼잡이 두 명이 횃불을 밝힌 채 지키는 중이었다.

"저깁니다."

"확실하오?"

"아니면 또 다른 데를 찾아봐 드리겠습니다."

"그럴 거면 내게 어디로 모실까요 라고 물은 의미가 없잖소."

"그래도 전체적인 방향성은 알아야 하니까요."

맞는 말 같기도 하고 틀린 말 같기도 하다.

나는 정신을 집중하고 기감을 잔뜩 끌어올렸다. 건물 안에서는 대충 십여 명의 사람이 감지되었다. 건물의 규모가 작지 않더라니, 아무래도 반역에 가담했다가 죽지 않고 살아남은 수괴급 고수들을 관리하게 좋게 한곳에 모아둔 것 같았다.

물론 호리독사가 제대로 찍었다면 말이다.

'들어가 보면 알겠지.'

소맷자락에 꽂아둔 비격쌍뇌창을 천천히 뽑아 손가락으로 휙 튕겼다. 공력이 실린 지법에 선천오법술의 염동력이 더해지면서 두 개의 바늘은 정확히 칼잡이들의 마혈을 뚫고 들어가 박혔다.

두 사람은 비명을 지를 사이도 없이 통나무처럼 뻣뻣하게 굳어서는 앞으로 서서히 넘어갔다.

그때쯤엔 나와 호리독사가 쏜살처럼 튀어 나가 쓰러지기 직전의 두 사람을 한 명씩 맡아서 붙잡았다. 두 명을 바닥에 눕혀놓고 황급히 품속을 뒤졌지만 자물쇠가 나오질 않았다. 혹시나 해서 바지 안쪽으로도 손을 넣고 휘저어 보았는데 아무것도 걸리지 않았다.

"잠깐만 비켜보십시오."

내가 물러서자 호리독사가 어른 주먹만 한 자물통을 한 손으로 딱 잡더니 자신의 귓등에서 작은 쇠꼬챙이를 꺼내어 푹 쑤셨다. 그리고 두어 번 깔짝대자 철컥하면서 그 커다란 자물통이 열렸다.

"들어가시죠."

호리독사는 마치 제집인 것처럼 자연스럽게 문을 열어주었다.

나는 쓰러진 두 사람의 멱살을 양손에 하나씩 잡고는 재빨리 안으로 끌고 들어가며 말했다.

"밖에서 망을 보고 있으시오."

"알겠습니다."

창고 안을 둘러보는 순간 나는 얼굴을 있는 대로 찡그렸다. 서호삼견을 비롯한 십여 명이 인당 하나씩, 모두 열 개의 쇠기둥과 연결된 쇠사슬에 손발을 묶인 채 앉아 있었다. 전투가 얼마나 치열했는지 하나같이 몰골이 말이 아니었다.

그중에서도 특히 서호삼견의 상태가 심각했다. 머리카락은 풀어 헤쳐져 산발이 따로 없고, 얼마나 얻어맞았는지 얼굴 전체가 퉁퉁 부어 있었다.

갑자기 복면인이 나타나자 모두가 놀란 눈을 치켜뜨고 나를 보았다.

삼견이 경계심 가득한 음성으로 말했다.

"누구냐?"

퍽! 퍼퍼퍼퍽!

나는 서호삼견을 제외한 일곱 명의 마혈을 번개처럼 짚었다. 마혈 중에서도 정신을 잃게 만드는 혼혈(昏穴)이었다.

그런 다음에야 비로소 복면을 벗으며 말했다.

"접니다."

나를 알아본 서호삼견의 얼굴이 급격하게 밝아졌다. 특히 이견과 삼견은 기뻐서 어쩔 줄을 몰라 했다.

그 와중에도 일견은 애써 평정심을 유지하며 물었다.

"자네가 여긴 어쩐 일인가?"

"구해 드리러 왔습니다."

"우리가 이렇게 된 줄은 어떻게 알고?"

"어젯밤 선배님들께서 거사를 도모했다는 소식을 듣고 걱정이 되어 견딜 수가 있어야죠. 밤새 보고를 받으며 돌아가는 상황을 예의 주시하다가 실패했다는 소릴 듣고 호리독사와 함께 부리나케 달려오는 길입니다."

세 사람은 촉촉하게 젖은 눈을 한 채 입술을 오물거렸다. 금방이라도 눈물을 쏟을 것처럼 감정이 복받쳐 오르는 모양이었다.

"자네가 구하러 올 줄은 생각지도 못했네."

"무슨 그런 섭섭한 말씀을요. 몰랐으면 모를까 알았다면 당연히 와야죠."

"고맙네."

"천만에요."

"한데 나머지 사람들은 왜 기절을 시킨 건가?"

"제가 누군지 알아차리면 곤란하니까요."

"우리만 구해주겠다고?"

"모두 구해 드릴 순 없습니다. 그리고 서쌍교방의 사정에 정통한 사람을 통해 알아봤더니 선배님들 세 분만 처형하고 나머지는 곤장질로 때울 거라고 하더군요. 동호교방(東湖鮫幇)과의 전쟁을 앞두고 한 명이 아쉬운 판국이라면서요."

"그렇다면 다행이군."

대화를 하는 중에도 나는 세 사람의 쇠사슬을 살폈다. 역시나 앞서 입구에서와 똑같은 자물통이 채워져 있었다. 볼 것도 없이 다시 문을 열어 호리독사를 불러들였다.

호리독사가 쇠꼬챙이로 열심히 자물통을 쑤셔댔지만 무슨 이유에선지 아까와 달리 금방 열리지가 않았다.

"이게 왜 이러지?"

"왜 그러시오?"

"쇠꼬챙이가 안 들어갑니다."

지켜보고 있던 삼견이 땅이 꺼져라 한숨을 쉬며 말했다.

"그걸로는 어림도 없네."

"왜요?"

"다른 사람들은 그냥 놔두고 하필 우리 세 사람에게만 자물통을 채운 후 자물쇠 구멍에다 쇳물을 끓여서 부어 넣었거든."

"아니, 왜요?"

"만에 하나 일어날지 모르는 불상사를 막기 위해서겠지. 둘째 형님이 그쪽 방면으로도 조예가 좀 있으시다네. 하필이면 그게 오늘 발목을 잡을 줄이야."

"그래서 이게 지금 내 탓이란 말이냐?"

이견이 삼견을 노려보며 말했다.

"말이 그렇다는 겁니다."

"나의 그 재주 때문에 다 같이 사로잡혀 죽을 뻔했다가 무사히 탈출한 게 한두 번이 아니라는 걸 알아야지."

"딱 두 번이었습니다."

"세 번 아니고?"

"두 번이었습니다."

"세 번 같은데?"

"두 번 맞습니다."

"다투지들 마십시오. 제가 누굽니까? 조금 번거롭지만 운철검으로 쇠사슬들을 잘라 버리면 금방 해결될 겁니다. 잠깐만요."

그러면서 나는 얼른 품속을 뒤져 운철검을 찾았다. 한데 당연히 있어야 할 곳에 운철검이 없었다.

이상한 낌새를 느낀 삼견이 물었다.

"왜 그러나?"

"집에 두고 온 것 같습니다."

"이런!"

"망할!"

서호삼견의 낯빛이 동시에 노래졌다.

운철검이 없어도 지금 내 수준의 공력이라면 이 정도 굵기의 쇠사슬은 힘만으로도 반 각 안에 죄다 끊을 수 있다. 다만 쇠사슬이 터지면서 나는 소리가 크고, 너무 대놓고 진신무공을 드러내는 게 걸리긴 하지만 상황이 상황이니만큼 어쩔 수 없었다.

일견의 쇠사슬부터 추려 잡으려는 순간이었다. 갑자기 밖에서 무언가가 느껴졌다.

황급히 문 쪽으로 달려가 나무판자 틈으로 바깥을 살폈다. 저만치에서 도검으로 중무장한 오십여 명의 흑도들이 횃불을 대낮처럼 밝힌 채 우르르 몰려오고 있었다.

'기술도 들어가기 전에 벌써부터 저것들이 나타나면 안 되는데.'

이상한 낌새를 느낀 삼견이 다시 물었다.

"또 왜 그러나?"

"아무래도 포위를 당한 것 같습니다."

"자네들이 올 줄 어떻게 알고?"

"그게 아니라, 보초를 서던 자들이 보이지 않으니까 무언가 이상한 낌새를 느끼고 죄다 몰려온 것 같습니다."

그때쯤에는 호리독사도 곁으로 다가와 다른 판자 틈으로 바깥을 살피고 있었다.

그가 고개를 갸우뚱하면서 말했다.

"그게 아닌 것 같은데요."

"그게 아니면?"

"저기 망나니처럼 생긴 자가 들고 있는 톱날 달린 칼이 보이십니까?"

"거치도(鋸齒刀) 말이오?"

"흑도들이 배신자의 목을 칠 때 주로 쓰는 칼입니다. 저걸로 목을 치면 상처가 지저분해지면서 출혈이 많고 죽은 후에도 처참한 모습이 되거든요."

"무슨 말을 하려는 거요?"

"아무래도 처형식을 하려는 것 같습니다."

"동이 트려면 아직도 멀었는데 왜!"

"지금부터 처형장으로 끌고 가서 무릎을 꿇려놓고 본보기로 삼으려는 거죠."

잠시 판자 틈에서 눈을 떼고 뒤를 돌아보니 서호삼견의 얼굴이 조금 전보다 훨씬 더 노래져 있었다. 잠깐 사이에 황달이라도 온 것 같았다.

서쌍교방의 방도들은 어느새 십여 장 앞까지 도착했다.

보초병이 없어진 걸 뒤늦게 알아차리고는 어떻게 된 거냐며 호들갑을 뜨는 소리가 들려왔다.

이런저런 고성들이 오가길 잠시, 누군가 신경질적으로 외쳤다.

"장원을 봉쇄하고 뇌옥을 포위하라!"

삑삑 소리와 함께 호각이 울리면서 서쌍교방의 새벽을 깨웠다. 혹시라도 뇌옥을 탈출했을 경우를 대비해 전 방도들을 깨우는 것이다. 오십여 명은 시퍼런 도검을 뽑아 들고선 부챗살처럼 검진을 펼치며 뇌옥의 입구를 막아섰다.

"어떻게 하죠?"

호리독사가 나를 돌아보며 물었다.

나는 대답 대신 일견을 돌아보며 서둘러 말했다.

"정면으로 부딪쳤다간 저의 정체를 발각당할 수도 있습니다. 아시다시피 그럼 천룡표국의 입장이 매우 곤란해집니다."

일견은 알겠다는 듯 고개를 끄덕였다. 하지만 이견과 삼견은 불안감을 감추지 못했다.

삼견이 불쑥 물었다.

"그래서 어쩌자는 건가?"

"일단 여길 빠져나간 후 다른 방법을 강구해 보겠습니다. 힘드시더라도 그때까지만 참고 기다려 주십시오."

"그러다 동이라도 트면?"

"최대한 시간을 끌어주십시오."

"확실히 오는 거지?"

"알았네."

삼견의 마지막 질문에 대한 대답을 하려는 찰나 일견이 중간에서 가로챘다. 말로 하는 약속은 공허하다는 걸 인생의 경험으로 아는 것이다.

나는 일견에게 고개를 끄덕인 후 문 앞에 섰다. 문을 박차고 나간 다음 걸리는 대로 몇 명 때려눕힌 후 검진을 뚫을 생각이었다.

누군가 나나 호리독사의 무공을 알아보는 것이 두렵지, 저들을 뚫고 나가는 건 일도 아니었다.

내 생각을 눈치챈 호리독사가 말했다.

"더 좋은 방법이 있습니다."

"그게 뭐요?"

"잠시 천장의 대들보 위에 숨어 기다리는 겁니다. 그리고 선발대가 들이닥치는 순간 모든 시선이 뇌옥 안쪽에 쏠리는 틈을 타 재빨리 통풍구로 빠져나가는 거죠. 그런 다음엔 잠행술을 펼쳐 지붕 위로 사라지고요. 일단 지붕까지만 가면 도주는 쉽습니다."

"그렇게 합시다."

호리독사가 그렇다면 그런 것이다.

나는 호리독사를 따라 굵은 대들보 위로 올라갔다. 이어 은신술을 펼쳐 최대한 몸을 감추었다.

잠시 후, 호리독사의 말대로 문이 벌컥 열리면서 십여 명의 칼잡이들이 쏟아져 들어왔다. 그 틈을 타 나와 호리독사는 대들보를 타고 통풍구 쪽으로 빠르게 기어갔다.

그 순간 이견이 큰 소리로 말했다.

"이정룡, 진짜 가려고?"

"......!"

"......!"

나도, 호리독사도 중간에서 뚝 멈췄다. 천천히 아래를 내려다보니 십여 명의 흑도들이 이견을 따라 전부 위쪽을 올려다보고 있었다.

"뭐, 이정룡?"

"천룡표국의 이정룡?"

"이정룡이 나타났다고?"

"어디에? 어디에?"

"저기 대들보 위에 있다!"

밖에 있던 다른 흑도들까지 우르르 들어와서는 역시나 뻣뻣하게 굳어 있는 나와 호리독사를 구경하기 시작했다. 이름을 말해 버렸으니 이대로 도망을 칠 수가 없었다. 갈 때 가더라도 일단 해명은 하고 가야 천룡표국에 피해가 가지 않는다.

"하하하. 이것 참 난감하게 됐군. 평소 안면이 있는 서호삼절 선배님들께서 처형을 당할 거라는 소식을 듣고 작별 인사나 하러 왔더니만."

그러면서 나는 아래로 훌쩍 뛰어내렸다. 흑도들이 도검을 꼬나 쥔 채로 죄다 한두 걸음씩 물러났다. 신분이 신분인 만큼 함부로 나를 공격할 수가 없는 것이다.

나는 뒤늦게 떨어진 호리독사와 함께 복면을 쓰윽 벗었다.

주변의 공기가 크게 출렁였다. 누구도 말을 하지 않는 가운데 한 사람이 다섯 칼잡이들의 호위를 받으며 뇌옥 안으로 들어섰다. 반백의 머리카락에 눈매가 칼끝처럼 날카롭게 뻗은 노인이었다.

'귀도무정(鬼刀無情)!'

예순 가량의 노인은 시쌍교방의 방주인 귀도부정 방철산이었다. 이십여 년 전 홀연히 항주에 나타나 귀신 대가리가 조각된 칼 한 자루로 서호의 서쪽을 평정한 도법의 달인. 옆에 있는 다섯 명의 장년인들은 방철산의 심복들로, 서호삼견과 지금은 보이지 않는 두 명을 더해 서쌍교방의 십대고수라고 불렸다.

나는 방철산을 향해 허리까지 깊숙이 숙여가며 할 수 있는 가장 공손한 태도로 포권지례를 올렸다.

"처음 뵙겠습니다. 천룡표국에서 비룡당을 이끌고 있는 이정룡입니다."

"방철산이오."

"말씀을 편하게 하십시오. 무림의 까마득한 후배입니다."

"무림에 명성이 자자한 표왕의 아들에게 그럴 수야 있나. 그보다 이 시각에 귀하를 왜 여기서 만날 수 있는지나 알아듣게 설명해 주겠소?"

"야심한 시각에 허락도 없이 서쌍교방을 방문하게 된 점 깊이 사죄드립니다. 저는 다만 일을 크게 만들고 싶지 않았을 뿐입니다."

"남의 장원에 허락도 없이 들어오는 걸 보통은 침입이라고 하지. 그리고 서쌍교방은 침입자들에게 자비를 베푼 적이 없소이다."

"서호삼절 선배님들께서 몇 차례 비룡당의 객표로 고용되었던 건 방주님께서도 잘 아실 겁니다. 당주로서 잠깐 작별 인사나 나누려고 들린다는 것이 그만."

"거짓말 마라! 조금 전까지 분명 우리를 구해주러 온 거라고 하지 않았느냐. 하다가 안 되자 호리독사를 시켜 쇠꼬챙이로 자물통도 쑤셔보게 했고."

이견이 눈치도 없이 또 끼어들었다. 아니, 눈치가 오히려 너무 빨라서라고 해야 하나? 그는 물귀신처럼 나를 끌고 들어가려고 했다.

"오는 게 아니었는데. 지푸라기라도 잡고 싶은 마음은 알겠습니다만, 이렇게 사람을 모함하시면 곤란합니다. 선배님들."

"웃기지 마라! 네 말대로 고작 인사만 하고 갈 요량이었다면 저 사람들은 왜 마혈을 짚어 쓰러뜨렸느냐? 네가 다녀갔다고 방주가 천룡표국으로 찾아가 복수라도 할까 봐?"

"대체 왜 이러시는 겁니까!"

참다못한 내가 빽 소리를 질렀다.

"지금 가면 너는 우리를 구해주고 싶어도 구해줄 수가 없을 것이다. 천룡표국의 표사들을 전부 이끌고 와서 서쌍교방과 전쟁이라도 벌일 게 아니라면."

"……!"

"마지막으로 딱 한 번만 더 말하고 더는 구차하게 굴지 않겠다. 풍운비룡 이정룡, 지난날의 정리를 생각해서라도 우리를 모른 척하지 말아다오."

"이미 손발을 다 묶어놓고 저더러 뭘 어쩌라고요?"

"우리가 너를 한두 번 겪어보았느냐? 다른 사람들은 몰라도 너라면 분명히 묘수가 있을 것이다. 분명히."

이견과 내가 기 싸움을 하듯 서로를 뚫어지게 보았다.

잠시 쥐 죽은 듯한 침묵이 흐른 후 내가 말했다.

"구해 드리면 제게는 무얼 해주실 건데요?"

일견과 삼견의 눈이 동그래졌다. 옆에서 지켜보고 있던 호리독사와 방철산은 물론이거니와 다른 흑도들도 모두 놀란 표정이 되었다.

이견이 다시 물었다.

"무얼 해주길 바라느냐?"

"무얼 해주실 수 있는데요?"

"헷갈리게 하지 말고 그냥 시원하게 말해!"

나는 품속에서 괴황지 석 장과 휴대용 필묵을 꺼내 세 사람의 앞으로 가져다가 놓았다.

이견이 나와 괴황지를 번갈아 보고선 다시 물었다.

"이게 뭐냐?"

"계약서입니다."

"아무것도 안 씌어 있는데?"

"백지 계약서입니다."

"그게 뭐지?"

"선배님들께선 그냥 간단하게 수결만 하시면 됩니다. 내용은 제가 나중에 알아서 써넣을 테니까요. 원래는 일이 끝난 후 받으려고 했는데, 딴소리를 하실지 모르니 역시 지금 받는 게 좋겠습니다."

"우리의 생살여탈권을 쥐겠다?"

"생살여탈권을 무기로 자유분방한 선배님들을 통제하겠다는 뜻입니다. 게으름을 피운다거나, 다른 표사들을 두들겨 팬다거나. 주루나 기루를 협박해 돈을 갈취한다거나 하면 강력한 제재를 가할 수 있는 수단이라고나 할까요."

"대체 무슨 말을 하는 거냐?"

"자세한 얘기는 차차 하기로 하고, 빨리 결정을 하십시오. 서쌍교방 선배님들의 인내가 한계에 다다른 것 같습니다."

흑도들은 아까부터 칼 쥔 손을 부들부들 떨고 있었다. 무슨 생각에선지 방주가 가만히 지켜보기에 자기들도 참고는 있지만 속이 부글부글 끓는 것이다.

서호삼절은 쇠사슬에 손발을 묶여 있는 상황에서도 갖가지 방식으로 몸을 비틀어서는 번개처럼 수결을 했다.

나는 흡족한 표정이 되어 괴황지 석 장을 품속에 잘 갈무리했다. 그리고 방철산을 돌아보며 다시 한번 정중하게 포권을 쥐고 말했다.

"기다려 주셔서 감사합니다."

"귀하와 서호삼절의 관계는 나도 잘 알고 있소. 하지만 이건 어디까지나 서쌍교방의 일. 더 이상 참견하면 아무리 천룡표국의 사공자라고 해도 그냥 넘어갈 수 없소이다."

"이를 말씀입니까. 저도 남의 방파 일에 함부로 끼어들 생각 눈곱만큼도 없습니다. 그것도 항주 사대 흑도방파 중 한 곳의 반역에 관한 일을……"

"하면 저들을 어떻게 구해내겠다는 뜻이오?"

방철산은 처음부터 자신이 있었던 것이다. 내가 신분을 들킨 이상 무력으로는 저들을 데려가지 못할 거라는 걸. 그래서 내가 서호삼견과 무슨 짓을 하든 참고 기다려 준 것이다. 마지막 승자는 결국 자신이 될 테니까.

"서호삼절 선배님들께서 진왕가의 공주마마를 지켜 드리기 위해 백백곡의 살수들과 싸운 일도 잘 알고 계실 겁니다. 지금도 만날 때마다 공주마마께서 세 분의 안부를 제게 물어보곤 하시죠. 올겨울에도 항주로 오실 텐데, 세 분께서 잔혹하게 처형당해 죽은 줄 알면 많이 섭섭해하시겠군요."

"……!"

"두 당 금전 백 냥씩 모두 삼백 냥 드리겠습니다. 그 돈 받고 넘기려면 넘기시고 아니면 마십시오. 제가 드릴 말씀은 이게 끝입니다."

공주는 방철산에게 수하들 앞에서 한발 물러날 명분을 주기 위한 것일 뿐, 내가 진짜로 휘두른 칼은 금전 삼백 냥이었다.

금전 삼백 냥은 서쌍교방의 일 년 치 총수입과 맞먹는 거액이었다. 동호교방과의 전쟁을 앞두고 있다면 그 돈은 피 같은 전쟁 자금이 될 것이다.

방철산과 서호삼견을 비롯해 뇌옥 안에 있는 흑도들 전부가 쩌정쩡 얼어붙어 버렸다.

승부는 그걸로 끝이었다.

장원 곳곳에서 온갖 봄꽃 향기가 진동하는 밤이었다.

표왕부에서는 이종산을 필두로 총표두와 대장궤는 물론 칠당의 당주들 전부가 참석하는 장로회의가 열렸다.

회의는 언제나 그렇듯이 손지백의 현황 보고를 겸한 안건 상정으로 시작되었다. 한데 오늘은 작년의 상황들을 먼저 총체적으로 보고하느라 내용이 좀 길었다.

"……정리를 하자면 작년에 비룡당주가 세운 개봉 분타와 의빈 분타, 그리고 강룡당주가 세운 백양 분타와 복룡당주가 세운 남평 분타로 말미암아 천룡표국은 이제 대륙 전역에 스물한 곳의 분타를 거느리게 되었습니다."

내가 강호를 돌아다니며 온갖 위험한 표행들을 하는 동안 이갑룡과 이을룡도 탱자탱자 놀고만 있지는 않았다. 그들도 나름대로 치열하게 자신들의 역할을 했다.

호광성 남쪽의 백양 분타와 복건성 북쪽의 남평 분타가 그 결과였다. 다만 두 곳 모두 외가의 전폭적인 지원을 등에 업고 세웠다며 이런저런 뒷말이 좀 들리는 실정이었다.

그러나 표국의 세를 확장하는 일이라는 게 어차피 인맥을 기반으로 이루어지는 것이다 보니 그 노력마저 깎아내릴 건 아니었다. 당장 나부터도 도화곡의 적극적인 지원이 없었더라면 사천성 의빈에 분타를 세울 생각도 못 했을 것이다.

이런 와중에 분타를 세우기는커녕 마교에 납치당했다가 가까스로 구출되기나 했던 이병룡은 표정이 시무룩해졌다.

"그러나 가장 괄목할 만한 건 역시 장강에 일곱 척의 대형 범선을 띄운 일일 것입니다. 지난 반년 동안의 실적을 보면 범선 한 척이 능히 분타 하나와 맞먹는 운송량과 수입을 보여주었습니다. 이로 말미암아 천룡표국은 동서 물류 운송의 획기적인 전환을 맞았으며, 명실공히 천하

삼대표국의 반열에 올랐습니다.”

몇 년 전까지만 해도 천룡표국 앞에는 두 가지의 수식어가 따라붙었다. 표왕 이종산이 국주로 있는 곳이라는 말과 절강성 제일의 표국이라는 말이었다.

하지만 사실 절강성은 대륙을 통틀어 가장 작은 성(省)에 불과했다. 대륙의 한가운데 있는 호광성은 절강성보다 무려 네 배나 컸고, 가까운 남직예성도 두 배 이상 컸다. 다만 절강성은 경항대운하의 출발지이자 강남북 교류의 주요 거점인 항주를 품었다는 것이 큰 축복이었다.

그런 절강성을 대표하던 천룡표국이 천하삼대표국의 반열에까지 올랐다는 말에 너 나 할 것 없이 잠시 숙연해졌다.

“하지만 이제 시작에 불과합니다. 지금도 몰려드는 의뢰와 가을철 미곡 운송에 대비하려면 표사와 쟁자수들을 대폭으로 늘려야 합니다.”

“어느 정도나 늘려야 할 것 같습니까?”

손지백의 긴 설명에 이은 이종산의 첫 번째 질문이었다.

사람들은 긴장된 표정으로 손지백의 입을 바라보았다.

표사와 쟁자수들의 증원은 진작부터 모두가 공감하고 또 요청해 오던 바였다. 이에 이종산의 특명을 받은 곽석산과 손지백이 밤마다 각 당의 장계들을 불러다 열심히 주판을 튕겼다는 것도 알고 있었다.

“오랜 시간 검토한 결과 일차로 표사 삼백 명과 쟁자수 오백 명을 더 증원해야 한다는 게 저와 총표두의 판단입니다.”

조용한 가운데 모두가 당혹스러운 표정들을 지었다. 평소의 증원과 다를 거라는 건 예상했지만 이 정도로 많을 줄은 몰랐던 것이다. 작년에 한차례 제법 큰 규모로 증원을 했던 터라 더욱 그랬다. 이제 시작에 불과하다는 손지백의 말이 괜한 구호가 아니었다.

"이 정도 숫자를 기존의 일곱 개 당이 감당할 수는 없을 것입니다. 하여 새로운 당을 하나 더 만들자는 게 오늘의 가장 중요한 안건입니다."

이병룡과 내가 이끌고 있던 두 개의 각이 당으로 승격을 한 게 불과 작년이었다. 한데 또 하나의 당을 더 만들면 팔당이 된다.

그 말은 곧 지금처럼 표왕부에서 수시로 열리는 장로회의에 또 한 명의 새로운 인물이 참석하게 된다는 뜻이었다. 또한 주도권을 놓고 벌이는 당주들 간의, 특히 사형제 간의 치열한 경쟁이 새로운 국면을 맞게 된다는 걸 의미하기도 했다.

부쩍 심화된 인적 자원의 편중으로 말미암아 새 당주는 기존의 당주들이 거느리고 있는 표두나 각주들 중에서 선발될 수밖에 없다. 각 당의 당주들은 자기 휘하에 있던 표두나 각주를 여덟 번째 당의 당주로 밀기 위해 치열한 눈치 싸움을 벌일 것이다.

"적당한 인물이 있으면 추천들 해보세요."

이종산이 사람들을 쓰윽 훑어보며 말했다. 예상했던 대로 모두가 서로의 눈치만 볼 뿐 섣불리 입을 열지 못했다.

이종산이 웃으며 말했다.

"눈치 보지들 말고 편안하게 말씀해 보세요. 지금 이 자리에서 결정할 것도 아니거니와 어차피 후보들의 면면은 상관들이 가장 잘 알지 않겠습니까?"

"국주님께서 그리 말씀해 주시니 염치 불고하고 제가 먼저 휘하에 데리고 있는 일각주를 천거해 보겠습니다."

"황룡당의 일각주라면 옥수검(玉手劍) 소광정을 말씀하시는 겁니까?"

"그렇습니다. 무공도 출중하거니와 지도력과 포용력 또한 뛰어납니다. 무엇보다 천룡표국을 향한 충성심이 남다르지요."

"옥수검의 실력과 충정이야 두말할 것도 없지요. 서른 살 무렵 표사로 들어와 지금에 이르기까지 저도 이십 년을 지켜보았습니다."

이종산의 후한 평가에 곽석산과 손지백이 고개를 끄덕이며 수긍했다. 옥수검은 나도 잘 아는 인물로 이종산의 말처럼 충분히 훌륭한 각주이자 표두였다.

황자충을 시작으로 양진각, 유지평, 이갑룡, 이을룡, 이병룡이 차례로 각자의 수하들 중 가장 빼어나다 싶은 인물들을 추천했다. 한 명 한 명의 이름과 천거하는 이유가 당주들의 입을 통해 흘러나올 때마다 이종산과 곽석산과 손지백이 고개를 끄덕였다. 그만큼 우열을 가리기가 어려웠다.

"너는 누구를 천거하겠느냐?"

내 차례가 되어도 말을 않자 이종산이 먼저 물어왔다.

나는 잠시 사람들을 둘러본 후 천천히 말했다.

"실력과 충성심 모두 출중하여 어떤 분을 당주로 모셔도 손색이 없을 것입니다. 그래도 구태여 한 명을 고르자면…… 복룡당의 장량기 표두를 추천하고 싶습니다."

누구를 당주로 임명하느냐 하는 문제를 판별함에 있어서 나만큼 정확한 판단력을 가진 사람은 없을 것이다. 나는 방금 여섯 당주들이 말한 표두들의 미래를 전부 알고 있었다. 그들 중 누군가는 천룡표국을 위해 큰일을 하고, 누군가는 표행 중 목숨을 잃으며, 누군가는 배신을 하고 떠난다.

장량기는 전자였다. 하지만 그런 얘기들을 일일이 해줄 수는 없는 노릇이었다.

사람들은 모두가 놀란 표정들을 지었다. 내가 비룡당의 인물이 아닌, 가장 앙숙 관계에 있는 이을룡 휘하의 표두를 추천할 줄 몰랐기 때문이었다. 그런 연유로 이을룡이 누구보다 어리둥절해했다.

이종산이 다시 물었다.

"어찌하여?"

"저는 첫 번째 표행을 장량기 표두와 함께했습니다. 그때 화조신옹의 갑작스러운 출현으로 말미암아 모두가 죽을 위기에 처했었죠. 위기의 순간 그가 보여준 침착한 지도력과 표행을 책임진 표두로서 마지막까지 표물을 포기하지 않으려던 모습을 똑똑히 기억하고 있습니다. 그런 인물이라면 새로운 당을 충분히 잘 이끌 수 있을 것입니다."

"네가 데리고 있는 인물을 천거할 줄 알았더니만. 사실은 총표두께서도 비룡당의 가불염 표두를 천거하셨느니라."

모두가 눈동자를 빛냈다.

가불염은 수년 전 곽석산이 외부에서 데려온 표두였다. 천룡표국에 뿌리내린 세월도 짧거니와 나이 또한 너무나 젊었다. 복룡당의 장량기도 마흔 초반으로 다른 당주들이 추천한 표두들에 비해 훨씬 젊었는데, 가불염은 그런 장량기보다도 열 살이나 젊었다. 그러나 누구도 반론을 제기하지 못했다. 내가 외부의 단발성 표행들을 하고 다니는 동안 가불염이 사실상 비룡당을 이끌었는데, 그때 그가 보여준 실력이 워낙 출중했기 때문이다.

특히 공물 운송과 장강의 범선을 통한 운송이라는 두 개의 엄청난 물동량이 갑자기 주어졌음에도 불구하고 비룡당의 역량을 최대한 끌어내 그 모든 것들을 전부 소화하는 지도력을 보여주었다. 오죽하면 곽석산이 다른 표국에서 일하는 그를 설득해 데려왔겠나.

"그는 다른 자리에 추천하고 싶습니다."

"어떤 자리를 말하느냐?"

"비룡당의 새로운 당주입니다."

고요하던 장내에 한줄기 태풍이 몰아쳤다.

이종산의 얼굴에서 웃음기가 사라졌다. 곽석산과 손지백을 비롯한 육당의 당주들까지 전부 굳은 표정이 되어 나를 보았다.

나는 가만히 자리에서 일어났다. 그리고 이종산을 향해 한차례 포권지례를 한 후 오랫동안 준비해 온 말을 꺼냈다.

"천룡표국을 떠나 독립을 할까 합니다. 대부분의 표사와 쟁자수들이 동참을 약속했지만, 연로한 부모님들 때문에 천룡표국에 남아 있을 수밖에 없는 표사와 쟁자수가 백여 명 정도 됩니다."

"그게 무슨 말이야!"

난데없이 이병룡이 갑자기 내 말을 자르고 들어왔다. 이종산의 면전이라 최대한 자제했지만, 목소리에는 노기가 가득했다.

나는 무시하고 조용히 하던 말을 이어갔다.

"가불염 표두는 처음부터 저와 함께 비룡당을 만들고 키운 사람입니다. 비룡당의 일과 사정을 속속들이 알고 있지요. 부디 그에게 비룡당을 맡겨 남은 사람들을 잘 돌볼 수 있도록 해주십시오."

"갑자기 왜 이러는 거냐!"

이병룡이 다시 한번 신경질적으로 물었다. 놀라긴 다른 사람들도 마찬가지여서 모두가 두 눈이 빠질 것처럼 튀어 나왔다. 특히 나를 경쟁자로 여기며 치열하게 싸움을 걸어 온 이갑룡, 을룡, 병룡은 날벼락이라도 맞은 것 같은 얼굴이었다.

나는 모두가 불가능하다고 했던 표행들을 성공적으로 이끌며 비룡당을 천룡표국 제일의 당으로 키워냈다. 네 명 형제들 중 이종산의 뒤를 이어 유일하게 사대명표 중 한 명으로 불리게 되었으며, 유력한 외가가 없는 대신 무림맹과 남궁세가의 강력한 지지도 얻었다. 그 바람에 천룡표국의 표사와 쟁자수들은 물론이거니와 강호의 모든 사람들조차 장차 내가 천룡표국을 물려받게 될 거라고 했다. 한데 탄탄대로를 눈앞에 두고 갑자기 독립을 선언했으니 다들 놀라 나자빠질밖에.

그러나 누구보다 놀란 사람들은 이종산과 곽석산과 손지백이었다. 그중에서도 특히 이종산의 얼굴은 뭐라 설명할 수가 없었다. 하지만 놀란 가운데에도 한줄기 담담해하는 빛이 엿보였다. 아무래도 비룡당에서 도는 소문을 듣고 어느 정도 짐작을 했던 것 같다.

열흘쯤 전 나는 전립성과 가불염과 용소백과 삼각의 각주들을 모아 놓고 천룡표국을 떠나 독립하겠다는 뜻을 내비쳤다. 예상했던 대로 발칵 뒤집혔다. 절대 안 된다며 나를 설득하는 그들을 나 역시도 밤새 설득했다.

그리고 새벽이 되어 정 그렇다면 자신들도 주변을 정리한 후 함께 가겠다는 가불염과 용소백을 설득하느라 또 몇 날 며칠을 보냈다.

가불염에게는 비룡당의 남은 표사들을 지켜줄 사람이 있어야 한다는 말로 설득했고. 용소백에게는 조부 때부터 천룡표국을 지켜온 터줏대감이시니 여기서 생을 마쳐 달라는 말로 설득했다. 어딘가를 가서 새로운 출발을 하기에 용소백은 나이가 너무 많았다. 그리고 며칠 전부터는 삼각의 각주들을 통해 표사와 쟁자수들에게 나와 함께 갈 것인지 천룡표국에 남을 것인지를 묻도록 했다.

절대 비밀로 하라고는 했지만, 질문의 내용이 워낙 충격적이다 보니 완벽하게 지켜질 수는 없는 노릇이었다.

"천룡표국엔 훌륭한 인재와 좋은 표사들이 너무나 많습니다. 제가 아니어도 아무런 문제가 없는 반면, 제가 있어도 딱히 더 나아질 것이 없습니다."

"너 머리가 어떻게 된 거냐?"

당황한 와중에도 열심히 머리를 굴리는 게 보이는 이갑룡이나 이을룡과 달리 이병룡은 머릿속의 생각을 여과 없이 그대로 내뱉었다. 그는 나의 독립을 진심으로 안타까워했다. 환생을 했을 당시에는 나를 가장 괴롭혔던 인간이 지금은 오히려 그 반대였다.

나의 부재를 애석하게 생각해 주는 사람이 있으니 왠지 마음이 뿌듯했다. 특히 이 몸의 원래 주인인 진짜 이정룡에게 무언가 빚을 조금은 갚은 기분이었다.

나는 이갑룡, 이을룡, 이병룡이 앉아 있는 왼쪽과 황자충, 양진각, 유지평이 앉아 있는 오른쪽을 향해 번갈아 허리를 숙이며 포권지례를 올렸다.

"천룡표국에 남아 있을 표사와 쟁자수들을 잘 부탁드립니다. 비록 당은 다를지언정, 위기의 순간엔 모두가 생사고락을 함께했던 동료들임을 잊지 말아주십시오."

"집어치워! 사람 약을 바짝 올려놓고 그냥 가버리면 어쩌자는 거

냐? 때가 되면 우리 네 형제들 중 세 명은 어차피 천룡표국을 떠나야
한다. 그러니 남아서 마지막까지 자웅을 겨루고 가라. 너와 실력으로
멋지게 한번 붙고 싶단 말이다!"

더는 참지 못한 이병룡이 자리에서까지 벌떡 일어나며 외쳤다. 그러
자 바로 옆에 앉아 있던 이을룡이 그를 조용히 나무랐다.

"자중해라!"

"왜요? 눈엣가시 같은 녀석이 독립한다니까 옳다구나 싶습니까?"

"이병룡!"

이갑룡이 짧고 굵은 목소리로 이병룡의 이름을 불렀다. 그리고 큰형
답게 낮지만 묵직한 목소리로 나무랐다.

"지금은 국주님과 여러 선배 당주들을 모시고 장로회의를 하고 있
는 중이다. 정룡이도 비룡당주로서 보고를 올리는 것이고. 우리끼리 자
리를 만들 테니 하고 싶은 말이 있으면 그때 실컷 해라."

지극히 옳으면서 합당한 말이었다.

이병룡은 사람들을 슬쩍 보더니 더는 대꾸를 못 하고 자리에 앉았
다. 그리고 화가 가라앉지 않는지 콧김을 펑펑 뿜어댔다.

나는 마지막으로 이병룡을 한번 골려 주고 싶은 마음에 기름을 확
부어보았다.

"셋째 형님은 다 나쁜데 특히 일단 저지르고 보는 그 성질머리가 제
일 나쁩니다. 그러니 마교 놈들에게 납치나 당하지요. 큰 형님과 둘째
형님을 꺾고 천룡표국을 물려받으시려면 그 버릇 꼭 고치십시오."

"저 자식이 근데!"

"오늘 장로회의는 이것으로 끝내도록 하지."

마지막 말은 이종산의 입에서 나직하게 흘러나온 것이었다. 축객령이었다.

　모두가 자리에서 일어나 밖으로 나가려는 그때, 이종산이 나를 붙잡았다.

　"비룡당주는 남으라."

　숨 막히는 침묵이 흘렀다. 시비가 다가와 다기들을 가져가고 대신 술을 내왔다.

　술 한 병이 다 비어가도록 이종산은 말이 없었다. 격정으로 끓어오르는 마음을 가라앉히려 노력하고 있는 것이다.

　나는 조용히 때가 되기를 기다렸다. 이윽고 이종산의 입이 다시 열렸다.

　"접어라."

　"안 됩니다."

　"아비가 명령하는데도?"

　"제 인생입니다."

　"왜 떠나려고 하는지 알고 있다. 천룡표국은 모두를 위해 가장 강하고 유능한 사람이 이끌어야 하고, 골육상쟁은 우리 가문 남자들의 숙명이다. 너도 그만 받아들여라."

　"싫습니다."

　"못난 놈!"

　이종산이 이글거리는 눈빛으로 나를 노려보았다. 나도 지지 않고 이종산을 똑바로 바라보았다.

어차피 이 싸움은 내가 이길 수밖에 없다. 다만 나를 포기하지 않으려는 이종산의 마음을 확실하게 꺾어놓아야 한다. 그래야 그가 이 상황을 받아들일 수 있을 테니까.

한참이 지나자 이종산의 눈빛이 다시 부드러워졌다. 순간 나는 알 수 있었다. 그는 처음부터 지금의 상황을 받아들였다는 걸. 다만 먼 길을 가려는 아들의 각오가 얼마나 단단한지를 확인하고 싶었을 뿐.

"갈 곳은 정했더냐?"

"장안으로 갈 생각입니다."

장안은 서안(西安)의 옛 지명으로, 대륙의 중앙을 가로질러 항주와 정확히 반대쪽에 위치한 천년고도였다.

항주가 강남의 풍부한 물자를 강북으로 운송하는 주요 거점이라면, 장안은 서역으로 이어지는 고대 무역로의 출발지이자 종착지로, 이국의 온갖 물건들이 중원으로 들어오는 거점이었다.

항주의 물동량과 비교하면 십여 년 전까지만 해도 거의 막상막하라는 게 세간의 평가였다. 그러나 고대의 무역로가 점점 확장되고 대상(大商)들이 많아지면서 유례가 없는 전성기를 맞는 중이었다.

그걸 증명하기라도 하듯 천룡표국과 어깨를 나란히 하는 삼대표국 중 하나가 바로 장안에 뿌리내린 북성표국이었다.

"쉽지 않을 것이다."

"각오하고 있습니다."

"언제쯤 떠날 생각이더냐?"

"가불염 표두가 비룡당을 맡게 되면 따로 인수인계할 필요가 없으니 당장에라도 떠날 수 있습니다."

"설마 아무런 준비도 없이 무작정 짐을 꾸리겠다는 건 아닐 테지?"

"오래전부터 준비를 해왔습니다. 장안의 적당한 장소에 이미 장원도 마련해 두었고요. 보름쯤 전에 완공을 코앞에 두고 있다는 보고를 받았습니다."

"장원까지 지었다고?"

"전각들은 아직 몇 개 되지 않지만 대신 장원 부지가 매우 넓습니다. 작게 시작해 크게 키우겠습니다."

"대체 누가 그 많은 것들을 준비해 주었더냐?"

"비룡전장의 장주입니다."

"마총의 보물을 처리한 돈이 어디로 사라졌나 했더니, 그리로 들어가서 엉뚱한 일을 꾸미고 있었군."

"미리 말씀드리지 못해 죄송합니다."

"항주부를 통한 공물 운송은 그렇다고 쳐도 장강의 범선들은 어떻게 할 것이냐? 그것들이야말로 연중 쉬지 않고 돈이 쏟아져 나오는 화수분인 것을."

"그래서 말씀인데, 앞으로 십 년 동안 장강의 범선들이 벌어들일 돈의 절반을 제가 미리 챙겨 가면 어떻겠습니까?"

"계산이 아주 철저하구나."

"신뢰와 친애가 지속되려면 부자간에도 계산이 정확해야 한다는 상계의 격언이 있습니다."

"나는 처음 들어보는데?"

"앞으로 유명해질 겁니다."

나의 농담에 이종산도 피식 웃고 말았다.

"장강의 범선들은 오롯이 네가 만들고 띄운 너의 작품이다. 아비는 그 배들이 천룡표국의 깃발을 달고 운행하는 것만으로 족하다. 원하는 대로 해주마."

"감사합니다."

"한데 소소는 어떻게 할 생각이더냐? 너도 남궁세가주께서 너를 손녀 사윗감으로 진작 점찍어 두었음을 모르지 않겠지? 만약 그분을 실망시키면 너와 우리 집안엔 재앙이 되실 것이다."

"며느릿감으로는 어떠신지요?"

"사람들은 천하의 누가 남궁유룡의 손녀를 며느리로 거절하겠느냐고 하지만 내 생각은 다르다. 남궁유룡이라는 이름을 앞세우지 않아도 소소는 이미 너의 배필로 과분하다."

"허락해 주셔서 감사합니다."

"수일 내로 예물을 준비해 남궁세가에 정식으로 매파를 보내마. 그 전에 소소에게 청혼을 하려면 하거라."

"매파를 보내면 그걸로 된 거 아닌가요?"

"이런 답답한 녀석이 대체 어디가 좋다고 정을 준 건지 원."

"……?"

"내일 당장 다선초당으로 가서 소소에게 청혼부터 하거라. 네가 하는 양을 보면 거절당할지도 모르니 매파는 결과를 본 연후에 보내야겠구나."

"혹시 좋은 방법이라도 있을까요?"

"요령에 기대지 말고 진심을 보여주거라. 여자 나이 스물다섯이면 반쯤은 요괴라서 사람 속을 훤히 꿰뚫어 보는 법이니라."

"알겠습니다."

"그만 가보거라."

나는 자리에서 일어나 가만히 포권지례를 올리고 돌아섰다. 아마 장로회의에 참석하는 일도, 표왕부를 찾는 일도 오늘이 마지막일 것이다.

몇 걸음을 옮겨 문을 나서려는 순간, 등 뒤로부터 이종산의 나직한 음성이 들려왔다.

"너는 나의 자부심이었다."

"……!"

"돌아보지 말고 나가거라."

나는 그가 바라는 대로 돌아서지 않았다. 대신 걸음을 마저 옮기기 전에 나도 항상 마음에 품고 있던 말을 했다.

"저는 다만 매 순간 아버지를 조금이라도 더 닮고자 노력했을 뿐입니다."

다선초당에 도착했을 때는 해가 뉘엿뉘엿 기울기 시작할 무렵이었다.

네 개의 삼 층 전각이 둘러싼 정원은 만개한 봄꽃이 뿜어내는 향기로 가득했다.

정원 쪽으로 통창을 낸 다실은 그 꽃들을 감상하려는 다객들로 또만원이었다. 돈벌이로만 따지자면 개고생하며 표행을 다니는 것보다 이게 훨씬 나을 것 같았다.

"사대명표다!"

일 층에 있던 누군가가 나를 가리키며 외친 말이었다. 그를 시작으로 여기저기서 한마디씩 보태자 다루 전체가 벌통 속에 들어온 것처럼 웅웅거리기 시작했다.

그중에서도 삼 층 귀빈실에서 함께 차를 마시고 있던 젊고, 아름답고, 부유해 보이는 대여섯 남녀들의 대화가 귓속을 파고들었다.

"사대명표 누구?"

"여기 올 만한 사대명표가 천룡표국의 풍운비룡밖에 더 있어?"

"어디요? 어디?"

"저기 지금 막 들어서는 젊은 검객 말이야."

"멋져라. 소문으로 듣던 것보다 훨씬 키도 크고 잘생겼네."

"다른 곳은 몰라도 다선초당에 와서 인물을 논하는 건 좀 아니지. 무려 창룡검 남궁세옥이 있는 곳인데 말이야."

"누가 남궁세옥 공자보다 잘생겼대요? 저만하면 어딜 가도 빠지지 않는다는 소리지. 항주의 유흥가를 섭렵하고 다니던 소싯적에는 기녀들한테 인기도 많았다잖아요."

"기녀들한테 인기가 많은 거야 돈을 물 쓰듯 썼으니 그런 것이고. 주변을 둘러보면 알겠지만 다루의 손님들 삼 할이 창룡검을 보러 온 젊은 소저들이야. 진짜 인기란 이런 것이지."

"그래도 돈은 풍운비룡이 훨씬 많을걸요. 숨은 부자가 많은 항주에서도 세 손가락 안에 드는 갑부일 거라는 소문이 있어요. 고작 서른도 안 된 나이에."

"그거야 절강성 제일 갑부라는 천룡표국주의 넷째 아들이니까 그렇지."

"순수한 비룡당의 재산으로만 그렇다더라고."

"그래?"

"그렇다니까요. 인물이 아무리 좋으면 뭘 해. 철이 조금이라도 든 여자들은 결국 돈 많은 남자한테 시집을 가게 마련인데."

"아, 이건 좀 센데."

나는 속으로 피식하고 웃었다. 어차피 인물이나 멋지기로는 천하의 어떤 후기지수도 남궁세옥을 당할 수가 없다. 돈으로라도 그를 이길 수 있으니 기분이 썩 나쁘지는 않았다.

그때 동석하고 있던 또 다른 인물이 불쑥 끼어들었다.

"모르는 소리. 창룡검은 조부와 부친을 이어 장차 대남궁세가의 가주가 될 신분, 비룡당이 아무리 커도 어찌 남궁세가에 비하리오."

"반박 불가."

"이게 정답이지."

"그건 그러네요."

계속 있다가는 봉변만 당할 것 같다.

아무나 붙잡고 물어보려는 찰나 때마침 남궁세옥의 호위무사 동천이 환하게 웃으며 나타났다.

"공자님, 오셨습니까?"

"여긴 항상 만원이군요."

"다 도와주신 덕분입니다."

"한 달에 얼마나 법니까?"

"예?"

"아닙니다. 세옥 형님은 어디 가셨습니까?"

"정마대전 직후 이런저런 일들을 수습하기 위해 세가로 직행하시고는 아직 돌아오지 않으셨습니다. 알고 계신 줄 알았습니다만."

"몰랐습니다."

"그러셨군요."

"간만에 술이나 한잔할까 해서 찾아왔더니만. 그냥 돌아가야 하나."

"기왕에 오셨으니 후원으로 가셔서 아가씨라도 뵙고 가시지요."

"그럼 그럴까요?"

"마침 공자님과도 친분이 깊으신 손님들께서 와 계십니다. 오신 줄 알면 모두 반가워하실 겁니다."

"손님들요?"

"안내하겠습니다."

"혼자 가겠습니다."

"좋을 대로 하시지요."

다루와 분리된 후원으로 갔을 때는 생각지도 못한 사람들에 의한 상상도 못 한 광경이 펼쳐지고 있었다.

가장 먼저 눈에 띈 사람은 조영영이었다. 그녀는 의자며 탁자가 이리저리 쪼개져 나뒹구는 가운데 우물가에 주저앉아 있었다. 한 손엔 검을 쥐었는데, 어디를 어떻게 당했는지 옷이 흠뻑 젖은 채로 숨조차 제대로 쉬지 못했다.

조금 떨어진 곳에서는 당군백이 맨땅에 대자로 누운 채 하늘을 올려다보며 숨을 꺽꺽 몰아쉬는 중이었다. 그녀의 손에도 협봉검이 들려 있었으나 중단이 반쯤 터져 나가 버린 상태였다. 중병기나 내공이 실린 도검에 당한 듯했다.

그리고 마당 한가운데는 남궁소소가 한쪽 무릎을 꿇고 장검을 바닥에 꽂은 채 역시나 거친 숨을 몰아쉬는 중이었다. 몸에선 땀을 비 오듯 흘렸는데, 이마며 얼굴에 어지럽게 달라붙은 머리카락들이 격전의 치열함을 말해주었다.

"소저!"

목구멍이 찢어져라 외치자 세 여자가 동시에 고개를 들어 나를 보았다. 나는 세 여자들 중 누구에게 먼저 달려가야 할지 판단이 서질 않았다. 만약 지금이 표행 중이고 저들이 비룡당의 표사들이라면 가장 가까운 곳에 주저앉아 있는 조영영에게 먼저 달려갔을 것이다.

문득 어젯밤 이종산에게서 들었던 말이 떠올랐다.

"요령에 기대지 말고 진심을 보여주거라. 여자 나이 스물다섯이면 반쯤은 요괴라서 사람 속을 훤히 꿰뚫어 보는 법이니라."

"소저!"

나는 다시 한번 목놓아 외치며 조영영과 당군백을 모두 지나쳐 남궁소소에게로 가장 먼저 달려갔다. 이어 그녀를 황급히 부축해 일으킨 후 몸 이곳저곳을 살피며 물었다.

"대체 무슨 일이 있었던 거요?"

남궁소소는 내 품에 반쯤 안긴 채 눈을 동그랗게 떴다. 그때 다루와 연결된 후원의 문이 벌컥 열리면서 소반을 든 매소옥이 종종걸음으로 들어왔다.

"다들 차 한 잔씩 드시고 수련하세요. 엇, 공자님!"

"수련?"

나는 어리둥절한 얼굴이 되어 다시 남궁소소를 돌아보았다.

남궁소소가 나를 확 밀치더니 옷에 묻은 먼지를 툭툭 털면서 일어났다. 이어 양쪽 뺨에 달라붙은 머리카락들을 귀 뒤로 새치름하게 걷어 올리고는 말했다.

"비무를 하다 막 끝나서 잠깐 쉬는 중인데 웬 호들갑이세요?"

그때쯤엔 우물가에 앉아 헐떡이던 조영영도, 맨땅에 대자로 누워 끅 꺽거리던 당군백도 차례로 일어나 옷을 털어댔다.

"무슨 비무를 이렇게 왁자지껄하게 하는 거요?"

"비무도 실전처럼 해야 실력이 늘죠."

눈치를 보아하니 남궁소소가 혼자서 조영영과 당군백의 협공을 막아내는 식으로 비무를 했던 것 같다.

정신을 차리고 보니 다른 두 여자가 이곳에 있는 이유도 이해가 갔다. 조영영은 오래전부터 매소옥의 절친한 친구였고, 당군백은 남궁소소와 용봉지회의 가장 가까운 선후배 사이였다.

"그래서 누가 이긴 거요?"

"소소 선배가요."

"비겼어요."

당군백과 남궁소소가 거의 동시에 한 말이었다. 두 사람은 잠시 서로를 보았다. 또 말이 겹칠세라 당군백이 얼른 다시 말했다.

"소소 선배가 이겼어요. 저와 조영영 선배가 오늘만 벌써 세 번이나 협공을 했는데 도저히 당할 수가 없더라고요."

"그건 네가 장기인 암기와 독공을 쓰지 않았기 때문이지. 조영영 소저도 최선을 다해 수향문의 진신검법을 펼치지 않으셨고."

"선배야말로 스스로 창안한 유가(儒家)의 검법만 펼쳤잖아요. 만약 남궁세가의 제왕검을 펼쳤다면 저나 조영영 선배가 백 초식도 버티지 못했을 거예요."

조영영이 가만히 듣고 있다가 그 말이 맞다는 듯 고개를 끄덕였다.

옆에서 뒷짐을 지고 서 있던 내가 무심코 말했다.

"구관이 명관이군."

순간, 남궁소소가 가자미눈을 뜨고 나를 노려보았다. 경험이 많아서 실력도 출중하다는 뜻인데, 나이가 셋 중 가장 많다 보니 속으로 뜨끔한 게 있었나 보다.

나는 얼른 같은 방향에 서 있는 조영영과 당군백을 돌아보며 화제를 돌렸다.

"마침 잘되었군. 안 그래도 다들 한 번씩 뵀으면 했는데. 중요한 약속들 없으시면 오늘 저녁 백선반점에서 술이나 한잔합시다. 내가 사겠소. 엄청 비싼 걸로다가."

이어 옆에 있는 매소옥을 돌아보며 덧붙였다.

"매 소저도 꼭 참석해 주시오."

자기만 빼놓는 줄 알고 잠시 시무룩해 있던 매소옥이 영문도 모른 채 환하게 웃었다.

어리둥절해하는 조영영과 당군백을 뒤로하고 남궁소소가 내게 물었다.

"무슨 일인데 그래요?"

"조만간 항주를 떠날까 하오."

"난 안 갈래요."

"느닷없이?"

"느닷없이 왜 나타났나 했더니 어리숙한 객표를 구하러 오셨고만. 이번엔 또 어떤 골치 아픈 의뢰를 받았는지 모르겠지만 어림 반 푼어치도 없어요. 혼자 가세요."

"다른 때는 오지 말래도 오더니."

"돈 버는 재미에 한동안 철없이 따라다녀 봤는데 아무래도 아닌 것 같아요. 계속 그러다간 제명에 못 죽을 것 같아요."

"장안으로 갈 거요."

"이것 보라지."

"비룡당의 표사와 쟁자수들 전부 이끌고."

"축하드려요. 돈 좀 만지시겠네요."

"가서 새로운 표국을 세울 거요. 비룡표국이라고."

"하다하다 이젠 표국까지 대신 세워…… 뭐라고요?"

"천룡표국을 떠나 독립을 하기로 했소. 장소는 장안이고 새로 세울 표국의 이름은 방금 말했다시피 비룡표국이오. 장원도 이미 다 지어놨고."

남궁소소를 시작으로 조영영, 당군백, 매소옥은 깜짝 놀란 얼굴을 한 채 그대로 뻣뻣하게 굳어버렸다. 그 와중에 매소옥이 혼잣말처럼 중얼거렸다.

"비룡표국은 이미 있는데……."

"얼마 전까지 항주의 부유한 장원들만 전문적으로 보호하는 작은 표국이 있었소. 한데 지난겨울에 쫄딱 망해 버렸지."

"왜요?"

"천룡표국과의 경쟁에서 패한 금룡표국이 비룡표국과 거래하고 있던 장원들을 전부 먹어버렸거든."

"그런 일이 있었군요."

"해서 내가 얼른 가져다 쓸 작정이오. 내 별호랑도 맞아떨어지고."

"좋은 일인 거죠?"

"물론이오."

"축하드려요."

"고맙소."

"저는 안 될 것 같아요."

갑자기 대화를 자르고 들어온 사람은 조영영이었다. 모두의 시선이 자연스럽게 그녀를 향했다.

"중요한 약속이 있어서요. 대신 공자님께서 표사들을 이끌고 천룡표국을 떠나시는 날 꼭 배웅 나갈게요. 예당서원의 다른 동문들과 함께요."

나는 조영영과 이정룡이 예당서원에서 동문수학한 사이라는 걸 다시 기억해 냈다. 같은 동문으로는 용무관의 진금봉, 삼양문의 곽극산, 웅조문의 노효광, 진검문의 능천비, 철사문의 등가걸 등이 있었다. 이들은 모두 항주 무림의 젊은 후기지수들로, 이병룡의 이십 년 지기 친구들이기도 했다. 이병룡이 마교에 납치를 당했을 때도 발 벗고 나서주었던 바로 그 친구들.

조영영은 지금 예당서원에서 함께 수학한 동문으로서 나와 마지막이 될 작별 인사를 하겠다고 말한 것이다.

"그럼 이만 가볼게요."

조영영이 나와 남궁소소에게 번갈아 포권지례를 한 후 홀연히 후원을 떠났다. 무슨 이유에선지 매소옥이 걱정스러운 표정으로 얼른 조영영을 따라갔다.

"저도 항주를 떠나는 날 뵐게요. 셋이 어떻게 나란히 앉아 아무렇지도 않은 척 술을 마셔요? 됐어요. 안 할래요."

당군백도 한마디를 휙 던져놓고는 조영영을 따라 쏜살처럼 사라졌다.

남궁소소가 여자들이 사라진 쪽을 보며 안타깝다는 듯 말했다.

"바보 같은 녀석들."

"뭘 말이오?"

"몰라서 물어요?"

"아는데 왜 묻겠소?"

"계속 모르세요. 알아도 모른 척하고요. 그것보다 갑자기 왜 독립을 하겠다는 건데요? 하필이면 그 먼 장안까지 가서."

"오래전부터 준비한 일이오."

"그러니까 오래전부터 갑자기 왜 그런 결정을 했냐고요. 나한테는 한마디 상의도 없었잖아요."

"지금 하잖소."

"내가 가지 말라면 안 갈 건가요?"

"그건 아니오."

"그게 무슨 상의예요."

"그래서 같이 안 갈 거요?"

"하물며 표행도 아닌데 더더욱 내가 왜 따라가요?"

"표행이 아니니까 함께 가자는 거요."

"……?"

"사흘 후 큰어머니께서 남궁세가로 정성껏 준비한 예물과 함께 매파를 보내실 거요. 금지옥엽으로 키운 귀한 손녀를 천룡표국의 넷째 며느리로 달라고."

남궁소소는 전혀 놀라지 않았다. 오히려 그 어느 때보다 평온하고 침착한 모습이었다. 내가 생각했던 것과는 완전히 다른 반응이었다.

"왜 아무 말이 없는 거요?"

"귀한 말씀 잘 들었고요. 이제 그만 가보세요."

"그게 끝이오?"

"네."

"나 지금 소저에게 청혼을 하는 거요."

"알아요."

"알면서 대답도 안 주고 그냥 가라고?"

"난 아직 마음의 준비가 안 되어 있어요."

"왜?"

"한 번도 생각해 본 적 없거든요."

"이제 와서?"

"고백을 받아본 적도 없는데 귀하가 날 어떻게 얼마나 좋아하는 줄 알고 혼자 혼인까지 생각했겠어요? 주책맞게시리."

이제야 왜 그러는지 알겠다. 쉽게 말해 고백부터 하고 그다음에 정식으로 청혼을 하라는 거다. 항상 느끼는 거지만 여자들의 머릿속은 복잡하기 짝이 없다.

"고백은 목련잠을 줄 때 하지 않았나?"

"그땐 내가 했거든요."

"좋아한 건 내가 먼저였다고 한 것 같은데."

"좋아한단 말 말고 사모한다고 해야죠. 앞에 예쁘고 진심이 느껴지는 말들이 몇 개 붙으면 더 좋고요."

나를 빤히 올려다보는 남궁소소를 지그시 바라보며 잠시 어색한 침묵이 흘렀다. 몇 번이나 말을 하려고 했지만, 희한하게 목구멍 아래에서 깔짝거리기만 할 뿐 그 위로 절대 올라오지를 못했다.

"이게 원래 이렇게 어려운 말이었소?"

"이제 내가 왜 그 말을 듣고 싶어 하는지 알겠어요?"

"어쨌든 내 마음은 진짜요."

"어떻게 증명할 건데요?"

남궁소소의 손을 덥석 잡아 내 왼쪽 가슴에 척 붙였다. 그리고 어느때보다 진지한 음성으로 말했다.

"두근대는 내 심장이 증거요."

"안 두근대는데요."

"그럴 리가 없을 텐데."

"전혀 두근대지 않아요."

나는 얼른 남궁소소의 손을 치우고 내 손을 가져다 대보았다. 그녀의 말대로 정말 하나도 두근대지 않았다. 아까부터 입안이 이렇게 바짝바짝 마르는데도 심장만큼은 천하태평이었다.

천부교활교경의 영기 때문이었다. 천마대충에서 살아나온 후 각성을 했는지 어쨌는지 나는 완전히 다른 인간이 되어 있었다. 어지간한 일에는 놀라는 법이 없으며 무섭거나 두려운 일도 없어졌다.

'하필 이럴 때.'

그때 남궁소소가 자신의 두 손으로 내 양쪽 뺨을 딱 잡았다. 그러고는 다짜고짜 앞으로 끌어당겼다. 훅 풍겨오는 꽃향기가 아찔하게 느껴지는 순간, 그녀의 부드러운 입술이 내 입술에 닿았다. 이어서 따뜻하고 촉촉하고 달콤한 무언가가 입술을 비집고 들어오려고 했다.

화들짝 놀란 나머지 나도 모르게 입을 꼭 다물었다.

남궁소소가 잠시 내 얼굴을 밀어서 떼어놓더니 협박조로 말했다.

"입 벌려."

"······!"

그러고는 다시 내 얼굴을 잡아당겨 입맞춤을 이어 나갔다.

머릿속에서 천둥소리가 꽝꽝 울리며 하늘이 노래졌다.

전생과 현생을 통틀어 여자와 입을 맞춰본 건 지금이 처음이었다. 심지어 다른 남자와 여자가 입 맞추는 걸 본 적도 없었다.

정신이 아득해지면서 이러다 까무러치는 게 아닐까 싶을 때쯤이 되어서야 나는 비로소 풀려날 수 있었다.

남궁소소는 소맷자락으로 자신의 입술을 한차례 쓰윽 닦은 후 내 왼쪽 가슴에 다시 손바닥을 가져다 댔다.

"아주 터지겠네."

"······?"

"고백은 이걸로 받은 셈 칠게요. 혼인하면 돈 많이 벌어다 줘요. 그렇게 안 보이겠지만 나 사실은 돈 엄청 좋아하는 여자예요."

"그렇게 보이오."

"이제 진짜 가봐요."

"조금 더 놀다 가겠소."

"빨리 가요. 어색해 죽겠단 말이에요."

"기왕 어색해진 거 한 번만 더 합시다."

이번엔 내가 남궁소소의 양쪽 뺨을 잡고 내 얼굴을 가져갔다. 자고로 어렵고 힘든 일일수록 피하지 말고 맞서야 한다.

한데 남궁소소가 좀 전과 달리 나를 강하게 밀쳐내며 말했다.

"안 돼요!"

"이런, 내가 너무 앞서갔나 보오."

"여기선 안 돼요."

"음?"

"저쪽에 가면 조용하고 한갓진 곳이 있어요. 따라와요."

그러면서 남궁소소가 내 손을 잡아끌고 갔다.

천룡표국의 대마장은 이른 아침부터 표마차와 사람들로 북적거렸다. 하지만 오늘은 평소와 좀 달랐다. 말과 표마차와 사람들의 숫자가 평소에 비해 압도적으로 많았다. 비룡당이 통째로 천룡표국을 떠나 저 멀리 장안으로 가는 날이기 때문이었다.

나는 중간쯤에 서서 나와 함께 떠날 사람들을 천천히 둘러보았다. 백여 명이 남기로 하고도 무려 이백여 명의 표사와 쟁자수들이 함께 떠나기로 결심을 해주었다.

떠나기로 한 사람들 중 절반이 인당 두세 명씩의 처자식을 거느렸다. 그러다 보니 전체 이동 인원은 무려 오백여 명에 달했다.

이를 위해 지난 한 달 동안 삼백 필의 말과 당나귀, 그리고 튼튼하기로 소문난 천룡표국의 표마차 백 대를 준비했다. 마차에는 사흘 정도의 식량과 천막을 비롯해 이것만큼은 죽어도 갖고 가야겠다고 하는 물건들 외에는 일절 실을 수 없도록 했다.

항주에서 장안까지는 한 달 동안 무려 삼천 리를 가야 하는 먼 길. 어지간한 가재도구는 장안에 가서 새로 장만하는 게 훨씬 싸게 먹혔다. 대신 짐들이 빠진 표마차의 빈자리에는 오랜 시간 걸어본 적이 없는 여자와 아이들을 전부 태우게 했다. 부모의 손에 이끌려 온 아이들은 영문도 모른 채 자기들끼리 표마차를 오르내리며 웃고 장난치느라 정신이 없었다.

반면에 어른들은 항주에 남을 부모 형제들과 기약 없는 만남을 얘기하며 눈물을 흘렸다. 듣지 않으려고 해도 그들이 나누는 대화가 계속해서 귓가에 들려왔다.

"이제 가면 언제 또 보니. 흑흑."

"저희끼리만 떠나서 죄송합니다, 어머니."

"우리 걱정은 마라. 그동안 네가 벌어다 준 돈으로 밭뙈기도 사고 했으니 이제 흉년에도 굶어 죽을 걱정은 없다."

"그냥 남을 걸 그랬나 봐요, 아버지."

"나약한 소리 마라! 강호의 어느 표국에서 쟁자수에게 달에 은전 다섯 냥씩을 준다더냐. 그것도 기본급으로만. 복 받은 줄 알고 가서 열심히 살아라. 너도 이제 처자식이 딸린 가장이란 걸 항상 잊지 말고."

"둘째야, 나 대신 아버지 어머니를 편안히 잘 모셔다오."

"형님, 형수님도 부디 건강하십시오."

"아버지, 어머니, 불효자식 절 받으십시오."

사람들이 남겨진 가족들과 작별 인사를 하는 걸 보면서 나는 기분이 묘했다. 저 많은 사람들의 인생이 나의 작은 판단과 행동에도 크게 달라질 수 있다고 생각하니 어깨가 한없이 무거워졌다.

"뒷짐을 지고 고개를 높이 치켜든 다음 어깨를 당당하게 펴세요. 마지막으로 눈에 힘을 팍팍 주고요."

부드러운 목소리와 함께 내 옆으로 다가와 선 아리따운 여인은 이제는 소저가 아니라 부인이 된 남궁소소였다.

그녀의 말이 이어졌다.

"내색은 하지 않지만 속으로는 모두가 앞날에 대한 두려움으로 떨고 있어요. 그들에게 수장으로서 여유와 자신감을 보여주세요."

남궁소소가 시키는 대로 가슴을 앞으로 쭉 내민 다음 고개를 빳빳하게 쳐들고 천하를 오시하듯 대마장을 쓸어 보았다. 이러고 보니 나를 지켜보고 있던 사람들이 한둘이 아니었다는 걸 알게 되었다.

남궁소소가 잘했다는 듯 웃으며 고개를 끄덕여 주었다.

그때 비룡당의 수뇌부들이 내게로 우르르 몰려왔다.

저들 중 일부는 나와 함께 가고, 일부는 천룡표국에 남을 것이다. 대충 정리를 하자면 장궤 전립성, 일각주 왕대표, 이각주 왕중표, 표사 독고완, 객표 호리독사와 여표들인 염지약, 여소옥, 운휘향 그리고 하인

장삼은 나와 함께 가기로 했다. 반면에 표두 가불염, 상자수 용소백, 삼각주 왕소표, 표사 탁중로는 남기로 했다.

왕대표 왕중표와 함께 이름까지 왕소표로 바꾸어가며 충성을 바쳤던 삼각주는 마지막까지 따라나서고 싶어 했다. 하지만 가불염에게도 믿고 의지할 사람이 필요하다는 왕대표와 왕중표의 설득에 눈물을 머금고 남기로 했다.

누구보다 나와 함께 가고 싶어 했던 사람 중에는 번견잡이 표사 탁중로도 있었다. 그는 최근에 새로 부인을 얻은 데다 악양에 있던 어린 누이와 노모까지 항주로 모시고 온 터라 또다시 먼 여행을 할 수가 없는 처지였다. 하지만 절친했던 독고완에게는 훗날 노모께서 돌아가시고 나면 좋은 곳으로 잘 보내 드린 후 남은 가족을 이끌고 꼭 장안으로 오겠다고 했단다.

"준비가 끝났습니다."

전립성이 내게 보고했다. 그의 목소리가 오늘따라 유난히 떨렸다. 평생을 바친 천룡표국을 다 늙은 지금에 와서야 떠나려고 하니 마음이 착잡한 것이다.

하지만 그는 반드시 나와 함께 가야 한다. 장궤로서 역할도 필요하지만, 그는 지금으로부터 몇 년 후 시름시름 앓다가 죽는다. 내 곁에 있어야만 그전에 병을 발견해 치료해 줄 수 있다.

나는 가불염을 돌아보며 말했다.

"신임 당주가 되신 걸 축하드립니다."

"아무리 생각해도 제겐 너무나 과분한 직책입니다. 당주님 없이 혼자 그 많은 일들을 잘 해낼 수 있을지 모르겠습니다."

"남기로 한 표사와 쟁자수들이 당주님만 바라보고 있습니다. 고개를 빳빳이 들고 어깨를 당당하게 펴세요. 눈에 힘을 빡 주고요."

나는 남궁소소가 내게 한 충고를 그대로 가불염에게도 해주었다. 그리고 작지만 모두가 들을 수 있도록 내공을 실어 말했다.

"귀하는 이미 충분히 실력을 입증했습니다. 천룡표국에서 비룡당을 가장 잘 이끌 수 있는 한 사람을 고르라면 저는 단연코 귀하를 꼽을 것입니다."

"모시게 되어 영광이었습니다."

"믿고 따라와 주셔서 고마웠습니다."

가불염이 돌연 내게서 두어 걸음 떨어져서는 자세를 바로 했다. 이어 그 역시 내공을 담아 쩌렁쩌렁한 목소리로 외쳤다.

"비룡당의 모든 표사와 쟁자수들은 천하 사대명표 중 한 분이신 전임 당주께 예를 갖추어라!"

언제부턴가 오와 열을 맞추고 서더라니, 천룡표국에 남기로 한 일백의 표사와 쟁자수들이 일제히 우렁찬 함성을 내지르며 내게 대례를 올려왔다.

"안녕히 가십시오!"

특별할 것 없는 한마디였는데도 불구하고 가슴 저 깊은 곳에서 무언가 울컥하고 북받쳐 올라왔다.

정이라는 놈은 상관과 수하들 사이에만 생기는 게 아니다. 남기로 한 사람들의 씩씩한 작별 인사에 떠나기로 한 표사와 쟁자수들이 하나둘씩 눈물을 보이기 시작했다. 오랜 시간 생사고락을 함께하다 보면 이렇게 다들 형제가 되어버린다.

그런가 하면 함께 떠나기로 한 사람들 중에는 새롭게 합류한 외부의 인사들도 있었다. 그중 단연코 사람들의 이목을 집중시킨 이들은 서쌍교방의 악명 높은 흑도들인 서호삼견이었다.

　"아직도 멀었냐? 빨리빨리 좀 가자."

　이견이 소맷자락에 양손을 푹 찔러 넣은 채 볼멘소리를 터뜨렸다. 그러자 남는 자 떠나는 자 구별할 것 없이 내 주변에 있던 모든 표사들이 눈을 희번덕거리며 이견을 노려보았다.

　행여나 불미스러운 일이 생길세라 옆에 있던 삼견이 칼등으로 이견의 옆구리를 사정없이 찌르며 대신 응징했다.

　"앗, 왜 이래!"

　"존댓말 좀 하세요. 그는 이제 우리의 주공입니다. 단순한 고용주가 아니라 목숨을 빚진 주공이라고요."

　"여태 반말을 해왔는데 갑자기 그게 되냐?"

　"그래도 해야지 어떡합니까?"

　"내 참 더러워서."

　"정 아니꼬우면 금전 백 냥을 갚으시던가요."

　"누가 안 한대? 천천히 할게, 천천히."

　저 노인네들을 종으로 부릴 생각은 없다. 오히려 연륜에 걸맞은 자리를 만들어주어 극진히 모실 생각이었다. 대신 위험하고 힘들고 어려운 일들은 좀 도맡아서 해주어야 한다.

　나는 피식 웃고는 또 다른 외부인들을 돌아보았다.

　"모두 준비되었느냐?"

　"예, 사숙!"

표사복으로 갈아입은 삼십 명의 젊은 여검객들이 둥지 속 어린 새들처럼 입을 쩍쩍 벌려가며 씩씩하게 대답했다.

그들은 범선을 타고 장강 물길을 따라오다 보름 전에서야 항주에 도착한 사천성 도화곡의 구대 제자들이었다. 그들 중에는 그림 그리는 안여여와 출중한 미모의 예홍도 있었다.

특히 예홍은 한 살 더 먹더니 미모가 가히 경국지색이라는 말을 떠올리게 했다. 그 바람에 배웅을 나온 천룡표국의 모든 표사와 쟁자수들이 그녀를 힐끔거리기 바빴다.

도화곡은 문파의 미래를 위해서라도 산중에서만 살았던 제자들이 강호무림에 적응할 수 있도록 외부활동을 적극 지원했다. 서른 명을 표국에 신입표사로 파견하는 것도 그런 일들의 일환이었다.

표국 외에 상계나 대농장 등지에도 제자들을 파견했다고 들었다. 이렇게 하면 개개인은 각각의 분야에만 특화되겠지만, 도화곡 전체로 보면 여러 방면에 전문성을 가진 제자들을 거느리게 되는 셈이었다. 이는 도화곡을 더욱 뿌리 깊은 나무로 만들어줄 것이다. 당장 천룡표국만 해도 온갖 분야의 전문가들이 존재했다.

"이제부터 너희는 나의 사질들이 아니라 비룡표국의 신입표사들이다. 특별 대우는 있지도 않을 것이며, 급여나 포상 또한 철저하게 기준에 맞추어 지급할 것이다."

"명심하겠습니다!"

"다만 신입표사들임을 감안해 경험 많은 사수를 붙여주겠다. 염지약, 여소옥, 운휘향은 앞으로 나와라."

세 명의 여표들이 얼른 튀어나와 내 앞에 나란히 섰다.

"세 명은 도화곡에서 온 신입표사들을 각 열 명씩 데리고 다니면서 혹독하게 훈련하고 가르치도록."

"존명!"

다른 실력 있는 표사들을 두고 구태여 동성인 선배 여표들에게 도화곡 제자들을 맡긴 건 젊은 남표들과 눈이 맞는 걸 막기 위해서였다. 특히 매파가 소개해 준 그 많은 처자들을 싫다고 물리쳤던 독고완이 예홍과 눈만 마주치면 얼굴이 벌게져서 도망치는 게 영 신경 쓰였다. 그러면서도 한편으로는 독고완 정도면 괜찮은 놈인데 하는 생각도 들었다. 여동생을 내게 시집보낸 남궁세옥의 심정을 조금은 알 것 같았다.

그리고 그는 지금 매소옥과 함께 내 앞으로 걸어오고 있었다.

"형님 오셨습니까? 소저도 와주셨구료."

"다행히 늦지 않았군."

"이제 막 떠나려던 참입니다."

"고생길이 훤한 자네의 앞날에 천방지축에다 나이까지 많은 여동생을 맡겨서 미안하네. 더불어 혹을 떼어가 주어 고맙고."

"매 소저, 세옥 오라버니 혹시 낮술 하셨어요?"

약이 오른 남궁소소가 매소옥을 끌어들이며 슬그머니 시비를 걸었다.

매소옥이 피식 웃는 사이 남궁세옥의 말이 이어졌다.

"그래도 내게는 팔 한쪽을 떼어줘도 아깝지 않은 누이일세. 살다 보면 계절처럼 번갈아 찾아오는 희로애락이야 어쩔 수 없는 법. 다만 지금처럼 변치 말고 아껴주시게. 부탁드리네."

말과 함께 남궁세옥은 허리까지 숙이며 누구에게도 보인 적 없고, 나조차도 한 번도 본 적 없는 공손한 태도로 포권지례를 해왔다.

나도 깍듯이 마주 포권지례를 올렸다.

"약속드립니다."

다시 고개를 들었을 때 남궁소소의 눈에는 벌써 눈물이 그렁그렁 맺히고 있었다. 입술을 꼭 다물고 눈에 힘을 팍 준 것이 사람들 앞에서 울음보가 터지지 않도록 사력을 다해 참는 것 같았다.

남궁세옥이 그런 남궁소소에게 말했다.

"이제부터는 너의 말과 행동 하나하나가 풍운비룡의 얼굴임을 잊지 말아야 한다. 특히 표사와 쟁자수들을 대함에 있어서 표국의 안주인다운 대범함과 지혜로움을 보여야 하느니라."

"오라버니도 예쁜 소저 만나 빨리 장가가세요."

"갑자기 그 얘기가 왜 나와?"

"저는 잘 모르겠는데, 풍운비룡이 너무 좋아서 그래요."

"이 녀석이 끝까지 장난을."

남매가 그들만의 방식으로 작별 인사를 하는 사이 저만치 앞쪽에서는 이갑룡과 을룡과 병룡이 다가왔다.

나는 세 명의 형님들을 향해서도 깍듯하게 포권지례를 올렸다.

"형님들도 잘 계십시오."

"고집불통!"

"조심히 가거라."

내 인사에 이병룡과 을룡이 차례로 덕담(?)을 해주었다.

그리고 맏형인 이갑룡이 덧붙여 말했다.

"비룡당은 염려 마라."

"고맙습니다."

이갑룡이 옆을 돌아보며 이을룡에게 조용히 고개를 끄덕였다. 그러자 이을룡이 품속에서 괴황지 봉투를 하나 꺼내 내게 건네주었다.

내용물을 열어 보니 천룡표국에서 공식적으로 쓰는 세 장의 지도가 나왔다. 각각 남직예성, 호광성, 섬서성을 그린 상세 지도였다. 이들 삼성(三省)은 장안으로 가려면 반드시 거쳐 가야 하는 지방들이었다. 한데 가만 보니 딱 내가 가려고 계획했던 길을 따라 대략 사흘 정도의 간격으로 무언가 특별한 표시가 되어 있었다.

"이게 무엇입니까?"

"천룡표국의 분타들을 표시한 지도다."

"항주에서 장안까지 가는 길목에 있는 천룡표국의 분타는 세 곳밖에 되질 않습니다. 하지만 지도에 표시된 건 열 곳이 넘습니다."

"나머지는 백리세가와 자강상단과 만금전장의 분타와 지부를 표시해 둔 것이다. 미리 연락해 두었으니 근처에 이르면 그냥 지나치지 말고 꼬박꼬박 들러라. 오백 명 모두의 잠자리와 식사와 약재는 물론 필요한 보급품들까지 충분히 제공해 줄 것이다."

"제가 이 길로 갈 줄은 어떻게 아시고요?"

"가불염 표두, 아니, 가불염 당주가 가르쳐 주었다."

가만히 옆을 돌아보았다. 눈이 마주치자 가불염이 나를 향해 가볍게 고개를 끄덕여 보였다.

남직예성은 이을룡의 외가인 자강상단이 주로 활동하는 지방이었다. 호광성은 백리세가의 지부가 사방에 퍼져 있었다. 마지막으로 섬서성은 세 곳의 외가들 중 만금전장의 금력만이 유일하게 미치는 곳이었다.

"살다 보니 형님들 외가 덕을 볼 때가 다 있군요."

"너의 외가들이기도 하다."

한 명의 아버지에게서 난 형제들이니 어머니가 달라도 모두의 외가라는 뜻이다. 속이 빤히 보이는 말이었지만 왠지 오늘만큼은 진심이라고 믿고 싶었다.

사실 아주 거짓말도 아니었다. 경쟁자만 아니라면 나는 이들 세 명이 외부의 누군가와 전쟁을 벌일 때 누구보다 강력한 우군이 될 테니까. 천룡표국을 떠나 독립을 하겠다고 결심한 것도 그런 이유의 연상이었다.

엄격히 말해 나는 이종산의 친아들이 아니었다. 나로 말미암아 천룡표국의 형제들이 전란에 휩싸이는 걸 원치 않았다. 천룡표국은 내가 욕심내서는 안 될 물건이었다.

"고맙습니다."

나는 남궁소소와 함께 저만치에 서 있는 곽석산과 손지백과 삼당의 당주들에게도 허리 숙여 포권지례를 올렸다.

앞에 첫째, 둘째, 셋째 따위의 글자가 붙기는 하지만 그래도 어머니들인 이화부인, 자화부인, 청화부인에게도 포권지례를 올렸다.

그리고 마지막으로 이종산을 향해서도 정성을 다해 포권지례를 올렸다.

사실 저들과는 어젯밤 이미 정식으로 작별 인사를 마쳤다.

이종산이 고개를 끄덕이며 말했다.

"해가 중천이구나. 그만 떠나거라."

"모두 평안히 계십시오!"

나는 남궁소소와 함께 각자의 말에 나란히 올라탔다. 이어 무려 삼십 년 동안이나 몸담았던 천룡표국을 마지막으로 돌아보며 두 눈에 담았다.

저만치 나무 아래의 사람들 틈에서 조영영과 당군백이 보였다. 내가 두 여자를 향해 고개를 끄덕이자, 두 여자도 나를 향해 고개를 끄덕여주었다.

'모두 잘 있으시오.'

'안녕히 가세요.'

'안녕히 가세요.'

나는 다시 일각주 왕대표를 돌아보며 고개를 끄덕였다.

왕대표가 큰소리로 외쳤다.

"모두 말에 올라타라!"

표사들이 우르르 말에 올라탔다.

쟁자수들은 말만큼은 빠르지 않지만 대신 지구력이 탁월한 당나귀에 모조리 올라탔다. 쟁자수들이 표행 중 당나귀를 탈 수 있게 한 건 내가 바꿔놓은 비룡당만의 방식이었다.

다시 왕대표의 일갈이 터졌다.

"표기를 올려라!"

삼 장 높이의 대나무 장대 세 개가 하늘을 향해 솟구쳐 올라왔다.

흰색의 첫 번째 깃발엔 바람과 구름 사이로 승천하는 청룡 한 마리가 수놓아져 있었다.

붉은색의 두 번째 깃발엔 비룡표국이라는 네 글자가 용사비등한 필체로 수놓아져 있었다.

마지막으로 푸른색 깃발엔 풍운비룡이라는 네 글자가 역시나 같은 필체로 수놓아져 있었다.

푸른색의 깃발에 수놓인 네 글자는 이 표행단을 책임진 표두가 누구인지를 알리는 역할을 한다. 표물을 노리는 불순한 무리에게는 허튼 수작 말라는 경고를, 각 지방의 유력한 무림세력들에게는 체면을 보아 배려해 달라는 인사의 의미가 있었다.

"출발!"

왕대표의 마지막 일갈을 시작으로 백여 대의 표마차와 오백여 명의 사람들이 서서히 움직이기 시작했다.

화창한 어느 봄날의 일이었다.

환생표사 완결